걸프 사태

주변국 지원 3

요르단

걸프 사태

주변국 지원 3

요르단

| 머리말

　걸프 전쟁은 미국의 주도하에 34개국 연합군 병력이 수행한 전쟁으로, 1990년 8월 이라크의 쿠웨이트 침공 및 합병에 반대하며 발발했다. 미국은 초기부터 파병 외교에 나섰고, 1990년 9월 서울 등에 고위 관리를 파견하며 한국의 동참을 요청했다. 88올림픽 이후 동구권 국교 수립과 유엔 가입 추진 등 적극적인 외교 활동을 펼치는 당시 한국에 있어 이는 미국과 국제 사회의 지지를 얻기 위해서라도 피할 수 없는 일이었다. 결국 정부는 91년 1월부터 약 3개월에 걸쳐 국군의료지원단과 공군수송단을 사우디아라비아 및 아랍 에미리트 연합 등에 파병하였고, 군 · 민간 의료 활동, 병력 수송 임무를 수행했다. 동시에 당시 걸프 지역 8개국에 살던 5천여 명의 교민에게 방독면 등 물자를 제공하고, 특별기 파견 등으로 비상시 대피할 수 있도록 지원했다. 비록 전쟁 부담금과 유가 상승 등 어려움도 있었지만, 걸프전 파병과 군사 외교를 통해 한국은 유엔 가입에 박차를 가할 수 있었고 미국 등 선진 우방국, 아랍권 국가 등과 밀접한 외교 관계를 유지하며 여러 국익을 창출할 수 있었다.

　본 총서는 외교부에서 작성하여 30여 년간 유지한 걸프 사태 관련 자료를 담고 있다. 미국을 비롯한 여러 국가와의 군사 외교 과정, 일일 보고 자료와 기타 정부의 대응 및 조치, 재외동포 철수와 보호, 의료지원단과 수송단 파견 및 지원 과정, 유엔을 포함해 세계 각국에서 수집한 관련 동향 자료, 주변국 지원과 전후복구사업 참여 등 총 48권으로 구성되었다. 전체 분량은 약 2만 4천여 쪽에 이른다.

2024년 3월

한국학술정보(주)

| 일러두기

· 본 총서에 실린 자료는 2022년 4월과 2023년 4월에 각각 공개한 외교문서 4,827권, 76만 여 쪽 가운데 일부를 발췌한 것이다.

· 각 권의 제목과 순서는 공개된 원본을 최대한 반영하였으나, 주제에 따라 일부는 적절히 변경하였다.

· 원본 자료는 A4 판형에 맞게 축소하거나 원본 비율을 유지한 채 A4 페이지 안에 삽입 하였다. 또한 현재 시점에선 공개되지 않아 '공란'이란 표기만 있는 페이지 역시 그대로 실었다.

· 외교부가 공개한 문서 각 권의 첫 페이지에는 '정리 보존 문서 목록'이란 이름으로 기록물 종류, 일자, 명칭, 간단한 내용 등의 정보가 수록되어 있으며, 이를 기준으로 0001번부터 번호가 매겨져 있다. 이는 삭제하지 않고 총서에 그대로 수록하였다.

· 보고서 내용에 관한 더 자세한 정보가 필요하다면, 외교부가 온라인상에 제공하는 『대한 민국 외교사료요약집』 1991년과 1992년 자료를 참조할 수 있다.

| 차례

	정 리 보 존 문 서 목 록				
기록물종류	일반공문서철	등록번호	2020110079	등록일자	2020-11-18
분류번호	721.1	국가코드	XF	보존기간	영구
명 칭	걸프사태: 주변국 지원, 1990-92. 전12권				
생 산 과	중동2과/북미1과	생산년도	1990~1992	담당그룹	
권 차 명	V.6 요르단 I: 1990.9-91.3월				
내용목차					

0001

외 무 부

종 별 : 긴 급

번 호 : JOW-0417

일 시 : 90 0908 1930

수 신 : 장 관(중근동,(마그),기정)

발 신 : 주 요르단 대사

제 목 : 주재국 난민처리 협조요청

1. 금 9.8 본직은 주재국 외무성 OTHMAN 국제 기구국장과 UN 관련 업무협의차 면담한바, 북한의 단일의석 UN 가입 부당성 및 아국의 입장에 지지를 표명한 연후에 표제 난민처리에 한국이 협조할수 있는지 문의하였음.

2. 동국장에 의하면 금번 걸프위기 사태로 주재국에는 난민들이 대량 유입되어(현재 10 만이상 잔류, 계속증가) 이들에 대한 급식 조달및 자국으로의 수송등에 큰 애로를 겪고 있는 실정인바 인도적인 견지에서 UN 기구및 서방국가 일부에서 비행기 제공, 구호금등의 방법으로 지원해오고 있음에 한국도 이에 협조할수 있을는지 가능성 여부를 정중히 문의하였으며 이에 본직은 본국정부 문의후 회답하기로 하였음.

3. 건의

가. 금번 걸프위기 사태에 대한 아국의 대응 여하에 따라 주재국 내지, 리비아등 이락 지지국을 포함한 아랍제국에 미치는 영향을 고려하여 미국의 요청에 불가피 응할수 밖에 없는 현시점에서 표제의 인도주의적인 견지의 명분이 뚜렷한 동지원 요청을 적극검토 신속 대처함이 유익할것으로 판단건의함.

나. 현재 중요시되는것은 지원규모의 크기보다 한국이 아랍측의 요청에 부응한다는 상징적인 의미가 더욱 중요함으로 1 대의 비행기라도 단시간의 수송내지 구호품등 가능한 지원방법 모색 건의함.

4. 각국지원현황(참고)

소련: ANTONOV 수송기(450 인승) 제공, 수송협조(방글라데시 4,500 여명, 스리랑카 1,100 명 수송예정)

서독: 167 인승 항공기 10 일간 제공

영국: 50 만 파운드 지원금, 담요, 의약품지원

1990.12.31 엽 예고문에
외거 일반문서로 재 분류됨.

검 토 필(1990.12.31.)

중아국	장관	차관	1차보	2차보	중아국	청와대	안기부	대책반

일본: 1 천만불 기지원(1,200 만불 추가지원 약속)

프랑스: JUMBO 기 및 보잉 707 기 제공, 수송협조(총 17 회)

스웨덴: 520 만불 지원예정

쿠웨이트: 지원약속

필리핀: 구주취항 필리핀 AIRLINE 을 자국민 난민수송에 충당

(대사 박태진-국장)

예고:90.12.31 일반

대외구호금: 8만弗 (이미사용)

중동아 예비비(항공비용) 신청: 6억원 (기획원 1억6천만원 승인)

난민송환사업 (영사과) : 2만弗 (8000弗 이미사용
                              5000弗 사용예정
                              7000弗 사용可)

걸프사태 : 주변국 지원, 1990-92. 전12권 (V.6 요르단 I: 1990.9-91.3월)   9

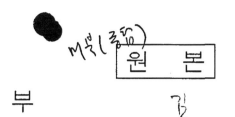

외 무 부

종 별 :

번 호 : JOW-0469   일   시 : 90 0925 1600

수 신 : 장 관(미북,중근동,마그,정일,정문,기정)

발 신 : 주 요르단 대사

제 목 : 페만사태 관련, 아국지원에 대한 반응

　　　대: AM-0189

　　　1. 9.24 주재국 JTV 는 뉴스를 통해 표제 아국 지원방안에 대해 상세히 보도함

　　　2. 또한 주재국의 일간지 AL-SHAAB 와 AL-DUSTOUR 지는 9.25자 기사를 통해, 아국 외무장관대리의 발표문을 상세 보도하면서 전기 TV 와 함께 데이라크 경제 제재로피해를 입고있는 주재국을 비롯한 주변 전선국가들에 대한 지원경비내역도 설명하고있음

　　　3. 전시 TV 및 일간지 보도내용이 비교적 RESONABLE 하였고, 비교적 친이라크 성향을 보이고 있는 주재국 국민들도 동 보도에 요르단 지원 내용이 포함되어 있는 관계로 아측의 입장과 결정을 이해하는 반응을 보이고 있음

　　　(대사 박태진-국장)

미주국　대책반　1차보　1차보　중아국　중아국　정문국　정문국　안기부

통상국

PAGE 1   90.09.25   23:55 CG

　　　　　　　　　　　　　　　　　　　　　　외신 1과 통제관

　　　　　　　　　　　　　　　　　　　　　　　　　　　　0004

관리 번호	90/ /789

외 무 부

종 별 : 지 급

번 호 : JOW-0534

일 시 : 90 1021 1600

수 신 : 장 관(중근동,경이,마그,기정)

발 신 : 주 요르단 대사

제 목 : 대주재국 경협

1. 주재국의 ABDULLAH 기획성 장관이 10.23 본직과의 면담을 요청하여 왔는바,
이는 주재국을 포함한 전선국가들에 대한 아국의 경협 문제등에 관해 협의코자 하는
것으로 판단됨

2. 이와 관련, 주재국에 대한 경협 분배액수및 연성차관 내용등 상세한 경협지침을
명 22 일한 지급통보바람

(대사 박태진-국장)

검토필(199. 12. 31.)

예고:90.12.31 까지문서기
의거 일반문서로 제 분류됨.

보 관 (11) 91. 6. 30. 까

중아국   차관   2차보   중아국   경제국   안기부

PAGE 1

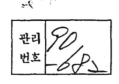

외 무 부

종 별 : 긴 급

번 호 : JOW-0558   일 시 : 90 1101 1030

수 신 : 장 관(마그,미북,경이,기정),사본:경기원,재무부,상공부

발 신 : 차관(주 요르단 대사 경유)

제 목 : 걸프조사단(8-요르단)

1. 본직과 조사단일행은 10.31 이집트를 떠나 요르단에 도착하여 MUTASEM BILBEISI 외무차관과 SHAKEER ARARBIAT 아주국장의 공항영접을 받았음

2. 본직은 당일 KHALID ABDELLAH 경제기획부장관을 방문, 아측조사단 전원과 동기획부 간부들이 배석한 가운데 아국지원에 관한 협의회를 가졌는바 먼저 본직의 걸프만 사태관련 주변 피해국에 대한 아국의 지원결정 사실과 대요르단 지원내역 설명해 주었음

3. 이에 ABDELLAH 장관은 요르단의 어려운 시기에 한국이 조사단을 파견하여 원조를 제공한데 대하여 심심한 사의를 표하였음

4. 요르단측과는 동장관 참석하에 질의문답형식으로 상세한 토의가 있었는바 요지는 별전보고함

5. 10.31. 오찬은 한.요르단 친선협회장이, 만찬은 BILBEISI 외무차관이 주최하였음

(차관-장관)

예고:90.12.31 일반

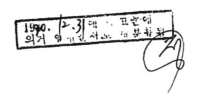

중아국   장관   차관   1차보   2차보   미주국   경제국   상황실   정와대
안기부   경기원   재무부   상공부

PAGE 1   90.11.01   19:29
외신 2과   통제관 DO

0006

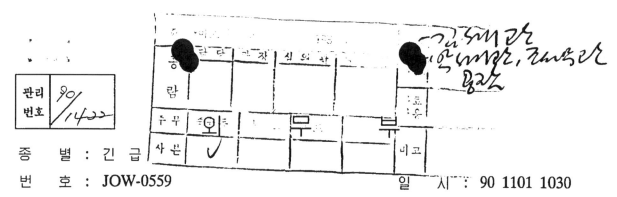

종 별 : 긴 급

번 호 : JOW-0559   일 시 : 90 1101 1030

수 신 : 장 관(마그,미북,중근동,경이,기정),사본:경기원,재무부,상공부

발 신 : 차관(주요르단 대사경유)

제 목 : 걸프만 조사단(9-요르단)

　　　본직은 10.31 요르단 경제기획부 방문후 박태진 대사, 신국호과장 및 김균참사관을 대동하고 HASSAN BIN TALAL 왕세자와 MUTASEM BILBEISI 외무차관을 예방하였는바 주요면담요지 아래와 같음(면담은 모두 회의실에서 여러명의 배석자가 참석하여 회담식으로 진행됨

　　1. HASSAN 왕세자

　　(요르단측은 상공부 장관, 경제기획부 차관, 왕세자 경제고문 및 법률고문 배석)

　　가)왕세자는 걸프만 사태와 관련 요르단이 이라크의 대변자 또는 이중적 입장을 취하고 있다는 오해를 받고 있는바 이는 매우 부당하다고 말하였음

　　나)요르단은 무력에 의한 타국영토강점을 반대하고 현걸프만 사태에 관한 유엔결의를 존중하며 대이라크 제재에 참여하고 있어 요르단이 도덕적으로 비난받을 대상은 아닌바 일부아랍국가 및 미국등으로 부터 마치 요르단이 별도로 행동하고 있는듯한 비난을 받고있음. 또한 요르단은 아카바만 봉쇄로 많은 경제적 타격을 입고있음

　　다. 이집트, 터키는 현사태로 3-4%의 GNP 손실이 예상되고 있으나 요르단은 13-15%의 손실이 예상되어 매우 심각하며 그외 난민운송, 실업등으로 타격이 큼

　　라)객관적인 측면에서 금번 대이라크 제재와 팔레스타인 문제로 인한 대이스라엘 제재를 비교할때 대이라크 제재는 공정성을 잃고있는바, 팔레스타인 문제와 연계하여 취급해야함

　　마. 본직은 이에대해 아국은 현걸프만 사태에의 직접 당사자는 아나나 경제측면에서 많은 영향을 받고있어 현사태의 추이를 면밀히 관찰하고있으며, 이번사태로 피해를 입고있는 나라의 부담을 덜어주기위해 능력한도내에서 기여코자함을 설명하고 대요르단 지원내역을 통보함

중아국	장관	차관	1차보	2차보	미주국	중아국	경제국	상황실
정와대	안기부	경기원	재무부	상공부				

PAGE 1

90.11.01　　19:35

외신 2과 통제관 DO

0007

바)아울러 한바도 주변정세 변화상황, 남북관계등을 설명해주었음

2. BILBISI 외무차관

(외무부 정무국장, 국제기구국장, 아주국장등 4 명참석)

가)동차관도 걸프만 사태에 요르단이 받고있는 오해의 부당성및 이라크의 쿠웨이트 침공초기부터의 후세인 국왕의 평화중재노력, 현사태 해결을 위한 후세인국왕의 제안(대이라크 무력행동 자제보장, 이라크군의 철수, 외국군의 철수, 아랍군에 의한 대체)및 아랍각지역에서의 영토분쟁 잠재 사실등을 자세히 설명하였음

나)본직은 금번 방문의 목적인 주변피해국에 대한 재정지원입장을 설명하고 아울러 한바도 정세와 남북한 관계현황을 설명해주었음

다)요르단측은 또한 양국관계에 있어 국제무대에서 아국을 항시 지지해 왔음을 상기시키면서 아국의 유엔가입 신청시 찬성할 것이며 금번 총회기조연설에서는 걸프만사태에 대해서만 언급하고 다른 사항은 일체언급하지 않았으나 아국지지 입장은 변함이 없다고 다짐하였음

3. 요르단 조야는 HASSAN 왕세자 BILBEISI 외무차관 외무성국장 및 언론에 이르기까지

(1)사태초기 아랍연맹내에서의 요르단의 평화적인 노력을 미국과 아랍일부 국가들이 오해하고 있음을 분격하고 있으며

(2)대이라크 경제제재조치및 난민유입으로 인해 주변 어느국가보다 요르단이 피해를 받고있음을 억울하게 생각하고

(3)팔레스타인 문제 및 예루살렘 민간인 살해사건등과 관련 미국 및 유엔의 입장(CONDEMN 용어대신 DEPLORE 라고한점)을 못마땅하게 여기고 있으며

(4)아카바만에 있어서 미국해군의 검열조치가 부당하고 공정치 않으며

(5)최근 미국의 대걸프만 정책이 전쟁일변도로 공세적인 분위기를 몰고나오는데 대하여 심각한 반대입장 및 비판적인 시각을 보이고 있음. 이러한 비판적인 입장은 미국뿐 아니라 이집트 및 시리아에 대해서도 팽배되고있음. 단지 전쟁발발 가능성에 대하여는 현재 미국의 재반 정책방향이 11 월을 중심으로 하여 군사적인 행동이 재시될 것을 우려하고있음

4. 상기 HASSAN 왕세자 예방후에 요르단 T.V. 와의 현걸프만 사태 및 양국관계에 관한 인터뷰가 있었으며 동 TV 는 본 조사단 활동사항에 관하여 약 10 분간 뉴스방영하였으며 익일 아침 조간에도 보도되었음

PAGE 2

0008

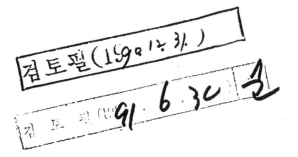
PAGE 3

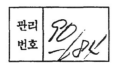

외 무 부

종 별 : 지급

번 호 : JOW-0561 ✓   일 시 : 90 11101 2240

수 신 : 장 관(마그,미북,경이,기정),사본:경기원,재무부,상공부

발 신 : 차관(주요르단 대사경유)

제 목 : 걸프만 조사단(10-요르단)

　　　대요르단 지원문제에 관한 본직과 ABDULLAH 경제기획부 장관간 대체적 토의후 10.31 동일 양측은 구체적인 실무협의를 계속하였는바 토의결과 아래와 같음

　　　(아측 이철수 예산국장, 이정보경협국장, 황두인 상역국장등 7 명, 요르단측 NABIL SWEIS 경제기획부 차관보등 5 명)

　　　1. EDCF 자금(1000 만불)

　　　가)이자율에 대해 아측이 요르단 1 인당국민소득을 기준으로 하여 4.2%라고 하자 요르단측은 작년소득기준은 곤란하며 세계은행도 요르단의 심각한 경제사정을 고려 이자율 재조정을 검토하고 있으므로 아측제시 이자율도 금년소득을 기준으로 하여 대폭 낮추어 줄것을 요청함

　　　나)EDCF 차관의 내국화 비용한도 30%는 요르단 국내업계에 도움이 되도록 높여줄것을 요청함

　　　다)걸프만사태로 줄어든 원유사정을 해결키 위해 석유탱크를 대체할 선반구입에 동자금사용을 문의한바 아측은 동차관자금이 원칙상 기간산업건설에 사용되는 점을 강조하면서 요측이 프로젝트 개요를 제출하면 검토 하겠다고 답변함

　　　라)요측은 EDCF 차관 대상사업으로 하기 사업을 우선순위별로 제시하였음

　　　-아카바항내 석유저장용 탱크역화을 할 10 만톤급 중고선 구입(700 만-1000 만불)

　　　-암만시 폐수처리장 건설공사(900 만불)

　　　-30 메가와트급 개스터빈 제작설치(1500 만불 X2 기)

　　　-암만/홍해 고속도로일부 구간 7KM 건설공사(700 만불)

　　　마)아측은 상기사업에 대한 상세계획서를 제출하여 공식요청하면 검토의견을 대사관을 통해 보내겠다고 답변함

　　　2. 생필품(500 만불)

중아국	장관	차관	1차보	2차보	미주국	경제국	청와대	안기부
경기원	재무부	상공부						

PAGE 1

90.11.02　06:30

외신 2과　통제관 DO

공람	국제경제국	년원일	담당	과장	국장	자관보	자관	장관

0010

16　걸프 사태 주변국 지원 3: 요르단

가)요측은 동자금을 기거래한 L C 베이스 아국상품 수입대금변제에 충당될수 있도록 요청하였으나 아측은 지원취지에 맞지않으며 앞으로의 새로운 정부 L/C 개설에 의한 수입대금 활용문제는 검토해보겠다고 답변함

나)공여대상품으로서는 우선순위별로 설탕(REFINED SUGAR)10-14 만톤(아측제시 품목리스트 13 번,25 인승 미니버스 100 대(42 번), 강관(PIPE AND TUBE, 아측리스트에 없으며 요측이 세부사항 제출예정)의 3 개품목을 지원요청하였으며, 아측은 국내재고여부 및 수송, 보험료등 제반사항을 검토, 외교채널을 통해 봉보해주기로 하였음

3. 본조사단은 11.2 시리아로 입국할 예정이며 시리아에서 활동내용은 11.5 이태리 도착후 보고하겠음

(차관-장관)

예고:90.12.31 일반

1990. 7. 3. 에 앤고문에 의거 일 반 서 는 재 분 류 함

외 무 부

종 별 : 지급

번 호 : JOW-0562   일 시 : 90 1102 2030

수 신 : 장관(마그,미북,봉이),사본:상공부

발 신 : 차관(주 요르단 대사 경유)

제 목 : 걸프만 조사단(11-요르단)

　　1. 표제 정부조사단과 요르단 기획부 장관을 수석으로한 요르단측과의 회담에서 요르단측은 양국간 현안으로 되있는 제 3 차 한. 요 공동위 개최문제를 제기한바 아측은 본대표단이 관계부처 고위 실무자로 구성되어 있고 일반적인 양국 쌍무관계 토의도 준비가 되있으므로 본회담을 공동위로 활용할것을 제의 합의하였음

　　2. 동회의에서 제반사항이 논의되었으나 가장 중요한 안건은 요르단의 인광석 및 염화가리의 구입 증대요청인바 이에대해 아측은 정부에서 행정적인 조언을 통하여 요르단측 인광석 수입증대를 적극권장할 것이나 실수요자가 민간회사임에 비추어 수입증량여부는 전적으로 가격과 품질에 딸린것이나 요르단측 요청사항을 성의있게 검토하겠다고 다짐하였음

　　3. HASSAN 왕세자 면담시 참석한 경제부처 장, 차관 및 만찬에 참석한 인광석 및 염화가리 수출 회사 사장들은 본건에 대한 아국정부의 협조를 제차 간곡히 요청하였음

　　4. 현재 요르단은 걸프만 사태로 인하여 가장 피해를 받고있는 국가이며 한국이 각종 재원으로 이들을 원조하고 있는 시점에서 가격, 품질등에서 큰차이가 없는경우 요르단산 인광석을 현 대요르단 원조정신에 준하여 협조하여 줄경우 요르단측은 매우 고마워 할것인바 본건 관계부처에서 긍정적으로 검토해주도록 조치하여 줄것을 건의함

　　5. 본건관련 조사단 대표중 상공부 황두연 상역국장이 요르단측과 개별적인 협의를 갖고 양국교역 증대를 위하여 최대한 노력할것이라고 언급한바 참고바람

　　(차관-장관)

　　예고:90.12.31 일반

중아국	장관	차관	1차보	2차보	미주국	통상국	청와대	안기부
상공부								

PAGE 1

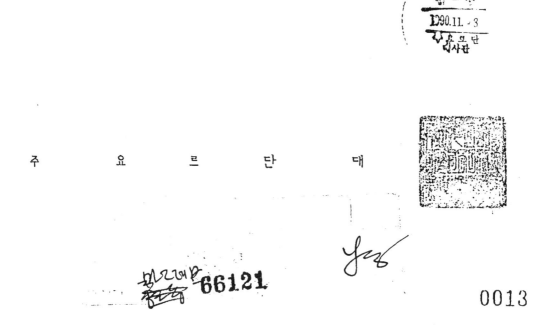

주 요 르 단 대 사 관

요르단(정) 700-241   1990. 11. 27.

수 신 : 장관
참 조 : 중동아프리카국장
제 목 : 대요르단 지원

          연: JOW- 0632

연호 대요르단 지원에 관한 주재국 ABDULLAH 기획성 장관의 서한 및 양국 대표간
회의록을 별첨과 같이 송부하오니 동회의록 말미에 아측 단장의 서명 조치후 당관으로
반송해 주시기 바랍니다.

첨 부 : 동 관련서류.   끝.

          주 요 르 단 대

66121   0013

 بِسْمِ اللهِ الرَّحْمٰنِ الرَّحِيْمِ

THE HASHEMITE KINGDOM OF JORDAN

MINISTRY OF PLANNING

AMMAN

Ref. 5/2/48/6350

Date 24/11/1990

المملكة الأردنية الهاشمية

وزارة التخطيط

عمــان

الرقم ....

التاريخ ....

الموافق ....

H.E. The Ambassador
Embassy of the Republic of Korea
Amman

Excellency,

I refer to the meeting held at the Ministry of Planning on 31/10/1990 with the distinguished Korean delegation headed by H.E. Mr. Chong Ha Yoo, Vice Minister of Foreign Affairs, regarding the emergency assistance the Government of the Republic of Korea is providing to Jordan, namely a concessionary loan of US$ 10 million for infrastructure projects and a grant of US$ 5 million for the purchase of commodities from Korea.

Your Excellency's kind efforts and Your Government's timely response are very much appreciated.

I am enclosing two copies of the Minutes of Meeting as a record of our discussions, duly signed on our side. I would appreciate it if Your Excellency could kindly take the neccessary action to have them signed by the Korean side and return one signed copy to me.

The Minutes of Meeting reflect the priorities as discussed. However, since the meeting and on further consideration on our side, we will be happy to give the following priorities:

a)   (10) Million $ Loan
The "Wastewater Collection and Treatment Plant at Wadi Es-Sir" has first priority over the projects listed in the attached list.

b)   (5) Million $ Grant   50
Priority is given to the 25 mini buses. The balance is to be used to provide up to 14,000 tons of sugar.

. . . . . /2

0014

صندوق بريد ٥٥٥ العنوان البرقي: NPC تلكس:٢١٣١٩ NPC جو، ٢٤٢٥٨ MINP جو فاكسميلي : ٦٤٩٣٤١ تلفون:٦٤٤٤٦٦/٧٠-٦٤٤٣٨١/٨٥

P. O. Box 555 Cable : NPC Telex : 21319 NPC JO, 24258 MINP JO Telfax : 649341 Tel : 644466/70 - 644381/85

- 2 -

Your Excellency's efforts in this respect will be highly appreciated.

Accept, Excellency, the assurances of my highest consideration.

Sincerely yours,

C. Abdullah

Dr. Khalid Amin Abdullah
Minister of Planning

Minutes of Meeting

A meeting was held at the Ministry of Planning on 31/10/1990 between a Delegation from the Republic of Korea headed by H.E. Mr. Chong Ha Yoo, Vice Minister of Foreign Affairs and a Jordanian Delegation headed by H.E. Dr. Khalid Amin Abdullah, Minister of Planning. Both delegations discussed the possible assistance the Government of the Republic of Korea is willing to provide to Jordan to assist in overcoming the economic effects resulting from the Gulf Crisis.

The Korean Delegation informed the Jordanian Delegation that the Government of the Republic of Korea decided to extend to Jordan a concessionary loan in the amount of US$ 10 million for financing infrastructure projects under ~~Export~~ Economic Development Cooperation Fund (EDCF) arrangements, and US$ 5 million in the form of commodity aid as a grant.

The Jordanian Delegation handed the Korean Delegation a list of projects and commodities with a brief on each of them (copies enclosed) to be considered for financing under the US$ 10 million loan and the US$ 5 million grant.

The Korean Delegation informed the Jordanian Delegation that these two lists will be studied by the Korean authorities concerned and the Jordanian Government will be notified accordingly.

The Jordanian Delegation requested the Government of the Republic of Korea to assist Jordan to overcome the present economic situation by increasing its imports of Jordanian Phosphate and Potash.

The Korean Delegation indicated that these imports are the concern of the private sector. Nevertheless, the Korean

1

0016

Government will make all possible efforts with the private companies concerned regarding this matter.

The Jordanian side, in the light of the present conditions and the emergency nature of this loan, requested that financing the local cost of projects be maximised as well as allowing the participation of the local contractors in the bidding, be considered by the Korean Government.

The Korean Delegation indicated that this issue will be studied by the Korean authorities concerned and the Government of Jordan will be notified accordingly.

_____
Dr. Khalid Amin Abdullah
Minister of Planning
Hashemite Kingdom of Jordan

_____
Mr. Chong Ha Yoo
Vice Minister of Foreign
Affairs,
Government of the Republic
of Korea

2

외 무 부

종 별 : 지 급

번 호 : JOW-0632   일 시 : 90 1127 1730

수 신 : 장 관(마그,기정)

발 신 : 주 요르단 대사

제 목 : 요르단 지원

대:WJO-0488,

1. 금 11.25 주재국의 ADULLAH 기획성장관은 본직앞 서한을 통해 페만사태 관련 아국정부 조사단의 당지 방문시 양국 정부간 회의결과를 작정한 기획성의 'MINUTES OF MEETING'을 송부하면서 토의 기록보존을 위해 주재국측대표인 동장관이 서명한후 아측 대표인 유차관의 서명획득을 의뢰하여 왔음

2. 또한 동서한에서 10 만불의 EDCF 자금 사용에 관해 WADI-ES-SIR 지역의 폐수 수집처리 공장'을 최우선으로 하고 FLOATING OIL 저장 TANKER, 2 대의 가스터바인 및 암만근교 고속도로 일부 건설(단거리)의 순의로 정해줄것을 요청하고 있음

3. 5 백만불의 무상원조에 관해서는 25 인승 마이크로버스 50 대외 나머지는 모두 설탕으로 배정해줄것을 원하고 있음

4. 동서한 금주파편 송부하겠음

(대사 박태진-국장)

예고:90.12.31 까지

중아국   2차보   안기부   미주국 차관 대책반

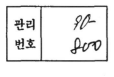
외 무 부

종 별 : 지급
번 호 : JOW-0667
수 신 : 장 관(마그,기정)
발 신 : 주 요르단 대사
제 목 : 대요르단 지원

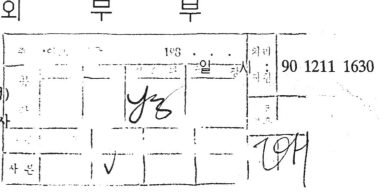

일 장시 : 90 1211 1630

대:WJO-0499,0509

1. 금 12.11 주재국의 ABDULLAR 기획장관은 본직앞 공한을 통해 1,000 본의설탕,50 대의 미니버스외는 강관대신 다음 SPECIFICATION 의 쌀을 전량 도입을원하고 있음

-CAMOLINO RICE, MEDIUM GRAIN
-FIRST GRADE MILLIN
-BROKENS MAX 3%
-FIT FOR HUMAN CONSUMPTION
-MOISTURE MAX 14%
-FOREIGN MATTERS MAX 0.1%
-PROTEIN MIN 6%
-CHALKY GRAINS MAX 2%
-DAMAGED AND YELLOW GRAINS MAX 0.15%
-FREE FROM LIVE WEEVILS OR WEEVIL INFESTED GRANINS.

2. 동공한과 함께 EDCF 차관 관련, 제 1 순위의 폐수 수집처리 공장의 사업타당성 검토 보고서등을 송부하여왔 12.12. 파편 송부함   5부

3. 또한 GHAWI 기술 경협국장은 동서한에서 언급된 주재국측의 기타 요청사항에 대해 가능한 협조해주기 바란다고 말하였음

(대사 박태진-국장)

예고:90.12.31 까지

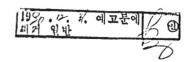

중아국   차관   1차보   2차보   청와대   안기부

80-
763

마크20005 **기 안 용 지**

(전화 :   )

분류기호 문서번호				시 행 상 특별취급	
보존기간	영구·준영구. 10. 5. 3. 1.		장 관		
수 신 처 보존기간					
시행일자	1990.12.14.		例		
보 조 기 관	국 장	전결	협 조 기 관	문 서 통 제	접인 1990.12.17
	심의관				
	과 장				
기안책임자	허덕행			발 송 인	
경 유 수 신 참 조	농수산부장관 양정국장		발 신 명 의	발송 1990 12.17 외무부	
제 목	걸프사태관련 쌀지원 문제				

걸프만 사태관련 주변피해국 지원건과 관련 500만불 상당의

물품지원 대상국인 요르단은 설탕 1,000톤(60만불상당), 미니버스

50대 (128만불상당)외 나머지(약 310만불상당)는 별첨 전문에서와

같은 쌀을 지원해주길 희망하고 있는바 아국이 지원키로한 쌀에

요르단측이 희망하는 종류의 쌀이 있는지 여부, 톤당 CIF 가격 및

동 지원에 대한 종합적인 귀견을 조속 회보하여 주시기 바랍니다.

- 아   래 -

첨부 : 관련 전문 사본 1부. 끝.

0020

o CAMOLINO RICE , MEDIUM GRAIN

o FIRST GRADE MILLAN

o BROKENS MAX 3%

o FIT FOR HUMAN CONSUMPTION

o MOISTURE MAX 14%

o FOREIGN MATTERS MAX 0.1%

o PROTEIN MIN 6%

o CHALKY GRAINS MAX 2%

· DAMAGED AND YELLOW GRAINS MAX 0.15%

o FREE FROM LIVE WEEVILS OR WEEVIL

INFESTED GRAINS.

0021

90-
764

마그20005- 기 안 용 지

분류기호 문서번호	마그20005- (전화:)		시 행 상 특별취급	
보존기간	영구·준영구. 10. 5. 3. 1.	장 관		
수 신 처 보존기간				
시행일자	1990.12.14.	예		
보 조 기 관	국 장	전결		협 조 기 관	문 서 통 제 1990.12.17
	심의관			
	과 장			발 송 인 반 송 1990 12 17 외무부
기안책임자	허 덕 행			
경 유 수 신 참 조	재무부, 상공부장관 국제협력국장, 상역국장	발 신 명 의		
제 목	걸프만 정부조사단 요르단 방문시 협의내용			

요르단 경제기획부는 유종하 외무부 차관을 단장으로한 정부

조사단과의 90.10.31. 회의록을 별첨 사본과 같이 송부하면서 동

회의록에 아측 대표단장의 서명조치를 요청하여 왔는바, 이에대한

귀부의견(특히 인산엽 수입증대 및 EDCF 자금 공여조건)및 귀부관련

사항에 대한 조치결과를 조속 회보하여 주시기 바랍니다.

첨 부 : 회의록 사본 1부. 끝.

0022

1505-25(2-1) 일(1)갑
85. 9. 9. 승인   "내가아낀 종이 한장 늘어나는 나라살림"

190mm×268mm 인쇄용지 2급 60g/㎡
가 40-11 1990. 3. 30

THE HASHEMITE KINGDOM OF JORDAN

MINISTRY OF PLANNING

AMMAN

Ref. 5/2/48/6350

Date 24/11/1990

المملكة الأردنية الهاشمية

وزارة التخطيط

عـــمـان

الرقم ـــــــــــــــــــــــــ

التاريخ ـــــــــــــــــــــــــ

المرافق ـــــــــــــــــــــــــ

H.E. The Ambassador
Embassy of the Republic of Korea
Amman

Excellency,

        I refer to the meeting held at the Ministry of Planning on
31/10/1990 with the distinguished Korean delegation headed by
H.E. Mr. Chong Ha Yoo, Vice Minister of Foreign Affairs,
regarding the emergency assistance the Government of the Republic
of Korea is providing to Jordan, namely a concessionary loan of
US$ 10 million for infrastructure projects and a grant of US$ 5
million for the purchase of commodities from Korea.

        Your Excellency's kind efforts and Your Government's
timely response are very much appreciated.

        I am enclosing two copies of the Minutes of Meeting as a
record of our discussions, duly signed on our side. I would
appreciate it if Your Excellency could kindly take the neccessary
action to have them signed by the Korean side and return one
signed copy to me.

        The Minutes of Meeting reflect the priorities as
discussed. However, since the meeting and on further
consideration on our side, we will be happy to give the following
priorities:

a)   (10) Million $ Loan
      The "Wastewater Collection and Treatment Plant at Wadi Es-
      Sir" has first priority over the projects listed in the
      attached list.

b)   (5) Million $ Grant
      Priority is given to the 25 mini buses. The balance is to be
      used to provide up to 14,000 tons of sugar.

                                        ...../2

0023

صندوق بريد ٥٥٥ العنوان البرقي: NPC تلكس: ٢١٣١٩ NPC جو ، ٢٤٢٥٨ MINP جو فاكسميلي : ٦٤٩٣٤١ تلفون:٦٤٤٤٦٦/٧٠-٦٤٤٣٨١/٨٥
P. O. Box 555 Cable : NPC Telex : 21319 NPC JO, 24258 MINP JO Telfax : 649341 Tel : 644466/70 - 644381/85

STRY OF PLANNING ●● وزارة التخطيــــط

- 2 -

Your Excellency's efforts in this respect will be highly appreciated.

Accept, Excellency, the assurances of my highest consideration.

Sincerely yours,

R. Abdullah

Dr. Khalid Amin Abdullah
Minister of Planning

0024

Minutes of Meeting

A meeting was held at the Ministry of Planning on 31/10/1990 between a Delegation from the Republic of Korea headed by H.E. Mr. Chong Ha Yoo, Vice Minister of Foreign Affairs and a Jordanian Delegation headed by H.E. Dr. Khalid Amin Abdullah, Minister of Planning. Both delegations discussed the possible assistance the Government of the Republic of Korea is willing to provide to Jordan to assist in overcoming the economic effects resulting from the Gulf Crisis.

The Korean Delegation informed the Jordanian Delegation that the Government of the Republic of Korea decided to extend to Jordan a concessionary loan in the amount of US$ 10 million for financing infrastructure projects under ~~Export~~ Economic Development Cooperation Fund (EDCF) arrangements, and US$ 5 million in the form of commodity aid as a grant.

The Jordanian Delegation handed the Korean Delegation a list of projects and commodities with a brief on each of them (copies enclosed) to be considered for financing under the US$ 10 million loan and the US$ 5 million grant.

The Korean Delegation informed the Jordanian Delegation that these two lists will be studied by the Korean authorities concerned and the Jordanian Government will be notified accordingly.

The Jordanian Delegation requested the Government of the Republic of Korea to assist Jordan to overcome the present economic situation by increasing its imports of Jordanian Phosphate and Potash.

The Korean Delegation indicated that these imports are the concern of the private sector. Nevertheless, the Korean

1

0025

Government will make all possible efforts with the private companies concerned regarding this matter.

The Jordanian side, in the light of the present conditions and the emergency nature of this loan, requested that financing the local cost of projects be maximised as well as allowing the participation of the local contractors in the bidding, be considered by the Korean Government.

The Korean Delegation indicated that this issue will be studied by the Korean authorities concerned and the Government of Jordan will be notified accordingly.

K. Abdullah
_____
Dr. Khalid Amin Abdullah
Minister of Planning
Hashemite Kingdom of Jordan

_____
Mr. Chong Ha Yoo
Vice Minister of Foreign
Affairs,
Government of the Republic
of Korea

2

0026

외 무 부

종   별 :

번   호 : JOW-0906   일   시 : 91 1216 1400

수   신 : 장 관(중동이, 경이)

발   신 : 주 요르 단 대사

제   목 : 대 요르단 추가 지원

대:WJO-0734,728

연:JOW-0896

1. 12.12. 12:00 본직이 FARIZ 기획장관의 갑작스러운 요청으로 동장관 면담시, 동장관이 대화 개시에 앞서 본직에게 표제추가지원 요청관련 사실을 알고있는지 문의하였을때 본직은 동일 오전에 이미 WJO-0728 를 접수하여 미국의 대요르단 지원요청 사실을 알고 있었음에도 본건 방침이 아직 결정되지 않았음을 고려하여 동내용을 모르고 있다고 답변한데 대하여 동장관은 연호와같은 사실을 상세히 언급하면서 협조를 당부하였음

2. FARIZ 장관의 최근 워싱턴 및 암만에서의 IMF, WORLD BANK 와의 접촉시 수행 배석한바 있는 기획성 AMARI 기획조사 국장의 수첩(회의및 면담사실 기록)에연호 2 항 대각국 지원요청 예상액 하단에 연필로 "S.K. 30MIL." 이 기재된것도 확인된바, 동기구들과의 접촉시 그들로부터 지득케 된것으로 판단됨

3. 구체 자료요청과 관련, 동장관이 제반 숫자를 구두로 본직에게 설명하였기 동인의 발언내용을 보다 정확하게 확인, 보고키 위해 요청하는 것이라고 전제한후 이의 협조를 요청하였던 것임을 참고바람

(대사 이한춘-국장)

예고:92.6.30 까지

검토필 (19 91. 12 기.)

보통문서로 재분류(19 92. 6. 30.)

중아국   차관   1차보   경제국   외정실   분석관   청와대   안기부

91.12.16   20:59
                                                    외신 2과 통제관 CF

                                                    0027

분류번호	보존기간

발 신 전 보

번   호 : WJO-0542   901218 1525   FK 종별 :

수   신 : 주 요르단 대사.총영사

발   신 : 장 관 (마그)

제   목 : 대요르단 지원

대 : JOW-0667

1. 쌀수출문제는 세계농산물시장 교란방지 차원에서 FAO 및 농산물 수출국과의 협의가 필요하고 미국측에서도 아측이 당초 책정한 쌀지원에 명확한 동의를 해오지 않아 쌀지원문제는 현재 보류상태에 있음.

2. 따라서 대호 귀주재국측이 요청한 쌀지원은 어려운 실정인바 쌀이외의 타품목을 선정토록 협의하고 결과 조속 보고바람. 끝.

(중동아프리카국장 이 해 순)

앙 고 재	90 년 12 월 18 일	바 순 인 과	기안자	과 장	심의관	국 장	차 관	장 관	보안통제	외신과통제
			허덕행			관열				

0028

관리 번호	90- 1113

외 무 부

종 별 :

번 호 : JOW-0681   일   시 : 90 1219 1630

수 신 : 장 관(마그)

발 신 : 주 요르단 대사

제 목 : 대요르단 지원

대:WJO-0542

1. 대호 주재국 기획성측과 협의한바, 쌀 지원이 불가능할경우, 대신 FROZEN CHICKEN, FEED GRAINS(BARLEY, YELLOW CORN 등 동물사료등), FROZEN MEET(LAMB 또는 BEEF)의 지원가능 여부 및 가능시 동 SPECIFICATION 을 알려주기를 원하고 있음

2. 또한 아측에서 이미 주재국측에 제시한 지원 가능품목중 다음사항의 가격을 문의하였는바, 회보바람

-다음-

COLOR TV, 냉장고, LANDRY SOAPS, CANNED PRODUCTS, SHOES, RAZOR, 칫솔, 펜, 연필, 드라이셀 바테리, 러닝셔츠, 양말, 타올

(대사 박태진-국장)

예고:90.12.31 까지

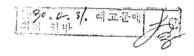

중아국

PAGE 1

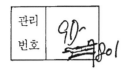
	분류번호	보존기간

발 신 전 보

번   호 : WJO-0548   901221 1736 CG 종별 :

수   신 : 주   요르단   대사.총영사

발   신 : 장   관   (마그)

제   목 : 걸프사태 관련 지원

대 : JOW-0681

1. 식량류 지원은 설탕, 쌀 뿐아니라 대호로 요청한 냉동식품도 아래와 같은
사유로 지원키 어려움.

- 파) 귀주재국에 지원한 식품이 이라크로 유입될 가능성 우려

- 가) 식품은 주문, 수송, 보관상 문제가 커 비용이 많이들고 주재국 도착후
  변질될 경우 예상외의 난처한 문제발생 가능

- 나) 아국은 식품수출국이 아니므로 식품수출경험이 적고 특히 대호로 요청한
  식품은 사실상 아국에서 구하기 쉽지않음.

2. 또한 당초 주재국측에 제시한 물품목록은 금년내 선적할 경우 확보될수
있는 물량과 가격이었으나 품목확정 지연으로 금년내 선적이 불가능하여 희망한
대로의 품목선정과 물량확보 및 적정가격 유지와 조기선적이 어렵고 소량주문에
따른 물량확보도 곤란함.

19 90 . 12. 31 . 예고문에
의거 일반

3. 따라서 잡다한 품목보다는 아국의 주요수출품인 자동차류, 전자제품,
중장비류등에서 가급적 품목을 최소화하여 요청하는 것이 바람직한바 귀관에서
품목을 적절히 조정교섭하고 조속 확정 보고바람.

4. 가격수준은 대량구입이 아니고 시일이 많이 경과되어 당초제시한 물품
목록의 단가보다 5-10% 많다고 하니 계산시 참고바람.   끝

앙 고 재	90년 12월 21일 마 그 과	기안자	과 장	국 장	(중동아촤리과국장 하 해 순)		보안통제	외신과동제

0030

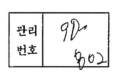

외 무 부

종 별 :

번 호 : JOW-0690   일   시 : 90 1223 2030

수 신 : 장 관(마그)

발 신 : 주 요르단 대사

제 목 : 걸프사태 관련 지원

대:WJO-0548

1. 대호 주재국에서 지원 요청한 품목은 다음과 같음

컬러 TV 500 대

냉장고 500 대

라디오 2 만대

자전거 9,630 대

세탁비누 8 천개

CANNED PRODUCTS 150 만통

라면 47 천개

신발(남성용) 28 만족

부엌용품 145 천개

화장지 2 백만 롤

치솔 1 백만개

치약 20 만개

RAZO(592) 1 백만개

담배라이터50 만개

펜. 연필 5 만세트

LANTERN 10 만개

DRY CELL 바테리 5 백만개

미네랄 POT 1 만셋트

캠핑매트 5 만개

러닝셔츠 27.5 천개

중아국   차관   1차보   2차보   중아국   정와대   안기부

양말 27 천타

스타킹 17 천타

타올 1 백만개

담요 4 천개

2. 상기품목은 주재국 공무원 복지를 위한 '공무원공제회'에 할당키로 하였다하므로 대주재국 지원품목이 이라크로 유입될 우려는 없는것으로 판단됨

(대사 박태진-국장)

예고:90.12.31 까지

분류번호	보존기간

발 신 전 보

번 호 : WJO-0554   901224 1844   DP   종별 :

수 신 : 주 요르단 대사.총영사

발 신 : 장 관 (마그)

제 목 : 걸프사태 관련 지원

대 : JOW-0690

연 : WJO-0548

1. 대호로 지원요청한 품목은 24개 품목에 소요액도 총 1,782만불이 되는바 동 결과가 나오게된 경위 및 주재국측과의 교섭내용 상세 보고바람.

2. 동 지원 물품송부는 예산회계법에 맞도록 매품품당 여러회사로부터 견적서를 받아놓아야 하나 품목종류가 잡다할 경우 희망하는 물품을 모두 구하기도 어렵고 구할수 있더라도 선적일이 상이하여 업무추진상 어려운점이 많음.

3. 따라서 연호와 같이 잡다한 품목을 되도록 회피해야하는 본부의 사정과 추진방향 및 주재국과의 교섭지침을 시달하였음을 충분히 이해하고 동건처리 방안에 대한 귀견을 보고바람. 끝.

(중동아프리카국장 이 해 순)

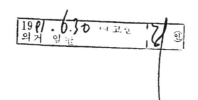

앙고재	9년 2월 7일	중동아과	기안자 최경철	과 장	국 장	차 관	장 관	보안통제	외신과통제

0033

외 무 부

관리
번호 90-
790

종 별 :

번 호 : JOW-0692

일 시 : 90 1224 1330

수 신 : 장 관(마그)

발 신 : 주 요르단 대사

제 목 : 걸프사태 관련 지원

대:WJO-0554

연:JOW-0690

대호 관련, 주재국 기획성에서는 아측의 품목 최소화 요청 설득에도 불구하고, 동물품들이 연호보고와 같이 주재국 공무원들의 복지를 위해 공무원 공제상회(PUBLIC SERVANT CONSUMERS SHOP)에 제공될 것이므로 다양한 품목이 될수밖에 없다는 설명이며, 액수가 초과한것은 아측에서 품목당 가격을 제시하지 않았으므로 주재국측에서도 그들이 필요로하는 수량만을 대략 표시한것이었으므로, 설탕(1000천)및 미니버스(50 대)를 제외한 잔여액 범위내에서 연호리스트 중 구득이 용이한 품목을 아측에서 적의 선정 통보해줄것을 건의함

(대사 박태진-국장)

예고:90.12.31 까지

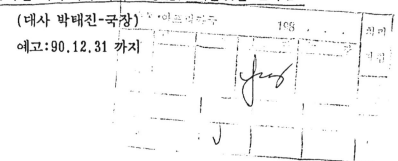

중아국

90.12.24 21:14

외신 2과 통제관 DO

0034

ECONOMIC COOPERATION FOR JORDAN

(품 목 별 검 토 의 견)

1990. 12. 27.

KOREA TRADING INTERNATION INC.

0035

A. 품목별 검토 내역

1. 검토 추진 경위

가. 설탕, 버스를 제외한 요르단측의 24개 추가 희망 품목에 관하여
품목별로 아국에서의 공급가능 여부 및 납기등을 제조업체에 문의.

나. 검토결과 1991년 1월말까지 전량 선적가능한 품목이 11가지, 1991년
1월말까지 일부 수량만 선적 가능한 품목이 4가지, 아국의 공급은
가능하나 선적기일의 지체가 예상되는 품목이 8가지, 국내 공급이
불가한 품목이 1가지로 파악됨.

2. 품목별 검토내역

가. 1991년 1월말까지 전량 선적이 가능한 품목 (11 ITEMS)

일련 번호	품 명	S P E C	수 량	제조업체
1	통 조 림	알알이 (250G) 꽁 치 (425G)	150만통	대한종합식품
2	라 면	85G 봉지 X 24 개	4만7천박스	삼 양 식 품
3	신 발	P. U.	28만 족	미 성 물 산
4	화 장 지	102MM X 35M, 2PLY	200만롤	동 신 제 지
5	치 솔	덴타 V, 디럭스	100만개	태평양화학
6	치 약	100G	20만개	(주) 럭 키
7	면 도 기	양날, 1회용	100만개	도 루 코
8	정 수 기	이 동 식	1만셋트	(주)워터스
9	매 트	2mm(T)x100CMx180CM	5만개	(주) 두 남
10	담 요	MINK, 200CM X 240CM	4천개	범 아 침 장
11	라 이 터	1 회용	50만개	파 이 롯 트

0036

나. 1991년 1월말까지 일부 수량만 선적이 가능한 품목 (4 ITEMS)

일련번호	품 목	납 기	수 량	제 조 업 체
1	라 디 오	1991년 1월 1991년 2월	5,000 대 15,000 대	대 우 누계 : 20,000 대
2	건 전 지	1991년 1월 1991년 2월 1991년 3월	150 만개 170 만개 180 만개	서 통 누계 : 320 만개 누계 : 500 만개
3	스 타 킹	1991년 1월 1991년 2월	1 만타 7 천타	두성양말(주) 누계 : 1만 7천타
4	랜 턴	1991년 1월 1991년 2월 1991년 3월	3만개 3만 5천개 3만 5천개	서 통 누계 : 6만 5천개 누계 : 10만 개

다. 공급은 가능하나 선적기일의 지체 예상 품목 (8 ITEMS)

일련번호	품 명	납 기	수 량	제 조 업 체
1	컬 러 TV	1991년 3월	500 대	삼 성 전 자
2	냉 장 고	1991년 5월	500 대	삼 성 전 자
3	펜, 만년필, 연필	1991년 2월	5만 셋트	파 이 롯 트
4	주 방 용 품	1991년 5월	14만 5천개	상 아 교 역
5	양 말	1991년 3월	2만 7천타	두 성 양 말
6	타 올	1991년 9월	100만개	송 월 타 올
7	내 의	1991년 2월	27,500 개	(주) 백 양
8	자 전 거	1991년 3월	9,630 대	삼천리자전거

0037

라. 국내 공급이 불가능한 품목 (1 ITEMS)

일련 번호	품 명	S P E C	수 량	사 유
1	세 탁 비 누	300 G	8,000 개	소량으로 견적 불가 (65,000개 이상이면 가능)

B. 검토의견 및 요망사항

1. 검토 의견

가. 요르단측 추가 희망품목 24개를 각각 해당 제조업체에 문의결과 1991년
   1월말까지 선적가능한 품목은 15가지로 금액 기준으로는 U$ 5,812,030.-
   상당임. 따라서 기 검토 완료한 설탕 (1,174 MT, U$ 596,039.80) 및
   MINI BUS (50대, U$ 1,282,821.-) 을 제외한 잔여 예산 U$ 3,121,139.20
   대비, U$ 2,690,890.80 가 초과됨.

나. 1991년 1월말까지 일부 수량 선적 가능한 품목들은 1월말까지의 가능
   수량만 별첨 " 품목별 가격 " 에 반영함.

다. 선적기일이 1991년 1월말이후인 품목들은 " 전량 동시 공급 " 의 측면
   에서 제외하였으며, 기 검토 완료한 설탕 및 MINI BUS 도 1991년 1월말
   동시 선적이 가능함.

2. 요망사항

가. 1991년 1월말까지의 선적을 위해서는 금년내로 신속한 발주가 필요함.

나. 별첨 " 1991년 1월말까지 선적 가능한 품목별 가격 " 참조후 예산대비
   초과액 U$ 2,690,890.80 에 대한 공급가능 품목의 감량 계획 결정 요망.

유 첨 : 1991년 1월말까지 선적가능한 품목별 가격.

0038

1991년 1월말까지 선적가능한 품목별 가격

(유첨)

일련번호	품목	단가(CIF)	수량	금액	공급시기	비고
1-1	통조림 (알알이 250G)	U$ 0.29	15만 통	U$ 43,500.-	JAN 31, 1991	합계 : 150만통, U$ 1,299,000.-
1-2	" (꽁치 425G)	U$ 0.93	135만 통	U$ 1,255,500.-	"	
2	면 (24개 X 85G)	U$ 3.41	4만 7천 박스	U$ 160,270.-	"	
③	신 발 (P. U.)	U$ 8.15	28만 족	U$ 2,282,000.-	"	SIZE 및 COLOR ASSORTED
④	화장지(102MM x 35MM, 2PLY)	U$ 0.27	200만 롤	U$ 540,000.-	"	
⑤	치 솔	U$ 0.22	100만 개	U$ 220,000.-	"	뎁타 V 27.5만, 디럭스 72.5만개
⑥	치 약 (100G)	U$ 0.28	20만 개	U$ 56,000.-	"	
7	면 도 기	U$ 0.077	100만 개	U$ 77,000.-	"	1회용, 양날
8	정 수 기	U$ 31.61	1만 셋트	U$ 316,100.-	"	이동식, 북경아시안게임 지정
⑨	매 트	U$ 3.26	5만 개	U$ 163,000.-	"	2MM(T) x 100CM x 180CM
⑩	담 요	U$ 35.72	4천 개	U$ 142,880.-	"	200CM x 240CM, MINK
⑪	라 이 타	U$ 0.163	50만 개	U$ 81,500.-	"	1회용
⑫-1	라 디 오 (SRT-6600)	U$ 54.80	1천 개	U$ 54,800.-	"	합계 : 5천개, U$ 187,080.-
⑫-2	라 디 오 (SRT-2300)	U$ 33.07	4천 개	U$ 132,280.-	"	
13	건 전 지	U$ 0.135	150만 개	U$ 202,500.-	"	D/UM-1R/-20
14	스 타 킹	U$ 2.92	1만 개	U$ 29,200.-	"	BAND 스타킹
⑮	팬 티	U$ 1.85	3만 개	U$ 55,500.-	"	
합계				U$ 5,812,030.-		

0039

분류번호	보존기간

발 신 전 보

번 호 : WJO-0564   901229 1149 FK   종별 :

수 신 : 주 요르단 대사·총영사

발 신 : 장 관 (마그)

제 목 : 걸프사태 관련 지원

대 : JOW-0692

1. 대호 건의대로 국내 공급사정을 감안, 선정한 품목별 지원계획을
다음 통보함.

(단위 : 미불)

품 목	단 가(CIF)	수 량	소 요 액
ㅇ 설 탕	507.7	1,174 M/T	596,039.8
ㅇ 콤비버스 AM815(24+1인승), 부품포함	25,656.42	50 대	1,282,821
ㅇ 통조림(꽁치)	0.93	1백만통	930,000
ㅇ 라 면(Noodle)	3.41	4만박스	136,400
ㅇ 신 발	8.26	17만족	1,404,200
ㅇ 정수기	31.57	1만세트	315,700
ㅇ 카셋라디오 (SRT-2300)	33.08	4천대	132,320
ㅇ 건전지 (D/UM-1/R-20)	0.135	150만개	202,500

합 계 : 4,999,980.8

/계속.../

앙고재	91년12월29일 마그1과	기안자 허덕정	과 장	심의관	국 장 전결	차 관	장 관	보안통제	외신과통제

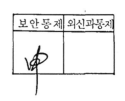

0040

2. 상기 지원품은 91.1월중 선적하면, 91.2월말경 아카바항 도착 가능한바, 상기지원품목에 대한 주재국측 최종입장 및 접수계획 조속 파악 보고바람. 끝.

(중동아프리카국장 대리 양태규)

0041

관리 번호	90
	803

외 무 부

종 별 : 지급

번 호 : JOW-0697

일 시 : ~~97~~ 90 01229 1800

수 신 : 장 관(마그)

발 신 : 주 요르단 대사

제 목 : 걸프사태관련 지원

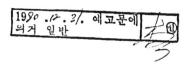

대:WJO-0564

연:JOW-069(399)

1. 금 12.29 주재국 기획성 GHAWI 기술협력국장에게 대호 지원계획을 통보한바, 동국장은 당초 공무원 복지에 우선적으로 필요한 칼라 TV, 냉장고등의 품목이 대호 아측통보내용에 포함되어있지 않고 지원품목도 대폭제한되어 있으며 제시된 일부가격도 다소 높은감이 있다는 의견을 피력하였음(예:설탕가격:$350.-(유럽-요르단 CIF 가격), 통조림:$0.25)

2. 또한 동국장은 아측에서 지원품목을 가능한한 더늘여주고 지원가능품목 가격도 알려주면 동가격을 감안, 수량을 결정 통보해주겠다함

3. 동가격통보시 소화기(3.3KG OTHERS)의 가격도 아울러 통보바람

(대사 박태진-국장)

예고:90.12.31 까지

1980.12.31. 예고문에
의거 일반

중아국   2차보

90.12.30   09:01

외신 2과 통제관 BW

0042

농 림 수 산 부

양정 27310-/   503-7291   1990. 12. 31.

수신 외무부장관

참조 중동아프리카국장

제목 걸프사태 관련 쌀지원 검토

1. 관련 : 마그 2005-2987(90.12.17)호.

2. 페만사태 주변 피해국 지원과 관련, 지원대상국인 요르단의 쌀지원 검토
의견을 별첨과 같이 회신합니다.

별첨 : 걸프사태 관련 요르단 쌀지원 검토 1부.   끝.

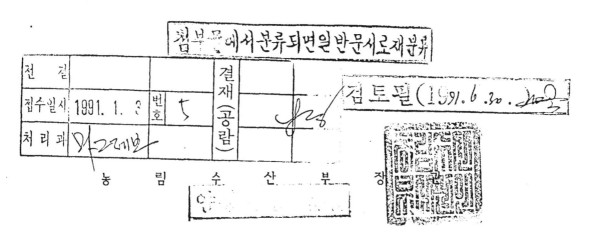

0043

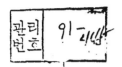

걸프사태 관련 요르단 쌀지원검토

1. 지원요청 내용

　가.　요르단이 요구하는 품위의 쌀이 있는지 여부

　나.　톤당 CIF 가격밀 310만불로 구입가능량

　다.　쌀지원에 따른 종합의견

2. 검　　토

　가.　쌀품위 대비표

구　분	요르단 요청품위	정부미 품위규격	비　고
1. 수　분	14% 이내	15%	
2. 이　물	0.1% 이내	0.1% (돌1개 이내)	
3. 싸래기			
ㅇ 대쇄립	0.15% 이내	15.0%(일반미 5.0%)	
ㅇ 소쇄립	3.0% 이내	0.3%(일반미 0.0%)	
4. 피해,착색립			
ㅇ 피해립	피해없는것	4.0%(일반미 2.0%)	
5. 분상질립			
ㅇ 쌀겨가루	2.0% 이내	6.0%이내(일반미 2.0%이내)	
6. 기　타			
ㅇ 곡　종	카모리노쌀, 중립종	일반미, 통일미	
ㅇ 성　분	단백질 최소한 6%일것	규격은 없으나 6.8%이상 유지	
ㅇ 기　타	바구미 피해가 없고 살아 있는 바구미가 없을것	일반적으로 바구미는 없음	

0044

2~1

나. 가격(CIF)비교

	태국산 Long Grain	미국산 Long Grain	정 부 미		
			수매가격 (90년산 통일벼 1등품)	방 출 가 격	
				89년산	88년산
톤당 가격($)	337	427	1,827	971 $	936
310만$로 구입가능량	9,200톤 (64천석)	7,260 (50)	1,697 (12)	3,193 (22)	3,312 (23)

1$ = 715원 적용

3. 종합 검토의견

○ 요르단이 요구하는 량은 ~~정부미 방출가격~~ 국제가격(태국산) 기준으로 ~~20,000천석으로~~ 9,200톤이므로 수급상 문제없음.
  - 90.10월말 정부미 재고량 1,318만석

○ 요르단이 요구하는 쌀의 품위가 국제교역에서의 최상품을 요구하고 있어 우리쌀이 적합한지
  여부는 확인이 곤란하므로 이를 우선 요르단측에 통보하는것이 필요한것으로 생각되며,
  필요시 견본품(통일쌀, 일반쌀) 송부

○ 만약 지원가능할시 이에 필요한 비용(쌀값, 수송비등)등은 재정에서 지원

○ FAO 농산물 잉여처리 원칙에 따른 이해당사국과의 사전협의등 외교적 절차는 외무부에서
  조치

0045

2~2

분류번호	보존기간

발 신 전 보

번 호 : WJO-0004   910104 1838 DP 종별 :

수 신 : 주 요르단   대사 ·총영사

발 신 : 장 관   (마그)

제 목 : 걸프사태 관련 지원

대 : JOW-0697

대호 관련 추가조사한 품목별 가격 및 공급사정을 아래와 통보함.

1. 칼라 T.V (삼성전자 20″   )

    ▫ 가격 : CIF 단가 $235.8

    ▫ 공급 : 91. l. 500대 선적가

2. 냉장고 (대우전자 재고품)

    ▫ 가격

        FR-180(163ℓ) : CIF 단가 $225.2 (재고량 276대)

        FR-200(172ℓ) : CIF 단가 $237.3 (재고량 267대)

        FR-201(177ℓ) : CIF 단가 $254.1 (재고량 237대)

        FR-241(207ℓ) : CIF 단가 $270.3 (재고량 78대)

    ▫ 공급 : 상기 재고량 91.1. 선적가

/계속.../

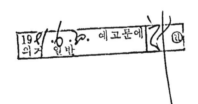

앙고재		기 안 자	과 장	국 장	차 관	장 관	보안통제	외신과통제
91년 1월 4일	마그 2과	허동형		전결				

0046

3. 소화기 (협동, 3.3 KG Dry Power)

   ㅁ 가격 : CIF 단가 $28.6

   ㅁ 공급

     - 91.1월까지 5천개

     - 91.2월이후 매월 1만개 선적가

4. 기타 품목가격(CIF 단가)

   ㅁ 자전거 ($80), 매트($3.26), 담요($35.72), 스타킹($2.92),
      랜턴 ($1.85)   끝.

                              (중동아프리카국장 대리 양태규)

0047

요르단 추가 희망 품목 검토 의견

1991. 1. 4.

주 식 회 사 고 려 무 역

0048

1. COLOR TV

   가. 검토 개요

   상기 품목에 대하여 삼성전자와 대우전자를 접촉한 결과, 대우전자는

   AGENT SHIP 관계로 견적이 불가능하고 삼성전자는 MODEL CW-5012 20인치

   TV 에 대하여 견적 접수함.

   나. 가 격

품 명	S P E C	단가(CIF)	수 량	합 계	납 기	제조업체
COLOR TV	20" CW-5012 WITH REMOTE CONTROL	$ 235.80	500 대	U$ 117,900	'91년 4월	삼성전자

91.1 가능 (電詰. 1. 4 18:00)

2. 냉장고

   가. 검토 개요

   1) 상기 품목에 대하여 삼성전자와 대우전자를 접촉한 결과, 대우전자는

   제고품 858 대에 대해서는 언제든지 수출이 가능하나 신규 발주는

   최소 수량이 1,000 대 이상이어야만 견적을 할 수 있고 500 대는 견적

   이 어렵다고 함.

   2) 삼성전자에서는 SR-271 NET 용량 240 리터 냉장고에 대하여 견적 접수함.

   나. 가 격

품 명	S P E C	단 가 (CIF)	수 량	합 계	납 기	제조업체
냉장고	FR-180, NET 163ℓ	$ 225.20	276 대	U$ 62,155.20	'91년 1 월	
	FR-200, NET 172ℓ	$ 237.30	267 대	U$ 63,359.10	1 월	
	FR-201, NET 177ℓ	$ 254.10	237 대	U$ 60,221.70	1 월	대우전자
	FR-241, NET 207ℓ	$ 270.30	78 대	U$ 21,083.40	1 월	
	합 계		858 대	U$206,819.40		
냉장고	SR-271, NET 240ℓ	$ 338.70	500 대	U$169,350.-	'91년 5월	삼성전자

0049

3. 소 화 기

　가. 검토 개요

　　　국내 상기 품목 제작 회사인 삼호금속, (주) 협동 및 한국소방기구제작소를
　　　접촉한 결과, 삼호금속과 한국소방기구제작소는 CAPACITY 부족으로 견적이
　　　불가능하고 (주) 협동은 견적 접수함.

　나. 가 격

품 명	S P E C	단 가(CIF)	납 기	제조업체
소화기	3.3KG, DRY POWDER	@$ 28.60	. '91년 1월까지 5,000개 . '91년 1월이후 매월 10,000개 이상 가능	(주)협동

4. 기타 검토사항

　　상기 3개 품목의 제조업체들 전체가 차기의 생산 계획을 미리 확정 하여야 하므로
　　조속한 발주 요망됨.

0050

분류번호	보존기간

발 신 전 보

WJO-0036   910112 1424   AO   종별 :

번 호 :

수 신 : 주 요르단 대사. ~~망양하여~~

발 신 : 장 관   (마그)

제 목 : 걸프사태 관련 지원

대 : JOW-0692, 0697

연 : WJO-0004, WJO-0564

    대호 건의에 따라 연호보 통보한 대 주재국 지원계획은 91.1.15.한 물품
발주계약을 체결하지 않을 경우 선적예정일, 가격, 수량에 변동이 있게되는바
주재국측의 확정된 입장이 1.15까지 본부에 통보될수 있도록 적의 조치하고
결과 보고바랍. 끝.

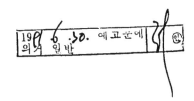

(중동아프리카국장 이 해 순)

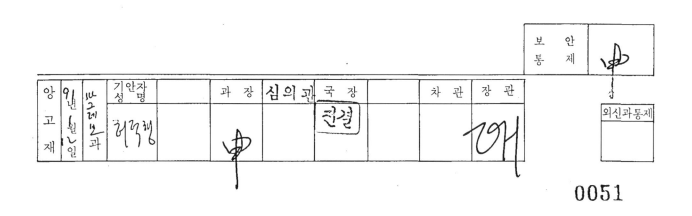

보 안 통 제	
	외신과통제

		기안자 성명	과 장	심의관	국 장	차 관	장 관

0051

관리
번호 91-229

외　무　부

종　별 : 지　급

번　호 : JOW-0103　　　　　　　　　일　시 : 91 0122 1630

수　신 : 장 관(마그)

발　신 : 주 요르단 대사

제　목 : 걸프사태 관련 지원

대:WJO-0036

연:JOW-0697

1. 대호 당관에서 수차 업무추진 촉구하였던바 주재국측에서는 설탕과 미니버스외의 지원품목 일체가 연호 주재국의 공무원 공제회에 제공될 것이나 대부분의 품목가격이 동공제회의 기준단가보다 아국제시가격이 높아 그간 동차액 보전 문제 해결을 위해 부처간에 수차 협의를 가졌으나 우금 조정되지 않고 있어 다소 시일이 걸릴것이라함

2. 한편 기획성측은 동건 추진을 위해 수령에 하등의 문제가 없는 설탕과 미니버스 만이라도 먼저 조치될수 있기를 희망하고 있음

　(대사 박태진-국장)

　예고:91.6.30 까지

1991. 6.30. 예고문대 기업
의거 일반

중아국　　차관　　1차보　　2차보　　청와대　　안기부

PAGE 1　　　　　　　　　　　　　　　　91.01.23　01:11

　　　　　　　　　　　　　　　　　　　외신 2과 통제관 CF

　　　　　　　　　　　　　　　　　　　　　　0052

발 신 전 보

WJO-0120   910124 1304 DA

번   호 : _____   종별 : _____

수   신 : 주   요르단   대사. 총영사

발   신 : 장   관   (마그)

제   목 : 걸프사태 관련 지원

대 : JOW-0103

연 : WJO-0564

　　대호 주재국측 희망을 고려, 우선 설탕 및 콤비버스를 연호통보한 지원
계획대로 1,174 M/T (설탕), 50대(콤비버스) 공급키위해 물품발주계약 체결코자
하니 양지바람.

(중동아프리카국장 이 해 순)

예고 : 91.6.30.일반

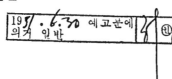

19 91.6.30 예고분에 의거 일반		

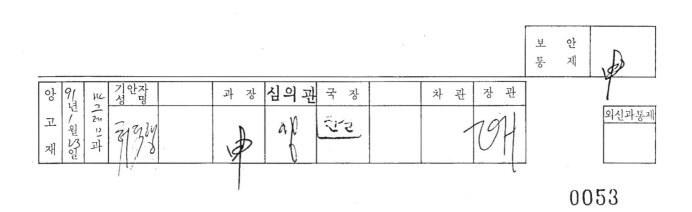

앙 고 재	91 년 1 월 23 일	기안자 성명		과 장	심의관	국장		차 관	장 관		보 안 통 제	

외신과통제

요르단 업체 선정 경위

                                                        1991. 1. 25.

1. 설 탕

    가. 삼양사, 대한제당 및 제일제당에 OFFER 제출을 의뢰한 결과, 제일제당은
        수출 여력이 없음을 통보.

    나. 삼양사 및 대한제당의 견적을 접수 하였으며, 가격 비교 결과 삼양사
        제품이 결정 되었음.

2. MINI BUS

    가. 동 제품은 국내 ASIA (BRAND : COMBI) 와 HYUNDAI (CHORUS) 에서 생산 중임.

    나. HYUNDAI 제품은 일본 MITSUBISHI 의 기술제휴로 인한 특약으로 중동지역
        수출이 불가하여 ASIA 제품으로 선정함.

    다. S. PARTS 는 아시아의 경우 협력 부품 업체로 부터 물품을 조달하여 공급
        중인바, 전문부품 도매 및 수출 업체인 동서교역에서 OFFER 를 접수하여
        아시아의 OFFER 와 비교한 결과 같은 금액 대비 부품 수량이 동서교역이
        상대적으로 많아서 동서교역을 선정함.

0054

품 목 별 원 가 계 산 서

1991. 1. 25.

o   ITEM :   COMBI BUS (25SEATS) WITH RECOMMENDED SPARE PARTS

o   COST BREAKDOWN

-   F.O.B.   :   U$ 21,636.48

                            COMBI BUS   :   U$ 19,670.-

                            R/SPARE PARTS :   U$ 1,966.48

-   FREIGHT   :   U$ 4,620.53   (U$ 140.-/CBM)

-   INSURANCE PREMIUM   :   U$ 910.82   (RATE : 3%)

-   MARGIN   :   U$ 432.73   (FOB X 2%)

    C.I.F.   :   U$ 27,600.56

0055

품 목 별 원 가 계 산 서

1991. 1. 25.

o   ITEM :   REFINED WHITE SUGAR

o   COST BREAKDOWN

   -   F.O.B.   :   U$ 353.50

   -   FREIGHT   :   U$ 140.-   (U$ 140.-/CBM)

   -   INSURANCE PREMIUM :   U$ 17.08   (RATE : 3%)

   -   MARGIN   :   U$ 7.07   (FOB X 2%)

       C.I.F.   :   U$ 517.65

0056

SAMSUNG CO., LTD.

SAMSUNG MAIN BLDG,
250,2-KA,TAEPYONG-RO,CHUNG-KU,
SEOUL,KOREA
C.P.O.BOX 1144 SEOUL,KOREA

OFFER
================
(No. 1   )

CABLE ADD:STARS SEOUL
TELEX NO.:STARS K23657
          K23349
                  K23169
TELEPHONE: 751-3421/5

Messrs.

Date: Jan., 25, 1990
Our Ref.No. NRO-005
Your Ref.No.

Gentlemen
We have the pleasure to present our price list to you for the undermentioned goods on the terms and
conditions hereinafter set forth, subject to;

(Unit: USD)

Commodity & Description	Quantity	FOB KOREA	FRT.	INS.	CIF AQABA	TOTAL AMOUNT

①WHITE REFINED CANE SUGAR
 	
POLARIZATION ; 99.8%
MOISTURE ; 0.04% MAX
ASH   ; 0.04% MAX
COLOR ; SPARKLING WHITE
SOLUBILITY ; 100%
GRANULATION; 100% FREE
               FLOWING
INCUMSA ; 45 DEGREE
 	
✻ PACKING: 30KGS KRAFT
   PAPER BAG WITH P.E.LINER
	1,000 TON	420.-	270.-	10.-	700.-	700,000.-

			--- TO BE CONT'D ---			

Terms and Conditions

Origin: REPUBLIC OF KOREA

Packing:

Shipment: ✻✻

Payment: 100% CASH AT SIGHT

Shipping Port: KOREAN PORT

Discharging port: AQABA, JORDAN

Validity: UPTO FEB., 05, 1991.

Remarks: MAKER'S INSPECTION IS FINAL.

Yours very truly,

SAMSUNG CO., LTD.

Accepted By:

W. T. KIM / SALES MANAGER

0057

SAMSUNG CO., LTD.

OFFER
==============
(No. 2)

(Unit: USD)

Commodity & Description	Quantity	FOB KOREA	FRT.	INS.	CIF AQABA	TOTAL AMOUNT
② M815 COMBI BUS	100 UNIT	20,600	5,250	230	26,080	2,608,000

SEATING CAPACITY;
    25,17,16,12.
OVERALL LENGTH; 6,230mm
OVERALL WIDTH ; 2,000mm
OVERALL HEIGHT (mm)
 - HIGH ROOF ; 2,680
 - S.T.D ROOF; 2,580
INTERIOR (mm)
 - LENGTH; 5,560
 - WIDTH ; 1,820
 - HEIGHT; HIGH ROOF : 1,810
        S.T.D ROOF: 1,710
WHEELBASE ; 3,285mm
TREAD - FRONT; 1,650mm
     - REAR ; 1,470mm
CURB WEIGHT (kg)
 - 17 SEAT; 3,240
 - 25 SEAT; 3,310
ENGINE
 - MAX.OUTPUT(ps/r.p.m); 100/3,600
 - MAX.TORQUE(kg.m/r.p.m); 24/2,000
 - DISPLACEMENT(cc); 4,052
 - FULL TANK CAPACITY( ) ; 90
MAX.SPEED(km/h) ; 106
MAX.GRADE(tan) ; 0.496
MIN.TURNING RADIUS(m); 6.5
TRANSMISSION - FORWARD; 5
        - REVERSE; 1
TIRE ; 6.50x16-10PR						

※ SHIPMENT :   ① WITHIN 1 MONTH AFTER CONTRACT.

② WITHIN 3 MONTHS AFTER CONTRACT.

0058

一般豫算檢討意見書

199**1**. **1**. **28**.   마그레브 課

事 業 名	걸프만 사태관련 물자지원 (요르단)		
支辨科目	**細 項**	**目**	**金 額**
	1211	341	$1,987,249.

檢 討 意 見	
主 務 審	정부활동, 허위결산이고 이원액에서 집행
擔 當 官	"
調 整 官	"

0059

기 안 용 지

분류번호 문서번호	마그20005-	(전화:)	시 행 상 특별취급	
보존기간	영구·준영구 10. 5. 3. 1.	차 관	장 관	
수 신 처 보존기간		전결		
시행일자	1991. 1. 28.			

보 조 기 관	국 장		협 조 기 관	기획관리실장 총무과장 기획운영담당관	문 서 통 제
	심의관				
	과 장				
기안책임자	허덕행				발 송 인

경 유 수 신 참 조	건 의	발 신 명 의	

제 목	걸프만 사태 관련 물자지원(요르단-1)

1. 걸프사태 관련 요르단에 대해서는 500만불 상당의 물자가

지원될 예정인바, 그간 요르단측과 협의한 결과, 1차로 U$1,987,749.1

상당의 설탕 및 콤비버스를 다음과 같이 지원코자 하니 재가하여 주시기

바랍니다.

2. 잔여 U$3,012,250.9 에 대해서는 요르단측이 희망품목 및

수량을 확정하는대로 추가지원할 예정입니다.

/계속.../

0060

- 다   음 -

가 . 지원내역

품 목	수 량	단가(CIF)	금 액
○ 설탕	1,174톤	$517.65	$607,721.1
○ 25인승 콤비버스 (AM815, 부품포함)	50대	$27,600.56	$1,380,028

합계 : $1,987,749.1

나 . 선적일정

○ 91.2.28. 선적, 4월중순 요르단 아카바항 입항예정

다 . 지출근거

○ 정부활동, 해외경상이전, 걸프만 사태관련 주변피해국 지원(요르단)

첨 부 : 1. (주) 고려무역의 견적서 및 수출계약서

2. 관련 전문

0061

輸 出 契 約 書

"甲" 外　　　務　　　部

　　　　마그레브課長　申　國　昊

"乙"　株式會社　高　麗　貿　易

　　　　代表理事　副社長 高 一 男

上記 "甲" "乙" 兩者間에 다음과 같이 輸出契約을 締結한다.

第 1 條　:　輸出物品의 表示

　　　　　　別　　　添

第 2 條　:　"甲"은 上記 第1條의 物品貸金을 船積書類 受取後 "乙"에게 支給한다.

第 3 條　:　"乙"은 上記 第1條의 物品을 1991 . 2 . 28. 까지 PUSAN, ULSAN 港

　　　　　　(또는 空送)에서 AQABA, JORDAN 行 船舶(또는 XXXXXXX)에 船積하여야

　　　　　　한다.　　但, 불가피한 事由로 船積이 遲延될 境遇에는 1990. 12. 21.

　　　　　　外務部長官과 "乙"間에 締結된 輸出代行業體 指定 契約書 第4條 規定에

　　　　　　依하여 "乙"은 "甲"에게 船積 遲延事由書를 提出하고 "甲"은 同 遲滯

　　　　　　償金 免除 與否를 決定한다.

第 4 條　:　"乙"은 船積完了後 7日 以內에 "甲"이 船積物品 通關에 必要한 諸般

　　　　　　船積書類를 "甲" 또는 "甲"의 代理人에게 提出 또는 現地公館에 送付

　　　　　　하여야 한다.

- 1 -

0062

第 5 條 : 上記 船積物品의 品質保證 期間은 船積後 1 年間으로 하며, 이 期間中
正常的인 使用에도 不拘하고 製造不良이나 材質 또는 조립상의 하자가
發生할 境遇 "乙"의 責任下에 解決한다.

本 契約에 明示되지 않은 事由에 對하여는 걸프만 事態 供與品 輸出 代行 契約書
에 따른다.

1991 年 1 月 25 日

"甲" 外 務 部   "乙" 株式會社 高麗貿易
                                   서울特別市 江南區 三成洞
마그레브課長 申 國   代表理事 副社長 高 一 男

- 2 -

(유 첨)

```
                                                    C.I.F. AQABA
                                                    _____


1.  KOREAN GRANULATED WHITE         1,174 MT    @$ 517.65      U$ 607,721.10
    REFINED SUGAR

2.  AM 815 COMBI BUS (LHD)          50 UNITS    @$ 27,600.56   U$ 1,380,028.-
    24+1 SEATS WITH BELOW
    ACCESSORIES
    (WITH 10% RECOMMENDED SPARE PARTS)

    -------------------------------------------------------------------------

    TOTAL :                                                    U$ 1,987,749.10

    ///////                         ///////                    ////////
```

COMBI ACCESSORIES
_____

. DRIVER HEATER
. RADIO & CASSETTE
. WHEEL CAP (4EA)
. TUBED TYRE RADIAL TYPE (7.00-16-10PR)
. AIR-CON & DUCT
. FOLDING TYPE MAIN DOOR (AUTOMATIC)
. SIDE GLASS : SLIDING COLOR GLASS
. REAR VIEW MIRROW (CONVEX MANUAL)
. LINOLEUM COVERED FLOOR MAT
. SUN VISOR : CURTAIN (2EA)
. VENTILATOR (2EA)
. SEAT : 25 SEATS DLX
. REAR WIPER & WASHER
. REAR UNDER VIEW MIRROW
. FOG LAMP (2EA)
. VINYL COVERED TOP CEILING
. SAFETY BELT : . 2 POINT : 1EA
                . 3 POINT : 2EA

0064

誓 約 書

受 信 ： 外務部長官

題 目 ： 걸프만 事態에 따른 供與用 物品供給

       弊社는 貴部가 主管하는 表題 事業이 緊急支援 및 秘密維持를 要하는

國家的 事業임을 認識하고, 今般 JORDAN 國에 供與하는 REFINED SUGAR, ETC

物品을 供與契約 締結함에 있어 아래 事項을 遵守할 것을 誓約하는 바입니다.

1. 物品供給 契約時 品質 價格面에서 一般 輸出契約과 最小限 同等한 또는 보다

    有利한 條件을 適用한다.

2. 締結된 契約은 보다 誠實하고 協助的인 姿勢로 履行한다.

3. 同 契約 內容은 業務上 目的 以外에는 公開하지 않는다.

                 1991 年 1 月 25 日

會 社 名 ： 株式會社 高麗貿易

代 表 者 ： 代表理事 高 一 男

（署名 및 捺印）

0065

분류기호 문서번호	마그20005- 21 ( )	협조문용지	결 재	심의관	담 당	과 장	국 장
시행일자	1991. 2. 2.				허동행		
수 신	총무과장(외환)	발 신		중동아프리카국장 (서명)			
제 목	외환지불의뢰						

걸프사태 관련 대 요르단 지원물자중 91.1.31. 선적물자에 대한

경비를 다음과 같이 지불하여 주시기 바랍니다.

- 다   음 -

1. 지불액 : $1,380,028

2. 지불처 : (주) 고려무역

　ㅇ 지불은행 : 제주은행 서울지점

　ㅇ 구좌번호 : 963-THR 109-01-0

3. 지불근거 : 정무활동, 해외경상이전, 걸프사태 주변피해국지원

4. 지불내역

　ㅇ 걸프만 사태 물자지원(요르단-1) 재가품 총액 $1,987,749.1

　　중 콤비버스 50대 $1,380,028

　- 설탕은 2월말까지 선적예정

첨 부 : 1. 재가사본(요르단-1) 사본 1부.

0066　　2. (주) 고려무역의 청구서 및 선적서류 각 1부. 끝.

1505 - 8 일 (1)　　　　　　　　　　　190mm×268mm (인쇄용지 2급 60g / ㎡)
85. 9. 9 승인 "내가아낀 종이 한장 늘어나는 나라살림"　가 40-41 1990. 1. 24

株 式 會 社 高 麗 貿 易

電　話 : (02) 737-0860　　　　　　　　　서울 特別市 江南區 三成洞 159番地

F A X : (02) 739-7011　　　　　　　　　貿易會館 빌딩 11層

TELEX : KOTII K34311　　　　　　　　TRADE CENTER P.O. BOX 23,24.

수 신 : 외무부 마그레브 과장

제 목 : 걸프만 사태 관련 지원물대 송금 신청

　　페사는 귀부와의 계약에 의거하여 아래와 같이 걸프만 사태 관련 지원물품을 기 선적하였
아오니 송금조치 하여 주시기 바랍니다.

- 아　　　　　　　　　　래 -

1. 선적물품 내역

품　목	수 량	금　　액	선적일	도 착 예정일	선　명	선적항	도착항
COMBI BUS	50 UNITS	U$ 1,380,028	1/31	3/10	TINA	MASAN	AQABA
합　계		U$ 1,380,028					

2. 비 고

　가. 요르단 1차 계약분 ('91. 1. 25.) U$ 1,987,749.10 중 설탕 U$ 607,721.10 을
　　　제외한 전량 선적 완료.

　나. 설탕 U$ 607,721.10 은 2월말 선적 예정임.

3. 송 금 처 : 제주은행 서울지점

　　구좌번호 : 963-THR 109-01-0

　　예 금 주 : (주) 고 려 무 역.　　끝.

1 9 9 1 年　2 月　2 日

鍾 路 輸 出 本 部　海 外 事 業 팀

0067

발 신 전 보

WJO-0146   910202 1504 ER

번 호 :   종별 :

수 신 : 주   **요르단**   대사. 총영사
(마그)

발 신 : 장 관

제 목 : 걸프사태 지원

연 : WJO-0120

1. 연호 통보한 대 요르단 1차 지원품(설탕, 콤비버스)중 콤비버스 50대

($1,380,028)를 91.1.31 선적 (선명 : Tina), 91.3.10경 귀지 아카바항 도착

예정인바, 동물품 수령시에는 주재국측과 인도식을 갖추어도록하고 인도증빙문서등

관련서류 파편송부 바람.

2. 동 선적서류는 파편 송부예정이며, 설탕은 2월말까지 선적할 예정이니

참고바람. 끝.

(중동아국장 이 해 순)

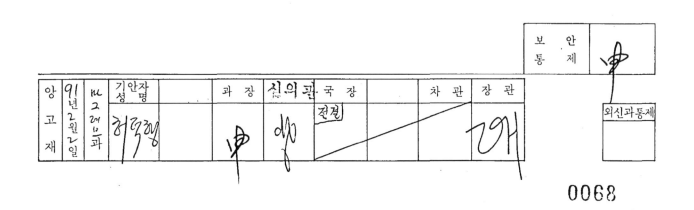

91-
2검

기 안 용 지

분류기호 문서번호	마그20005-	(전화 :)	시 행 상 특별취급	
보존기간	영구·준영구. 10. 5. 3. 1.		장 관	

수 신 처
보존기간

시행일자 | 1991. 2. 2.

예

보조기관	국 장 전 결	협조기관		문 서 통 제
	심의관 dp			검덕 1991. 2. 5 상 제 관
	과 장			
기안책임자	허 덕 행			발 인 발 송 1991. 2. 5 외무부

| 경 유
수 신
참 조 | 주 요르단 대사 | 발신명의 | |

제 목 : 걸프사태 관련 지원

연 : WJO-0120

걸프사태 관련 지원품인 25인승 콤비버스 50대의 선적서류를

별첨과 같이 송부하니 현지통관후 무위수령 여부를 보고하여 주시기

바랍니다.

첨 부 : 선적서류 2부. 끝.

91 6 30

0069

분류번호	보존기간

발 신 전 보

WJO-0151   910206 1625 FG

번   호 : _____   종별 : _____

수   신 : 주 요르단 대사. 총영사
(마그)

발   신 : 장 관

제   목 : 걸프사태 지원

연 : WJO-0146

연호 요르단 지원물자(콤비버스 50대)의 선적서류는 DHL 편 송부예정이니
참고바람. 끝.

(중동아국장 이 해 순)

검토필(1991. 6. 30.)

		기안자 성명		과 장	심의관	국 장		차 관	장 관	보 안 통 제	
앙고재	91년 2월 5일	허규행									외신과통제

0070

외 무 부

종 별 :

번 호 : JOW-0200

일 시 : 91 0220 1630

수 신 : 장 관(중이)

발 신 : 주 요르단 대사

제 목 : 대요르단 지원

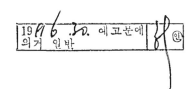

연: 요르단 (정)700-241(90.11.27)

1. 90.10.31 걸프사태 관련 대주재국 지원 정부 조사단 당지 방문시 주재국기획성과 조사단간 회의후 작성한 'MINUTES OF MEETING' 에 아측 단장(외무차관) 서명이 필요한바, 연호로 송부한 동서류에 서명 조치후 지급 반송바람

2. 주재국측에서는 지원 국가들과는 일반적으로 지원에 관한 AID AGREEMENT에 서명하는 절차를 거치는바, 아측이 이미 대주재국 지원을 약속했으나 양측간에 지원 약속에 관한 명시적 근거 서류가 없어 주재국측에서는 동 'MINUTES OFMEETING'에라도 양측 수석대표가 서명하여 동지원합의서에 대체할수 있을것이며, 그런 연후에야 외국으로 부터의 대주재국 지원에 관한 정부나 중앙은행의 통계에 포함, 공식적으로 외부에 발표되는등 아국의 지원내용도 이에 포함될수 있을것임을 참고바람

(대사 박태진-국장)

예고:91.6.30 까지

1991 6.30. 예고문에
의거 일반

중아국	차관	1차보	2차보

91.02.20 23:52

외신 2과 통제관 CA

0071

분류번호	보존기간

발 신 전 보

WJO-0188   910221 1809 CG

번   호 : _____   종별 : _____

수   신 : 주   요르단   대사. 총영사
                    (중동이)

발   신 : 장 관

제   목 : 걸프사태 관련 지원

연 : WJO-0036(91.1.12)

    WJO-0146(91.2.2)

대 : JOW-0103(91.1.22)

1. 연호 1차 지원품인 설탕 및 콤비버스 공급 계약체결(91.1.25)에 따라 $3,012,250.9 이 추가지원 가능한바 기통보한 품목별 국내공급 사정을 감안, 잔여 지원품을 조속 확정 보고바람. 끝.

2. 주재국측 사정에 의해 지원사업이 계속 지연될 경우에는 동 지원사업도 긴급한 지원이 필요한 제3국으로 전환지원될 가능성도 있는바 주재국측과 협의시 참고바라며, 잔여지원품에 대한 주재국측의 입장이 91.2.28 까지는 확정될수 있도록 필요조치 바람. 끝.

(중동아국장 이 해 순)

검토필(1991. 6. 30.

보안통제	

앙고재	91년 2월 21일	중동 2과	기안자 성명 리리껭	과장	국장	차관	장관	외신과통제

0072

상 공 부

출 일 28124- *296*   .503-9436)   1991.2.22.

수 신 외무부장관

참 조 중동2과장

제 목 걸프만 정부조사단 협의내용 의견회신

1. 마그 20005-2988('90.12.17) 와 관련입니다.

2. 위관련 귀부에서 송부하신 요르단측과의 회의록 내용에 대하여 우리부는 별다른 이견없음을 알려드리며

3. 요르단의 인산염 및 염화가리 수입증대요청은 우리부에서 귀부에 기조치('90.12.13)된 바 있으니 참고하시기 바랍니다.

상 공 부 장

0073

재　　　　　무　　　　　부

경협 2252- 키8　　　　(503-9274)　　　　1991·2·23

수 신　외무부장관

참 조　마그레브과장

제 목　걸프만 정부조사단 요르단 방문시 협의내용

　　1·　마그 20005-2988('90·12·17)의 관련 사항임·

　　2·　표제건과 관련 당부 이견없음을 통보합니다·　　끝·

，취여기란，취만 정재온걸것 (minuter of meeting)

재　　무　　부　　장

경제협력과장　　견결

청동이　5144

0074

기 안 용 지

분류기호 문서번호	중동이 20005-	(전화 :)	시 행 상 특별취급		
보존기간	영구·준영구. 10. 5. 3. 1.	차 관		장 관	
수 신 처 보존기간		전결			
시행일자	1991. 2. 27.				
보조기관	국 장	협조기관	국제경제국장 의전비서관(신국호)	문 서 통 제	
	심의관				
	과 장				
기안책임자	허 덕 행			발 송 인	
경 유 수 신 참 조	건 의	발신명의			
제 목	걸프사태 정부조사단 요르단 방문시 협의내용				

　　1.　요르단 정부는 걸프사태 조사단 방문시 아국의 지원약속과

관련 작성한 회의록을 송부하여 오면서 아측 수석대표인 외무부

차관의 서명을 요청하여 온바, 동 회의록 내용은 방문시 협의내용과

상이함이 없으므로 서명 회송할것을 건의합니다.

　　2.　조사단의 일원으로 방문한바 있는 재무부 및 상공부는 동

회의록 서명에 이견없음을 회신한 바 있읍니다.

　　첨 부 : 회의록 1부.　끝.

0075

1505-25(2-1) 일(1)갑
85. 9. 9. 승인　　"내가아낀 종이 한장 늘어나는 나라살림"

190㎜×268㎜ 인쇄용지 2급 60g/㎡
가 40-41 1990. 5. 28

會　議　錄
(飜譯 및 要約)

o 柳宗夏 外務次官을 首席代表로한 韓國代表團과 Khalid Abdullah 企劃部長官을 首席代表로한 요르단 代表團이 1990.10.31. 요르단 企劃部에서 韓國의 걸프 事態 關聯 對 요르단 經濟支援 方案을 協議하였음.

o 韓國代表團은 요르단側에 1천만불의 社會間接資源投資用 EDCF 資金 支援과 5백만불의 物品 無償援助 支援計劃을 전하였음.

o 요르단 代表團은 韓國側에 1천만불 借款 使用計劃 리스트와 5백만불 無償 援助資金의 希望品目을 提示하였음.

o 韓國代表團은 요르단側 提示事項을 檢討한후 요르단側에 通報키로 하였음.

o 요르단 代表團은 韓國政府가 요르단의 經濟難局 克服을 支援키위해 요르단 産 인광석, 염화칼리의 輸入을 增大할수 있도록 支援해줄것을 要望하였음.

o 韓國代表團은 同 輸入이 民間業體 所管事項이나, 동건관련 可能한 最大한 努力하겠다고 言及하였음.

o 요르단 代表團은 EDCF 借款 使用에 대해 요르단 國內業體의 參與許容과 內國貨 費用限度를 最大한 높여줄것을 要望하였음.

o 韓國代表團은 同 問題에 대해 關係機關에서 檢討한후 結果를 요르단 政府에 回信키로 하였음.

0076

	분류번호	보존기간

발 신 전 보

WJO-0209   910228 1118   FD

번   호 : _____   종별 : _____

수   신 : 주   요르단   대사 <del>초연시</del>

발   신 : 장   관   (중동이)

제   목 : 대 요르단 지원

대 : JOW-0200

연 : WJO-0188, 0195

　　1. 걸프사태 정부조사단의 귀지 방문시 회의록(외무차관 서명)은 금 2.28.
파편 송부예정임.

　　2. 걸프사태 관련 대 요르단 지원품목(잔여 $3,012,250 상당) 및 요르단
왕실후원 고아원 지원품목($150,000 상당)도 조속 확정 보고바람. 끝.

　　　　　　　　　　　　　　　　　　(중동아국장 이 해 순)

검토필(1991.6.30.)

	보안 통제	

앙 고 재	91 년 2 월 28 일	중 동 2 과	기안자 성명 허덕행	과 장	심의관	국 장 전결	차 관	장 관		외신과통제

0077

6456

기 안 용 지

분류기호 문서번호	중동이20005-	(전화:)	시행상 특별취급	
보존기간	영구·준영구. 10. 5. 3. 1.		장 관	
수 신 처 보존기간			예	
시행일자	1991. 2.26.			

보 조 기 관	국 장 전 결	협 조 기 관		문 서 통 제	
	심의관 축임				
	과 장 허				
기안책임자	허 덕 행			발 송 인	

경 유 수 신 참 조	주 요르단 대사	발 신 명 의		1991. 2. 28

제 목	걸프사태 정부조사단 요르단 방문시 협의내용

대 : 요르단(정) 700-241(90.11.27)

JOW-0200 (91.2.20)

걸프사태 정부조사단의 요르단 방문시 협의내용 관련, 아측

대표단장인 외무부차관이 서명한 회의록(Minutes of Meeting)을

별첨과 같이 회송합니다.

0078

첨 부 : 회의록 1부. 끝.

	분류번호	보존기간

발 신 전 보

WJO-0220   910302 1547 DP

번   호 : _____   종별 : _____

수   신 : 주 요르단   대사./총영사

발   신 : 장 관 (중동이)

제   목 : 걸프사태 지원

연 : WJO-0146

1. 대요르단 1차 지원품중 설탕 1,174 M/T($607,721.1)을 91.2.28. 선적
   (선명 : GREEN OCEAN V-02W)하였으며, 4.20.경 귀지 아카바항 도착
   예정임.

2. 동 선적서류는 차 파편 송부 예정임. 끝.

(중동아국장   이 해 순)

예 고 : 91.12.31. 까지

검토필(1991. 6. 30)

보 안 통 제	

앙 고 재	91 년 월 일	중동2과	기안자 성 명		과 장		국 장		차 관	장 관

외신과통제

0079

株 式 會 社 高 麗 貿 易

電 話 : (02) 737-0860
FAX : (02) 739-7011
TELEX : KOTII K34311

서울 特別市 江南區 三成洞 159番地
貿易會舘 빌딩 11層
TRADE CENTER P.O. BOX 23,24.

수 신 : 외무부 마그레브 과장
제 목 : 걸프만 사태 관련 지원물대 송금 신청

  폐사는 귀부와의 계약에 의거하여 아래와 같이 걸프만 사태 관련 지원물품을 기 선적하였
아오니 송금조치 하여 주시기 바랍니다.

- 아   래 -

1. 선적물품 내역

품 목	수 량	금 액	선적일	도 착 예정일	선 명	선적항	도착항
설 탕	1,174M/T	U$ 607,721.10	2/28	4/20	GREEN OCEAN V-02W	ULSAN	AQABA
합 계		U$ 607,721.10					

2. 비 고

    요르단 1차 계약분 ('91. 1. 25.) U$ 1,987,749.10 중 잔액 전량 선적 완료

3. 송 금 처 : 제주은행 서울지점

    구좌번호 : 963-THR 109-01-0

    예 금 주 : (주)고려무역. 끝.

1991年 3月 2日

鍾 路 輸 出 本 部 海 外 事 業 팀

0080

분류기호 문서번호	중동이20005- **31** ( )		협조문용지	결 재	심의관 _(서명)_ 담 당	과 장 허덕행	국 장

시행일자	1991. 3. 4.		
수 신	총무과장(외환)	발 신	중동아프리카국장
제 목	걸프사태 지원사업		

걸프사태 관련 대 요르단 지원물자인 설탕 1,174 M/T의

91.2.28 선적에 따른 경비를 다음과 같이 지불하여 주시기 바랍니다.

- 다   음 -

1. 지 불 액 : $607,721.10

2. 지 불 처 : (주)고려무역

  ○ 지불은행 : 제주은행 서울지점

  ○ 구좌번호 : 963-THR 109-01-0

3. 지불근거 : 정무활동, 해외경상이전, 걸프사태주변피해국지원

첨 부 : 1. 재가공문사본 1부.

  2. (주)고려무역의 청구서 및 선적서류 각 1부.   끝.

0081

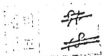

기 안 용 지

분류기호 문서번호	중동이20005-5미	(전화 :)	시 행 상 특별취급	
보존기간	영구·준영구. 10. 5. 3. 1.		장 관	
수 신 처 보존기간				
시행일자	1991. 3. 4.			

보조 기관	국 장	전 결	협 조 기 관		문 서 통 제 1991. 3. 7
	심의관				
	과 장			발 송 1991. 3. 7
기안책임자	허 덕 행			

경 유 수 신 참 조	주 요르단 대사	발신명의	

제 목	대 요르단 물자지원

　　　　연 : WJO-0220

　　　'91.2.28. 선적된 걸프사태 관련 대 요르단 지원물자의 선적

서류를 별첨과 같이 송부합니다.

　　　첨 부 : 관련 선적서류 각 2부. 끝.

0082

1505－25(2－1) 일(1)갑
85. 9. 9. 승인　"내가아낀 종이 한장 늘어나는 나라살림"

190mm×268mm 인쇄용지 2급 60g/㎡
가 40－41 1990. 5. 28

輸 出 契 約 書

요르단 1차분 (완료)

"甲" 外　　務　　部
　　　마그레브課長　申　閔　夾

"乙" 株式會社　高　麗　貿　易
　　　代表理事　副社長　高　一　男

上記 "甲" "乙" 兩者間에 다음과 같이 輸出契約을 締結한다.

第 1 條 ： 輸出物品의 表示
　　　　　　別　　添

第 2 條 ： "甲"은 上記 第1條의 物品貸金을 船積書類 受取後 "乙"에게 支給한다.

第 3 條 ： "乙"은 上記 第1條의 物品을 1991 ． 2 ． 28. 까지 PUSAN, ULSAN 港
　　　　　　(또는 XXX港)에서 AQABA, JORDAN 行 船舶(또는 XXXXXXX 에 船積하여야
　　　　　　한다.　但, 불가피한 事由로 船積이 遲延된 境遇에는 1990. 12. 21.
　　　　　　外務部長官과 "乙" 間에 締結된 輸出代行業體 指定 契約書 第4條 規定에
　　　　　　依하여 "乙"은 "甲"에게 船積 遲延事由書를 提出하고 "甲"은 同 遲滯
　　　　　　償金 免除 與否를 決定한다.

第 4 條 ： "乙"은 船積完了後 7日 以內에 "甲"이 船積物品 通關에 必要한 諸般
　　　　　　船積書類를 "甲" 또는 "甲"의 代理人에게 提出 또는 現地公館에 送付
　　　　　　하여야 한다.

- 1 -

0083

第 5 條 : 上記 船積物品의 品質保證 期間은 船積後 1 年間으로 하며, 이 期間中
　　　　　　正常的인 使用에도 不拘하고 製造不良이나 材質 또는 조립상의 하자가
　　　　　　發生할 境遇 "乙"의 責任下에 解決한다.

本 契約에 明示되지 않은 事由에 對하여는 걸프만 事態 供與品 輸出 代行 契約書
에 따른다.

　　　　　　　　　　　　　　　　　　　　　　　　1991 年 1 月 25 日

"甲" 外 務 部　　　　　　　　　　　"乙" 株式會社 高麗貿易
　　　　　　　　　　　　　　　　　　　서울特別市 江南區 三成洞
　마그레브課長 申 國 秧 　　　代表理事 副社長 高 一

- 2 -

(유 첨)

C.I.F. AQABA

```
1.  KOREAN GRANULATED WHITE      1,174 MT    @$ 517.65     U$ 607,721.10
    REFINED SUGAR
                                              2/28 선력 . 미입금 .
2.  AM 815 COMBI BUS (LHD)       50 UNITS    @$ 27,600.56  U$ 1,380,028.-
    24+1 SEATS WITH BELOW
    ACCESSORIES
    (WITH 10% RECOMMENDED SPARE PARTS)
```

```
    TOTAL :                                               U$ 1,987,749.10

    ///////            ///////                            ////////
```

COMBI ACCESSORIES

. DRIVER HEATER
. RADIO & CASSETTE
. WHEEL CAP (4EA)
. TUBED TYRE RADIAL TYPE (7.00-16-10PR)
. AIR-CON & DUCT
. FOLDING TYPE MAIN DOOR (AUTOMATIC)
. SIDE GLASS : SLIDING COLOR GLASS
. REAR VIEW MIRROW (CONVEX MANUAL)
. LINOLEUM COVERED FLOOR MAT
. SUN VISOR : CURTAIN (2EA)
. VENTILATOR (2EA)
. SEAT : 25 SEATS DLX
. REAR WIPER & WASHER
. REAR UNDER VIEW MIRROW
. FOG LAMP (2EA)
. VINYL COVERED TOP CEILING
. SAFETY BELT : . 2 POINT : 1EA
               . 3 POINT : 2EA

0085

관리 번호	91- 187

외 무 부

종 별 :

번 호 : JOW-0257

일 시 : 91 0310 1700

수 신 : 장 관(중동이)사본:상공부

발 신 : 주 요르단 대사

제 목 : 대요르단 지원

대:WJO-0209

1. 걸프사태 관련 대 요르단 지원품목 잔액($3,012,250.90)에 대해 주재국에서는 다음과 같은 내용의 차량 및 중장비를 요청키로 내정하고 동 품목의 SPECIFICATION 및 가격등을 문의하여 왔는바, 회보바람

  -DOUBLE CABIN 4X2 PICK-UP VICHICLE 50 정도

  -앰불런스 3 대

  -짚 10 대

  -FORK LIFT 2 대

2. 주재국 기획성측에서는 3.7. 아국정부 조사단과의 회의시 대표단의 일원인 상공부 수출과장에게도 동내용을 통보하고 협조를 요청한바 있음을 참고바람

  (대사 박태진-국장)

  예고:91.6.30 까지

중아국   상공부

PAGE 1 ·

755

기 안 용 지

분류기호 문서번호	중동이20005-	(전화 :)	시 행 상 특별취급	
보존기간	영구·준영구. 10 . 5 . 3 . 1 .		장 관	
수 신 처 보존기간				
시행일자	1991 . 3 . 16 .		2여	

보 조 기 관	국 장	전 결	협 조 기 관			문 서 통 제
	심의관					1991. 8. 18
	과 장					
기안책임자	허 덕 행					발 인

경 유 수 신 참 조	주 요르단 대사	발 신 명 의		1991. 8. 18
제 목	대 요르단 지원			

대 : JOW-0257

요르단에 대한 2차 지원대상품의 카다로그를 별첨과 같이

송부합니다 .

첨부 : 동 카다로그 각 1부씩.   끝.

0087

분류번호	보존기간

발 신 전 보

WJO-0260   910318 1004   FH

번   호 :   종별 :

수   신 : 주   요르단   대사·총영사

발   신 : 장 관   (중동이)

제   목 : 대 요르단 지원

대 : JOW-0257

1. 대호 요르단에 대한 2차 지원희망품목에 대한 가격산정은 아래와 같으며

동 차량 및 중장비를 지원한 잔액은 $2,259,531.1 상당임.

　　가. K2,400 Double Cabin 4 X 2 Pick Up Truck (기아)

　　　　ㅇ 부품, 악세사리 포함 CIF : $10,464.3

　　　　ㅇ 50대 총 $523,215

　　나. Besta 4 X 4 Ambulance (기아)

　　　　ㅇ 부품, 악세사리 포함 CIF : $18,509

　　　　ㅇ 3대 총 $55,527

　　다. Jeep (아시아 록스타)

　　　　ㅇ 부품, 악세사리 포함 CIF : $12,572.8

　　　　ㅇ 10대 총 $125,728

　　라. Fork lift (삼성)

　　　　ㅇ GPS 30L 부품 포함 CIF : $24,124.9

　　　　ㅇ 2대 총 $48,249.8

　　마. 합계 : $752,719.8

2. 상기 지원물자는 2개월내 선적가능하며 카다로그는 차파편 송부예정임.

3. 요르단에 대한 잔여 3차 지원품도 조속 확정 보고바람. 끝

(중동아국장 이 해 순)

보안통제	효

앙 고 재	91 년 3 월 16 일	중 동 2 과	기안자 성 명 리덕령	과 장 효	심의관 앵	국 장 전결	차 관 역	장 관	외신과통제

0088

一般豫算檢討意見書

199 *1 . 3 . 21.*　　　중동2　課

事　業　名	걸프사태관련 물자지원 (요르단)		
支辨科目	細　項	目	金　　額
	121	341	$752,719.⁰⁰

檢　　討　　意　　見	
主　務　者	정부환율 해외경상이전 이원목에서 집행
擔　當　官	〃
調　整　官	〃　　　　0089

기 안 용 지

분류번호 문서번호	중동이20005-	(전화 :)	시 행 상 특별취급	
보존기간	영구·준영구 10. 5. 3. 1.	차 관	장 관	
수신처 보존기간		전 결		
시행일자	1991. 3. 20.			

보조기관	국 장		협조기관	기획관리실장 총무과장 기획운영담당관	문서통제
	심의관				
	과 장				발 송 인
기안책임자	허덕행				

경유 수신 참조	건 의	발신명의	

제 목	걸프만 사태 관련 물자지원(요르단-2)

　　　1. 걸프사태 관련 500만불 상당의 물자무상원조가 예정되어 있는

요르단에 대해서는 1차로 $1,987,749.1 상당의 설탕 및 콤비버스가 지원

되었습니다. 요르단측은 2차로 $752,719.8 상당의 물자지원을 요망하여

온바 다음과 같이 지원코자 하니 재가하여 주시기 바랍니다.

　　　2. 잔여 $2,259,531.1 에 대해서는 요르단측이 추가로 희망

품목을 제시하는데로 지원할 예정입니다.　　　　　/계속.../

0090

| - 다 | 음 - | | |

- 다   음 -

가. 지원내역 　　　　　　　　　　　　　　　　(단위 : $)

품 목	단 가(CIF)	수 량	금 액
앰블란스(기아 Besta)	18,509	3	55,527
지프(아시아 Rocsta)	12,572.8	10	125,728
포크리프트(삼성 GPS 30L)	24,124.9	2	48,249.8
더블 캐빈 화물차(기아 K2400)	10,464.3	50	523,215

합계 : $752,719.8

나. 선적일정

o 전품목은 91.4월말까지 일괄 선적예정

다. 지출근거

o 정무활동, 해외경상이전, 걸프만사태 관련 주변

피해국 지원(요르단)

첨부 : 1. (주) 고려무역의 견적서 및 수출계약서

2. 관련전문　　　　끝.

0091

Kia Motors Corporation
15 Yoido-dong, Youngdeungpo-ku,
Seoul, Korea
Tel. (02)784-1501
Fax. (02)784-0746
Telex. K27327 KIACO

OFFER SHEET

KOREA TRADING INTERNATIONAL INC.
SEOUL, KOREA

Our Ref. 3L011K091006

Date : MAR. 11. 1991

We have the pleasure to submit you our offer as follows on the terms and conditions set forth as hereunder

Description	Quantity	Unit Price	Amount
Kia VEHICLE		FOB KOREAN PORT IN U.S. DOLLARS	
K2400 D/C WITH AM/FM STEREO CASSETTE, HEATER AND STANDARD EQUIPMENT	50 UNIT	$7,350.00	$367,500.00
BESTA 4X4 AMBULANCE WITH AM/FM STEREO CASSETTE, HEATER, AIR-CONDITIONER, POWER STEERING AND STANDARD EQUIPMENT	3 UNIT	$14,300.00	$42,900.00
FOB TOTAL	53 UNITS		$410,400.00

REPUBLIC OF KOREA
WITHIN TWO (2) MONTHS AFTER RECEIPT OF YOUR L/C
ANY KOREAN PORT
EXPORT STANDARD PACKING (BARE)
BY T/T OR CASH

MARCH 15. 1991

Very truly yours,

Kia Motors Corporation

— 0092

품목별 원가 계산서

o ITEM : 10% SPARE PARTS FOR AMB, BESTA

o COST BREAKDOWN

- F.O.B. : U$ 1,430.-

- FREIGHT : U$ 135.- (1CBM X U$ 135/CBM)

- INSURANCE PREMIUM : U$ 8.90 (CIF X 1.1 X 0.5%)

- MARGIN : U$ 28.60 (FOB X 2%)

- -

C.I.F. : U$ 1,602.50

0093

Asia Motors Co., Inc

15 YOIDO-DONG, YOUNGDEUNGPO-GU, SEOUL, KOREA   C P O BOX 1191   FAX (02) 785-1485
TELEX ASIAMCO K24647   CABLE "ASIAMOTORS" SEOUL   TEL (02) 785-1484, 784 6047

PROFORMA INVOICE
————————————————

DATE : MAR. 12, 1991
REF.NO.: 91-E-03-087

MESSRS.

KOREA TRADING INTERNATIONAL INC.

GENTLEMEN :

IN REPLY TO YOUR INQUIRY OF AM102 ROCSTA 4WD JEEP(LHD),"DX" TYPE , WE HAVE THE
——
PLEASURE OF OFFERING YOU THE FOLLOWING ON THE TERMS AND CONDITIONS SET FORTH HEREUNDER.

PRICE   : F.O.B. KOREAN PORT IN U.S. DOLLARS.
SHIPMENT   : WITHIN 1(ONE) MONTHS AFTER OUR RECEIPT OF YOUR COMPETENT L/C.
PAYMENT   : BY AN IRREVOCABLE L/C TO BE DRAWN 100% AT SIGHT IN FAVOR OF US.
DESTINATION : KOREAN PORT.
PACKING   : BARE.
VALIDITY   : BY THE END OF APRIL, 1991.
REMARKS   : NOTE I.

YOURS FAITHFULLY,
서울特別市 永登浦區 汝矣島洞 15
亞細亞自動車工業株式會社
代表理事 趙 洙

ITEM NO.	DESCRIPTIONS	QUANTITY	UNIT PRICE	AMOUNT
1.	AM102 ROCSTA, 4x4,2,200CC DIESEL E/G LHD, "DX" TYPE, WITH STANDARD SPEC., LIMITED SLIP DIFFERENTIAL, AIR-CON, COLOR GLASS. MAIN ACCESSORIES ARE AS FOLLOWS;	10 UNITS	@$ 9,640.-	U$ 96,400.-

```
-5 SHIFT T/M(FLOOR SHIT)        -FOG LAMP
-HEATER                         -ADJUSTABLE HEADREST
-FREE WHEEL HUB                 -BLACKOUT DRIVING LAMP
-LAMINATED GLASS                -RADIO & CASSETTE
-RADIAL TYRE-P215/75R15         -BATTERY(M.F. TYPE)
-MIRROR(DAY AND NIGHT TYPE)     -SAFETY BELTS
-TILTING STEERING               -P.V.C TOP CEILING
-RR.GLASS DEFROSTER             -DECORATION DAPE
-DIGITAL CLOCK                  -FRT. CONSOLE BOX
```

——

TOTAL...10 UNITS.................U$ 96,400.-

NOTE I.
———————
1. THIS QUOTATION IS BASED ON OUR STANDARD SPECIFICATIONS AND VALID ONLY
   FOR JORDAN.
2. MANUFACTURER'S INSPECTION BEFORE SHIPMENT IS TO BE FINAL. IF ANY
   ADDITIONAL INSPECTION IS REQUIRED, SUCH CHARGE SHALL BE BORNE BY THE
   BUYER.
3. OTHER TERMS AND CONDITIONS NOT STIPULATED HEREIN SHALL BE DISCUSSED
   LATER ON AND SUBJECT TO OUR FINAL WRITTEN CONFIRMATION.
4. PARTIAL SHIPMENT AND TRANSSHIPMENT SHOULD BE ALLOWED.

- E. & O. E. -

0094

SsangYong Motor Company

Ssangyong Building, 24-1, 2-ka, Jeo-dong
Chung-gu, Seoul, Korea 100-748
C.P.O. Box 2123
Phone: (02) 273-4181
Telex : SSYMC K27596
Cable : SSYMC SEOUL
Fax : (02) 274-5062

PROFORMA INVOICE
==================

Ref.No. SYMC910312-A   Date : MAR. 12, 1991

Messrs. KOREA TRADING INT'L INC.
         C.P.O. BOX 1667
         SEOUL, KOREA

Dear sirs,

We are pleased to offer/quote you the undermentioned goods subject to

SHIPMENT Delivery	:	WITHIN 3 MONTHS AFTER RECEIPT OF L/C.
Payment	:	BY A LOCAL L/C OR GU-MAE-SEONG-IN-SEO.
Packing	:	UNBOXED BARE CONDITION.
Insurance	:	TO BE COVERED BY BUYER.
Inspection	:	MAKER'S INSPECTION BEFORE SHIPMENT.
Validity	:	UNTIL MARCH 31, 1991.
Remarks	:	FINAL DESTINATION : JORDAN ONLY.

H.S.No.	Item No.	Description	Quantity	Unit price	Amount
8703.32. 2000	K-6D	STD, 4WD KORANDO, LHD VEHICLE EQUIPPED WITH DC23 DIESEL ENGINE, 5-SPEED MANUAL T/M & 2-SPEED T/C.			
		* SPECIFICATION : SYMC STANDARD			
		- VEHICLE PRICE	10 UNITS	@$11,031.-	U$110,310.-
		- R.S.P.L.	10%	1,100.-	11,000.-
		- AIR-CONDITIONER		731.-	7,310.-
		TOTAL FOB KOREA	10 UNITS	@$12,862.-	U$128,620.-

Accepted by :   Yours faithfully,

서울특별시 중구 저동 2가 24-1

쌍용자동차주식회사

대표이사 사장 손 명 원

0095

(210mm×297mm)

품목별 원가 계산서

o   ITEM : 10% SPARE PARTS FOR JEEP ROCSTA

o   COST BREAKDOWN

- F.O.B.   : U$ 964.-

- FREIGHT   : U$ 135.-   (1CBM X U$ 135/CBM)

- INSURANCE PREMIUM   : U$ 6.22   (CIF X 1.1 X 0.5%)

- MARGIN   : U$ 19.28   (FOB X 2%)

  C.I.F.   : U$ 1,124.50

0096

• Head Office
Dae-Kyung Building, 120, 2 Ka, Taepyung-Ro, Chung-Ku, Seoul, Korea
C. P. O. BOX 3384   Fax. (02) 756-9358   Telex. SHICO K23726

• Changwon Plant
1. Guehyun-Dong, Changwon City, Korea.
Telex. SSHICO K52444

OFFER

```
DATE       : MARCH 12, 1991
OFFER NO.  : FNS 910312 -01
MCI REG. NO.: 87744
```

TO : KOREA TRADING INTERNATIONAL INC.

DEAR SIRS,

    WE HAVE THE PLEASURE TO OFFER YOU THE FOLLOWING MERCHANDISE ON THE TERMS
AND CONDITIONS HEREINAFTER SET FORTH.

PAYMENT	:	BY A LOCAL L/C AT SIGHT IN OUR FAVOR
SHIPMENT	:	WITHIN EX-FACTORY ONE MONTH AFTER RECEIPT OF L/C
ORIGIN	:	REPUBLIC OF KOREA
PACKING	:	S-C'S EXPORT STANDARD PACKING
DESTINATION	:	
SHIPPING PORT	:	BUSAN, KOREA
VALIDITY	:	TILL APR. 30, 1991

H.S. NO.	DESCRIPTION	Q'TY	UNIT PRICE	AMOUNT
842720	FORKLIFT TRUCK WITH STANDARD SPARE PARTS (FREE OF CHARGE)			FOB BUSAN,KOREA
	MODEL UPRIGHT CARRIAGE GPS30LPG V1067-3120 41"(3246384) (GPX30LPG)	2UNITS	@U$19,760	U$39,520.00
843120	RECOMMENDED SPARE PARTS (LISTS AS PER ATTACHED SHEET) FOR GPS30LPG 160EA	2SETS	@U$982.41/SET	U$1,964.82
	TOTAL FOB BUSAN, KOREA ------------------------			U$41,484.82

REMARKS) ① MANUFACTURER'S NORMAL INSPECTION AT ITS FACTORY IS TO BE FINAL
           ② INCIDENTAL SERVICES SUCH AS DELIVERY INSPECTION COMMISSIONING AT THE
              DELIVERY SITE, TRAINING, WARRANTY AND SO ON ARE NOT INCLUDED IN
              OUR QUOTATION
           ③ STANDARD SPARE PARTS WILL BE SUPPLIED WITH THE EQUIPMENT FREE OF CHARGE
              AS PER ATTACHED
           ④ APPROXIMATE SHIPPING DIMENSION
              - WEIGHT : 4,185 KG
              - SIZE (EXCLUDING FORKS) : 2,588 x 1,257 x 2,157
                L x W x H (mm)

ENCL. : SPARE PARTS LIST

ACCEPTED BY,   YOURS TRULY,

서울特別市中區太平路2街120番地

三星클라크株式會社

代表理事
社 長 金 演

0097

SPARE PARTS LIST (FREE OF CHARGE)

FILTER					TOOL				
NO	PART NO	DESCRIPTION	UNIT	Q'TY	NO	DESCRIPTION	SIZE	UNIT	Q'TY
1	2373789	AIR CLEANER	EA	2	1	TOOL BOX		EA	2
2	245781	T/M OIL FILTER	EA	4	2	PLIER	8"	EA	2
3	909213	ENG OIL FILTER	EA	8	3	SCREW DRIVER	+,-	EA	4
4	24430097	KNOB ASS'Y	EA	2	4	WRENCH, OPEN. ADJ	250mm	EA	2
5		(STEER WHEEL)			5	SOCKET(SQ,DR) 3/4"	1.1/8"	EA	2
6	3245692	LPG T/K(EMPTY)	EA	2	6	EXTENSION BAR 3/4"	8"LG	EA	2
7					7	T-HANDLE 3/4"	20"LG	EA	2
8					8	SOCKET(SQ,DR) 3/4"	15/16"	EA	2
					9	WRENCH OPEN END	INCH	EA	12
					10	WRENCH OPEN END	INCH	EA	12
	MANUAL				11	GREASE GUN	500CC	EA	2
					12	HOSE TIP	13 1/4"	EA	2
NO	DESCRIPTION		UNIT	Q'TY	13	FILTER WRENCH	240mm	EA	2
					14				
1	OPERATOR MANUAL		BK	2	15				
2	SERVICE MANUAL		BK	2	16				
3	PART CATALOG		BK	2	17				
4					18				

0098

RECOMMENDED SERVICE PARTS FOR GPS 30L X 2SETS

AMOUNT UNIT: US$

SEQ	PART NO.	DESCRIPTION	Q'TY/ UNIT (EA)	UNIT PRICE	TOTAL/SET Q'TY	TOTAL/SET AMOUNT	GRAND TOTAL Q'TY	GRAND TOTAL AMOUNT
1	245020	SEAL HUB OIL	2	19.21	2	38.42	4	76.84
2	245318	T/C OIL SEAL	1	2.60	1	2.60	2	5.20
3	245781	T/M OIL FILTER	1	5.86	12	70.32	24	140.64
4	655384	LINE LPG	1	5.86	1	5.86	2	11.72
5	909601	HYD. V/V SEAL KIT	1	19.21	1	19.21	2	38.42
6	909107	ENG. REAR SEAL	1	7.60	1	7.60	2	15.20
7	909129	ENG. FRONT SEAL	1	4.82	1	4.82	2	9.64
8	909159	ENG. ROCER COVER GAS	1	5.15	1	5.15	2	10.30
9	909213	ENG. OIL FILTER	1	1.90	24	45.60	48	91.20
10	909378	SPARK PLUG	4	1.57	12	18.84	24	37.68
11	909507	CARBURETOR AIR COVER	1	211.31	1	211.31	2	422.62
12	914944	B/MASTER CYL. SEAL	1	52.90	1	52.90	2	105.80
13	998838	CARBURETOR KIT	1	28.18	1	28.18	2	56.36
14	999520	VAPORIZER SEAL KIT	1	36.67	1	36.67	2	73.34
15	1811697	TILT CYL. PACKING KI	2	5.52	2	11.04	4	22.08
16	2366807	HYD. OIL FILTER	1	4.56	9	41.04	18	82.08
17	2366974	STARTER RELAY	1	8.24	1	8.24	2	16.48
18	2776293	KEY S/W	1	9.52	1	9.52	2	19.04
19	2370631	H/SUMP BUREATHER	1	3.66	6	21.96	12	43.92
20	2373789	AIR CLEANER FILTER	1	4.12	12	49.44	24	98.88
21	2378728	DRIVE WHEEL NUT	10	0.67	15	10.05	30	20.10
22	2381559	FAN BET	1	5.69	3	17.07	6	34.14
23	2775963	WHEEL B/LINE	1	31.19	1	31.19	2	62.38
24	2775964	WHEEL B/LINE	1	26.26	1	26.26	2	52.52
25	2382893L	STR WHEEL NUT	10	0.49	15	7.35	30	14.70
26	2740745L	RADIATOR HOSE LOWER	1	3.11	3	9.33	6	18.66
27	2775646SL	LIFT CYL. PACKING KI	2	7.09	6	42.54	12	85.08
28	2996554L	RADIATOR HOSE UP	1	2.89	3	8.67	6	17.34
29	3245587L	T/SIGNAL RELAY	1	4.21	2	8.42	4	16.84
30	3245682L	BRAKE SENDER	1	3.48	3	10.44	6	20.88
31	3245693L	COUPLING	1	1.13	1	1.13	2	2.26
32	3245844L	LIGHT SW	1	1.37	3	4.11	6	8.22
33	3245900L	T/SIGNAL LEVER	1	9.15	1	9.15	2	18.30
34	3245916L	LIGHT ASSY	3	6.41	2	12.82	4	25.64
35	3245918L	T/SIGNAL LAMP	2	3.66	2	7.32	4	14.64
36	3245988L	COMBINATION LAMP	2	3.66	2	7.32	4	14.64
37	3246143L	CARRIAGE BEARING	8	13.42	6	80.52	12	161.04
	TOTAL				160	982.41	320	1,964.82

0099

JORDAN 차량 추가 요청 품목 검토

1991. 3. 14.

1. K2400 DOUBLE CABIN 4X2 PICK-UP TRUCK (KIA)

   가. SPECIFICATIONS

      1) CATALOGUE 참조

      2) 기 타

         가) AM/FM STEREO CASSETTE, HEATER AND STANDARD EQUIPMENT

         나) 10% SPARE PARTS

   나. UNIT PRICE (CIF AQABA BY SEA)

      1) VEHICLE   : U$ 9,574.70

      2) SPARE PARTS : U$ 889.60

      3) TOTAL   : U$ 10,464.30

   다. S. TOTAL AMOUNT : U$ 10,464.30 X 50 = U$ 523,215.-

2. BESTA 4X4 AMBULANCE (KIA)

   가. SPECIFICATIONS

      1) CATALOGUE 참 조

      2) 기 타

         가) AM/FM STEREO CASSETTE, HEATER, POWER STEERING AND STANDARD
            EQUIPMENT

         나) 10% SPARE PARTS

   나. UNIT PRICE

      1) VEHICLE   : U$ 16,906.50

      2) SPARE PARTS : U$ 1,602.50

      3) TOTAL   : U$ 18,509.-

   다. S. TOTAL AMOUNT : U$ 18,509.- X 3 = U$ 55,527.-

0100

3. JEEP (ASIA ROCSTA)

    가. SPECIFICATIONS

        1) CATALOGUE 참조

        2) 기 타

            가) LIMITED SLIP DIFFERENTIAL, AIR-CON, COLOR GLASS

            나) 10% SPARE PARTS

    나. UNIT PRICE

        1) VEHICLE   : U$ 11,448.30

        2) SPARE PARTS : U$ 1,124.50

        3) TOTAL   : U$ 12,572.80

    다. S. TOTAL AMOUNT : U$ 12,572.80 X 10 = U$ 125,728.-

4. FORK LIFT (SAM SUNG)

    가. SPECIFICATIONS

        1) CATALOGUE 참 조

        2) 기 타

            가) MODEL : GPS 30L

            나) RECOMMENDED SPARE PARTS (ABT. 5%)

    나. UNIT PRICE

        1) VEHICLE   : U$ 22,981.60

        2) SPARE PARTS : U$ 1,143.30

        3) TOTAL   : U$ 24,124.90

    다. S. TOTAL AMOUNT : U$ 24,124.90 X 2 = U$ 48,249.80

5. G. TOTAL AMOUNT : U$ 752,719.80

0101

6. 검토 의견

가. 납기는 K2400 D/C (2개월) 외에는 1개월이내에 가능하며, K2400 D/C 도
   납기 단축 가능한 것으로 검토.

나. JEEP 의 경우는 KORANDO (쌍용) 와 ROCSTA (아시아) 의 두가지 MODEL 이
   있으나 JORDAN 현지의 A/S 를 고려할때, 상공부의 의견을 참작하여
   ROCSTA 로 원가계산 하였음.

다. 요르단 예산 잔액 :

   U$ 5,000,000 - U$ 1,987,749.10 (설탕, 콤비버스) - U$ 752,719.80
   = U$ 2,259,531.10

0102

輸 出 契 約 書

"甲" 外　　務　　部

　　　중동 2 課長　鄭　鎭　鎬

"乙" 株式會社　高　麗　貿　易

　　　代表理事　副社長 高　一　男

上記 "甲" "乙" 兩者間에 다음과 같이 輸出契約을 締結한다.

第 1 條 ：　輸出物品의 表示

　　　　　　別　　添

第 2 條 ：　"甲"은 上記 第1條의 物品貸金을 船積書類 受取後 "乙"에게 支給한다.

第 3 條 ：　"乙"은 上記 第1條의 物品을 1991 . 5 . 18. 까지　KOREAN PORT 港
　　　　　　(또는 空港)에서 AQABA, JORDAN 行 船舶(또는 航空機)에 船積하여야
　　　　　　한다.　　但, 불가피한 事由로 船積이 遲延될 境遇에는 1990. 12. 21.
　　　　　　外務部長官과 "乙"間에 締結된 輸出代行業體 指定 契約書 第4條 規定에
　　　　　　依하여 "乙"은 "甲"에게 船積 遲延事由書를 提出하고 "甲"은 同 遲滯
　　　　　　償金 免除 與否를 決定한다.

第 4 條 ：　"乙"은 船積完了後 7日 以內에 "甲"이 船積物品 通關에 必要한 諸般
　　　　　　船積書類를 "甲" 또는 "甲"의 代理人에게 提出 또는 現地公館에 送付
　　　　　　하여야 한다.

0103

- 1 -

第 5 條 : 上記 船積物品의 品質保證 期間은 船積後 1 年間으로 하며, 이 期間中 正常的인 使用에도 不拘하고 製造不良이나 材質 또는 조립상의 하자가 發生할 境遇 "乙" 의 責任下에 解決한다.

本 契約에 明示되지 않은 事由에 對하여는 걸프만 事態 供與品 輸出 代行 契約書 에 따른다.

1991 年 3 月 19 日

"甲" 外 務 部   "乙" 株 式 會 社 高 麗 貿 易
                         서울特別市 江南區 三成洞 159

  중동 2 課長 鄭 鎭 鎬   代表理事 副社長 高 一 男

- 2 -

0104

(別 添)

C.I.F. AQABA

1. BESTA 4X4 AMBULANCE WITH 10% SPARE APRTS

    AM/FM STEREO CASSETTE, HEATER, AIR-CON, POWER STEERING
    AND STANDARD EQUIPMENT

                          3UNITS   @$ 18,509.-   U$ 55,527.-

2. ROCSTA JEEP WITH 10% SPARE PARTS

    4X4, 2,200CC DIESEL E/G, LHD, "DX" TYPE
    WITH STANDARD SPEC., LIMITED SLIP DIFFERENTIAL,
    AIR-CON, COLOR GLASS, 5 SHIFT T/M, HEATER, TILTING
    STEERING, LAMINATED GLASS, FOG LAMP, RADIO & CASSETTE.

                          10UNITS   @$ 12,572.80   U$ 125,728.-

3. FORK LIFT GPS 30L WITH RECOMMENDED SPARE PARTS

    MAX. LIFTING W'T : 3 TON
    MODEL NO.   : GPS 30L

                          2UNITS   @$ 24,124.90   U$ 48,249.80

4. K2400 DOUBLE CABIN PICK-UP TRUCK WITH 10% SPARE PARTS

    AM/FM STEREO CASSETTE, HEATER AND STANDARD EQUIPMENT

                          50UNITS   @$ 10,464.30   U$ 523,215.-

    ----

    G. TOTAL :   U$ 752,719.80

    ////////   ////////   ///////

0105

誓 約 書

受　信　：　外務部長官

題　目　：　걸프만 事態에 따른 供與用 物品供給

　　　　　弊社는 貴部가 主管하는 表題 事業이 緊急支援 및 秘密維持를 要하는

國家的 事業임을 認識하고, 今般　　JORDAN　　國에 供與하는　　JEEP, ETC

物品을 供與契約 締結함에 있어 아래 事項을 遵守할 것을 誓約하는 바입니다.

1.　物品供給 契約時 品質 價格面에서 一般 輸出契約과 最小限 同等한 또는 보다

　　有利한 條件을 適用한다.

2.　締結된 契約은 보다 誠實하고 協助的인 姿勢로 履行한다.

3.　同 契約 內容은 業務上 目的 以外에는 公開하지 않는다.

　　　　　　　　　　　　　　1991 年 3 月 19 日

會　社　名　：　株式會社　高麗貿易

代　表　者　：　代表理事　高　一　男　

（署名 및 捺印）

0106

HAE DONG AUTO PARTS
INDUSTRIAL LTD.

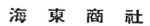 海 東 商 社

TRADE MARK

233·16 Jang Sa·Dong Chong Ro·Ku,
Seoul, Korea.

Telephone
Office :(02)2654790
Factory :(02)2139642

Your Ref.:

To: KOREA TRADING INTERNATIONAL INC.,   JORDAN

Date : MAR. 18, 1991.
Ref No. : HD-0318
Page :

QUOTATION

PAYMENT: By a Korean correncies. (FOB USD 55,087.61)

SHIPMENT: Within ___30___ days after made of sales contact with you.

PRICE BASIS: ☒F.O.B ☐C & F ☐C.I.F

VALIDITY: ___30___ days.

PACKING: EXPORT STANDARD PACKING.

REMARK:

Item	Description	Quantity	U/Price	Amount

SPARE PARTS FOR VEHICLE

" Details as per attached sheets."

0107

(Name) J. W. LEE
(Title) EXPORT MANAGER

SPARE PARTS FOR K-2400 D/B
=================================

L/1	PART NO.	PART NAME	Q'TY	U/PRICE	AMOUNT
1	K756-10-100	CYLINDER HEAD	3	621.12	1863.36
2	K756-10-300	CYLINDER BLOCK	3	947.21	2841.63
3	K756-10-311	CYLINDER LINER	18	27.95	503.10
4	K756-11-102C	PISTON ASSY	20	51.24	1024.80
5	K756-11-500A	PLY WHEEL	5	139.75	698.75
6	K592-13-300	AIR CLEANER	55	74.53	4099.15
7	K591-13-850	FUEL FILTER	80	37.27	2981.60
8	K602-14-802	OIL FILTER	80	8.48	678.40
9	1456-14-110	PUMP, OIL	35	53.58	1875.30
10	K590-15-010	WATER PUMP	5	74.53	372.65
11	K590-15-200D	RADIATOR	5	215.84	1079.20
12	FE50-16-410B	CLUTCH COVER	25	51.24	1281.00
13	FE51-16-460	CLUTCH DISK	25	91.23	2280.75
14	3648-17-622B	SLEEVE, CLUTCH HUB	10	34.24	342.40
15	ME01-17-221B	SHAFT MAIN	10	81.52	815.20
16	0802-17-262C	SLEEVE CLUTCH	10	37.27	372.70
17	K586-18-701	CONTROL UNIT	30	30.28	908.40
18	K756-23-206	PISTON RING SET	30	34.93	1047.90
19	0636-23-581	FUEL FILTER	80	7.72	617.60
20	K592-23-603A	AIR ELEMENT	70	11.46	802.20
21	K589-25-100	PROPELLER SHAFT	5	118.79	593.95
22	K620-26-113X	FRONT HUB BOLT NUT SET (RH)	15	1.16	17.40
23	K620-26-114X	FRONT HUB BOLT NUT SET (LH)	15	1.16	17.40
24	K621-26-132X	REAR HUB BOLT NUT SET (RH)	10	2.33	23.30

0108

SPARE PARTS FOR K-2400 D/B
=======================================

L/I	PART NO.	PART NAME	Q'TY	U/PRICE	AMOUNT
25	K621-26-142X	REAR HUB BOLT NUT SET (LH)	10	2.33	23.30
26	1391-34-211D	ARM (RH) UPPER	20	10.01	200.20
27	1391-34-261D	ARM (LH) UPPER	20	10.01	200.20
28	K591-38-610A	SPARE CARRER TYER	5	42.71	213.55
29	K590-40-050	FRONT PIPE	5	26.09	130.45
30	K590-40-100	SILENCER MAIN	5	56.29	281.45
31	K590-40-160B	TAIL PIPE	8	14.36	114.88
32	K589-41-920	CLUTCH RELEASE CYLINDER	10	18.25	182.50
33	K620-44-150B	CABLE, PARKING BRAKE	15	5.36	80.40
34	K590-46-001	GEAR SHAFT	10	16.70	167.00
35	K590-50-020A	FRONT BUMPER	10	93.16	931.60
36	K590-50-050-B	FRONT BUMPER PROTECTOR (RH)	15	13.39	200.85
37	K590-50-060B	FRONT BUMPER PROTECTOR (LH)	15	13.39	200.85
38	K592-50-710	RAIDATOR GRILL	10	16.70	167.00
39	K592-50-721A	GRILL MOULDING	10	5.83	58.30
40	K586-51-030	HEAD LAMP (RH)	15	55.90	838.50
41	K586-51-040	HEAD LAMP (LH)	15	55.90	838.50
42	K586-51-060A	FRONT BEZEL (RH)	15	15.14	227.10
43	K586-51-070A	FRONT BEZEL (LH)	15	15.14	227.10
44	K586-51-150	REAR COMBI LAMP (RH)	15	19.79	296.85
45	K756-51-151	REAR COMBI LENS (LH)	15	6.60	99.00
46	K586-51-160	REAR COMBI LAMP (RH)	6	19.41	116.46
47	K591-51-841	FLAP FRONT (RH)	15	4.42	66.30
48	K591-51-842	FLAP FRONT (LH)	15	4.42	66.30

0109

SPARE PARTS FOR K-2400 D/B
==============================

L/1	PART NO.	PART NAME	Q'TY	U/PRICE	AMOUNT
49	K590-58-010	DOOR BODY (RH)	3	194.10	582.30
50	K590-59-010	DOOR BODY (LH)	3	194.10	582.30
51	8264-60-070C	CABLE, SPEEDMETER	15	5.36	80.40
52	K591-65-321	FLAP REAR (RH)	14	3.49	48.86
53	K591-65-331	FLAP REAR (LH)	14	3.49	48.86
54	K592-65-4000-OW	SIDE DOOR (RH)	3	186.34	559.02
55	K592-65-5000-OW	SIDE DOOR (LH)	3	186.34	559.02
56	K592-65-6000-OW	REAR DOOR	5	131.99	659.95
57	SA67-66-120	SWITCH COMBINATION	35	23.29	815.15
58	K590-66-790	ELECTRIC HORN	10	12.23	122.30
59	S047-68-410	GARNISH (RH)	15	3.49	52.35
60	K592-68-420D	DOOR TRIM (LH)	10	13.39	133.90
61	S047-68-440	GARNISH (LH)	15	3.49	52.35
62	K592-68-450D	DOOR TRIM (LH)	10	13.39	133.90
63	K596-69-110	BACK MIRROR (RH)	25	41.15	1028.75
64	K596-69-170	BACK MIRROR (LH)	25	34.93	873.25
65	K586-70-610B	FRONT PANNEL	3	155.28	465.84
66	K590-70-620A	CROSS MEMBER	3	26.78	80.34

*** Total ***

39945.62

0110

SPARE PARTS FOR BESTA AMBULANCE
=======================================

L/I	PART NO.	PART NAME	Q'TY	U/PRICE	AMOUNT
1	R201-10-235	GASKET HEAD COVER	26	2.18	56.68
2	R201-10-271	GASKET CYLINDER HEAD	3	74.54	223.62
3	R201-11-210	ROD ASSY CONNECTING	2	68.34	136.68
4	R201-11-102A	PISTON	1	130.45	130.45
5	K710-11-225	METAL CONNECTING ROD	8	20.20	161.60
6	K710-11-351	METAL MAIN BEARING	8	24.86	198.88
7	R201-12-205	BELT TIMING	4	74.54	298.16
8	K710-23-603	ELEMENT AIR	40	8.39	335.60
9	RF01-14-100A	OIL PUMP ASSY	2	96.28	192.56
10	K710-13-840	SEDIMENTOR	20	25.48	509.60
11	RF03-15-010B	PUMP WATER	2	62.12	124.24
12	K710-15-140	FAN COOLING	4	96.90	387.60
13	RF01-15-185	HOSE WATER LOW	4	5.29	21.16
14	RF01-15-186	HOSE WATER UP	4	3.42	13.68
15	HE07-16-410B	COVER ASSY CLUTCH	3	35.73	107.19
16	R207-16-460B	DISK ASSY CLUTCH	3	62.12	186.36
17	RF01-18-381	'V' BELT	25	2.50	62.50
18	K710-18-140	PLUG GLOW	25	8.09	202.25
19	R201-18-300	ALTERNATOR	1	232.93	232.93
20	R201-18-400	STARTER	1	279.51	279.51
21	S083-26-310	SHOE ASSY	3	34.79	104.37
22	ST20-43-400	MASTER BRAKE CYL	2	54.36	108.72
23	K742-50-810	GARNISH-CTR	3	20.20	60.60
24	K742-50-830	GARNISH LH	6	3.74	22.44

0111

SPARE PARTS FOR BESTA AMBULANCE
=================================

L/1	PART NO.	PART NAME	Q'TY	U/PRICE	AMOUNT
25	K742-50-820	GARNISH RH	6	3.74	22.44
26	K711-50-911	GARNISH REAR RH	6	8.55	51.30
27	K711-50-921	GARNISH REAR LH	6	8.55	51.30
28	K711-51-030	HEAD LAMP RH	3	35.73	107.19
29	K711-51-040	HEAD LAMP LH	3	35.73	107.19
30	K753-51-150	LAMP REAR RH	3	14.91	44.73
31	K753-51-160	LAMP REAR LH	3	14.91	44.73
32	K710-69-110	MIRROR OUT LH	3	6.22	18.66
33	K710-69-170	MIRROR OUT RH	3	19.58	58.74

*** Total ***

4663.66

0112

SPARE PARTS FOR ROCK STAR JEEP
==

L/1	PART NO.	PART NAME	Q'TY	U/PRICE	AMOUNT
1	NA1141-1200A	ACCEL CABLE	10	5.59	55.90
2	PB1144-1500C	SIDE CABLE	10	6.52	65.20
3	PB1155-1100B	SPEEDMETER CABLE	10	7.92	79.20
4	NA2337-1200	SIDE BUMPER (FRT)	.20	15.53	310.60
5	NA2338-1200	SIDE BUMPER (RR)	20	11.64	232.80
6	D001-59-410	DOOR CATCH	15	9.78	146.70
7	KJ01-33-065	OIL SEAL (FRT)	15	4.66	69.90
8	0603-26-154	OIL SEAL (RR)	20	0.93	18.60
9	1363-17-335	OIL SEAL	13	2.33	30.29
10	NA1115-1100	RADIATOR	10	242.24	2422.40
11	NA2391-2100	REAR VIEW MIRROR	36	6.99	251.64
12	S0474-9290	BRAKE LINING (FRT)	15	89.28	1339.20
13	1823-26-310	BRAKE LINING (RR)	15	34.78	521.70
14	NA1116-2500	CLUTCH MASTER CYLINDER	10	34.93	349.30
15	NS2399-1100	WIPER ARM	20	5.12	102.40
16	NA2399-1200	WIPER BLADE	30	4.42	132.60
17	DA1341-1040	DOOR LOCK SIDE	10	2.33	23.30
18	NA2279-0030A	BACK DOOR CABLE	10	9.32	93.20
19	NA2424-16600	FUEL TANK CAP	10	9.71	97.10
20	0229-25-060	UNIVERSAL JOINT BEARING	10	17.47	174.70
21	K621-23-570	FUEL FILTER	60	4.27	256.20
22	RF03-23-802	OIL FILTER (1ST)	60	9.09	545.40
23	R286-14-300	OIL FILTER (2ND)	60	13.59	815.40
24	K790-23-302	AIR CLEANER	60	11.84	710.40

0113

SPARE PARTS FOR ROCK STAR JEEP
=================================

L/1	PART NO.	PART NAME	Q'TY	U/PRICE	AMOUNT
25	KJ01-33-132	BOLTS	10	2.33	23.30
26	PB1126-1510	WHEEL CYLINDER	10	31.05	310.50
27	NA1141-1300	FLASHER UNITS	10	12.42	124.20
28	015-28-175	REAR COMBINATION LAMP	20	55.90	1118.00
29	RF01-18-381	FAN BELT	15	3.88	58.20

*** Total ***

10478.33

0114

품 목 별 원 가 계 산 서

o   ITEM : FORK LIFT GPS 30L

o   COST BREAKDOWN

- F.O.B.   : U$ 19,760.-

- FREIGHT   : U$ 2,700.-   (20CBM X U$135/CBM)

- INSURANCE PREMIUM : U$ 126.40   (CIF X 1.1 X 0.5%)

- MARGIN   : U$ 395.20   (FOB X 2%)

C.I.F.   : U$ 22,981.60

0115

품 목 별 원 가 계 산 서

---

o   ITEM : RECOMMENDED SPARE PARTS FOR FORK LIFT GPS 30L

o   COST BREAKDOWN

    - F.O.B.   : U$ 982.41

    - FREIGHT   : U$ 135.-   (1CBM X U$135/CBM)

    - INSURANCE PREMIUM : U$ 6.24   (CIF X 1.1 X 0.5%)

    - MARGIN   : U$ 19.65   (FOB X 2%)

    C.I.F.   : U$ 1,143.30

0116

품 목 별 원 가 계 산 서

o   ITEM :   DOUBLE CABIN PICK-UP K2400

o   COST BREAKDOWN

- F.O.B.   :   U$ 7,350.-

- FREIGHT   :   U$ 2,025.-   (15CBM X U$ 135/CBM)

- INSURANCE PREMIUM   :   U$ 52.70   (CIF X 1.1 X 0.5%)

- MARGIN   :   U$ 147.-   (FOB X 2%)

- -

C.I.F.   :   U$ 9,574.70

0117

품 목 별 원 가 계 산 서

○ ITEM : JEEP ROCSTA

○ COST BREAKDOWN

    - F.O.B.   : U$ 9,640.-

    - FREIGHT   : U$ 1,552.50   (11.5CBM X U$135/CBM)

    - INSURANCE PREMIUM : U$ 63.-   (CIF X 1.1 X 0.5%)

    - MARGIN   : U$ 192.80   (FOB X 2%)

    C.I.F.   : U$ 11,448.30

0118

EAST WEST ENTERPRISES LTD.

PHONE : 558-2490/2   789-2 YEOK SAM-DONG   TELEX : K24692 HANSEN
FAX   : 558-2490   KANG NAM-KU, SEOUL, KOREA.   K.P.O.BOX : 1797

OFFER SHEET

YOUR REF. _____   OUR REF. DS-91-0319 .
TO. KOREA TRADING INTERNATIONAL INC.,   DATE. MAR. 19, 1991 .
    (JORDAN)

Gentlemen :

In compliance with your request/solicitation, we are pleased to make an offer for sale to you upon the terms and conditions set forth hereunder and in the attached page here of :

Commodity :   SPARE PARTS FOR K-2400 D/B   (US$ 735.00 x 50 UNITS)
                  SPARE PARTS FOR ASIA JEEP   (US$ 904.00 x 10 UNITS)
                  SPARE PARTS FOR BESTA AMBULANCE (US$ 1,430.00 x 3 UNITS)
                  (Specifications and descriptions, as per described in the attached page of
                  this offer)

Quantity :   TOTAL 128 ITEMS

Amount (Total) : F.O.B PRICE US$ 50,680.00

Payment :   BY A KOREAN CURRENCIES

Shipment :
        Partial Shipments : NOT ALLOWED   Transhipment : NOT ALLOWED

Packing :   EXPORT STANDARD PACKING

Shipping Port :   KOREAN PORT

Discharging Port :

Inspection :   MAKER'S INSPECTION AT PLANT TO BE FINAL

Country of Origin : REPUBLIC OF KOREA

Validity :   UNTIL THE END OF APRIL 1991.

Remarks :

Agreed and accepted by :   Yours faithfully,

_____   _____
(Name)   (Name) H. S. LEE
(Title)_____   (Title) MANAGING DIRECTOR .

                                                                    0119

SPARE PARTS FOR K-2400
==========================

L/I	PART NO.	PART NAME	Q'TY	U/PRICE	AMOUNT
1	K756-10-100	CYLINDER HEAD	3	571.43	1714.29
2	K756-10-300	CYLINDER BLOCK	3	871.43	2614.29
3	K756-10-311	CYLINDER LINER	18	25.71	462.78
4	K756-11-102C	PISTON ASSY	20	17.11	912.80
5	K756-11-500A	PLY WHEEL	5	128.57	642.85
6	K592-13-300	AIR CLEANER	55	68.57	3771.35
7	K591-13-850	FUEL FILTER	80	34.29	2743.20
8	K602-14-802	OIL FILTER	80	7.80	624.00
9	1456-14-110	PUMP, OIL	35	49.29	1725.15
10	K590-15-010	WATER PUMP	5	68.57	342.85
11	K590-15-200D	RADIATOR	5	198.57	992.85
12	FE50-16-410B	CLUTCH COVER	25	47.14	1178.50
13	FE51-16-460	CLUTCH DISK	25	83.93	2098.25
14	3648-17-622B	SLEEVE, CLUTCH HUB	10	31.50	315.00
15	ME01-17-221B	SHAFT MAIN	10	75.00	750.00
16	0802-17-262C	SLEEVE CLUTCH	10	34.29	342.90
17	K586-18-701	CONTROL UNIT	30	27.86	835.80
18	K756-23-206	PISTON RING SET	30	32.04	961.20
19	0636-23-581	FUEL FILTER	80	7.10	568.00
20	K592-23-603A	AIR ELEMENT	70	10.51	737.80
21	K589-25-100	PROPELLER SHAFT	5	109.29	546.45
22	K620-26-113X	FRONT HUB BOLT NUT SET (RH)	15	1.07	16.05
23	K620-26-114X	FRONT HUB BOLT NUT SET (LH)	15	1.07	16.05
24	K621-26-132X	REAR HUB BOLT NUT SET (RH)	10	2.14	21.40
25	K621-26-142X	REAR HUB BOLT NUT SET (LH)	10	2.14	21.40
26	1391-34-211D	ARM (RH) UPPER	20	9.21	184.20
27	1391-34-261D	ARM (LH) UPPER	20	9.21	184.20
28	K591-38-610A	SPARE CARRER TYER	5	39.29	196.45
29	K590-40-050	FRONT PIPE	5	24.00	120.00
30	K590-40-100	SILENCER MAIN	5	51.79	258.95
31	K590-40-160B	TAIL PIPE	8	13.21	105.68
32	K589-41-920	CLUTCH RELEASE CYLINDER	10	16.79	167.90
33	K620-44-150B	CABLE, PARKING BRAKE	15	4.93	73.95
34	K590-46-001	GEAR SHAFT	10	15.36	153.60
35	K590-50-020A	FRONT BUMPER	10	85.71	857.10
36	K590-50-050-B	FRONT BUMPER PROTECTOR (RH)	15	12.32	184.80
37	K590-50-060B	FRONT BUMPER PROTECTOR (LH)	15	12.32	184.80
38	K592-50-710	RAIDATOR GRILL	10	15.36	153.60
39	K592-50-721A	GRILL MOULDING	10	5.36	53.60
40	K586-51-030	HEAD LAMP (RH)	15	51.43	771.45
41	K586-51-040	HEAD LAMP (LH)	15	51.43	771.45
42	K586-51-060A	FRONT BEZEL (RH)	15	13.93	208.95
43	K586-51-070A	FRONT BEZEL (LH)	15	13.93	208.95
44	K586-51-150	REAR COMBI LAMP (RH)	15	18.21	273.15
45	K756-51-151	REAR COMBI LENS (LH)	15	6.07	91.05
46	K586-51-160	REAR COMBI LAMP (RH)	6	17.86	107.16
47	K591-51-841	FLAP FRONT (RH)	15	1.07	61.05

0120

SPARE PARTS FOR K-2400
======================

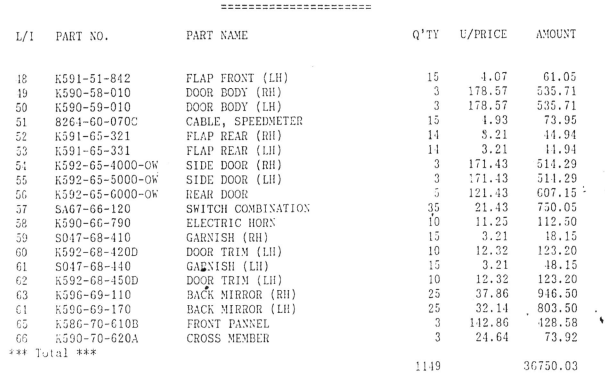

L/I	PART NO.	PART NAME	Q'TY	U/PRICE	AMOUNT
48	K591-51-842	FLAP FRONT (LH)	15	4.07	61.05
49	K590-58-010	DOOR BODY (RH)	3	178.57	535.71
50	K590-59-010	DOOR BODY (LH)	3	178.57	535.71
51	8264-60-070C	CABLE, SPEEDMETER	15	4.93	73.95
52	K591-65-321	FLAP REAR (RH)	14	3.21	44.94
53	K591-65-331	FLAP REAR (LH)	14	3.21	44.94
54	K592-65-4000-OW	SIDE DOOR (RH)	3	171.43	514.29
55	K592-65-5000-OW	SIDE DOOR (LH)	3	171.43	514.29
56	K592-65-6000-OW	REAR DOOR	5	121.43	607.15
57	SA67-66-120	SWITCH COMBINATION	35	21.43	750.05
58	K590-66-790	ELECTRIC HORN	10	11.25	112.50
59	S047-68-410	GARNISH (RH)	15	3.21	48.15
60	K592-68-420D	DOOR TRIM (LH)	10	12.32	123.20
61	S047-68-440	GARNISH (LH)	15	3.21	48.15
62	K592-68-450D	DOOR TRIM (LH)	10	12.32	123.20
63	K596-69-110	BACK MIRROR (RH)	25	37.86	946.50
64	K596-69-170	BACK MIRROR (LH)	25	32.14	803.50
65	K586-70-610B	FRONT PANNEL	3	142.86	428.58
66	K590-70-620A	CROSS MEMBER	3	24.64	73.92

*** Total ***   1149   36750.03

0121

SPARE PARTS FOR ROCK STAR JEEP
=================================

L/I	PART NO.	PART NAME	Q'TY	U/PRICE	AMOUNT
1	NA1141-1200A	ACCEL CABLE	10	5.14	51.40
2	PB1144-1500C	SIDE CABLE	10	6.00	60.00
3	PB1155-1100B	SPEEDMETER CABLE	10	7.29	72.90
4	NA2337-1200	SIDE BUMPER (FRT)	20	14.29	285.80
5	NA2338-1200	SIDE BUMPER (RR)	20	10.71	214.20
6	D001-59-410	DOOR CATCH	15	9.00	135.00
7	KJ01-33-065	OIL SEAL (FRT)	15	4.29	64.35
8	0603-26-154	OIL SEAL (RR)	20	0.86	17.20
9	1363-17-335	OIL SEAL	13	2.14	27.82
10	NA1115-1100	RADIATOR	10	222.86	2228.60
11	NA2391-2100	REAR VIEW MIRROR	36	6.43	231.48
12	S0474-9290	BRAKE LINING (FRT)	15	82.14	1232.10
13	1823-26-310	BRAKE LINING (RR)	15	32.00	480.00
14	NA1116-2500	CLUTCH MASTER CYLINDER	10	32.14	321.40
15	NS2399-1100	WIPER ARM	20	4.71	94.20
16	NA2399-1200	WIPER BLADE	30	4.07	122.10
17	DA1341-1040	DOOR LOCK SIDE	10	2.14	21.40
18	NA2279-0030A	BACK DOOR CABLE	10	8.57	85.70
19	NA2424-16600	FUEL TANK CAP	10	8.93	89.30
20	0229-25-060	UNIVERSAL JOINT BEARING	10	16.07	160.70
21	K621-23-570	FUEL FILTER	60	3.93	235.80
22	RF03-23-802	OIL FILTER (1ST)	60	8.36	501.60
23	R286-14-300	OIL FILTER (2ND)	60	12.50	750.00
24	K790-23-302	AIR CLEANER	60	10.89	653.40
25	KJ01-33-132	BOLTS	10	2.14	21.40
26	PB1126-1510	WHEEL CYLINDER	10	28.57	285.70
27	NA1141-1300	FLASHER UNITS	10	11.43	114.30
28	015-28-175	REAR COMBINATION LAMP	20	51.43	1028.60
29	RF01-18-381	FAN BELT	15	3.57	53.55
*** Total ***			614		9640.00

0122

SPARE PARTS FOR BESTA AMBULANCE
==================================

L/I	PART NO.	PART NAME	Q'TY	U/PRICE	AMOUNT
1	R201-10-235	GASKET HEAD COVER	26	2.01	52.26
2	R201-10-271	GASKET CYLINDER HEAD	3	68.58	205.74
3	R201-11-210	ROD ASSY CONNECTING	2	62.87	125.74
4	R201-11-102A	PISTON	1	120.01	120.01
5	K710-11-225	METAL CONNECTING ROD	8	18.58	148.64
6	K710-11-351	METAL MAIN BEARING	8	22.87	182.96
7	R201-12-205	BELT TIMING	4	68.58	274.32
8	K710-23-603	ELEMENT AIR	40	7.72	308.80
9	RF01-14-100A	OIL PUMP ASSY	2	88.58	177.16
10	K710-13-840	SEDIMENTOR	20	23.44	468.80
11	RF03-15-010B	PUMP WATER	2	57.15	114.30
12	K710-15-140	FAN COOLING	4	89.15	356.60
13	RF01-15-185	HOSE WATER LOW	4	4.87	19.48
14	RF01-15-186	HOSE WATER UP	4	3.15	12.60
15	HE07-16-410B	COVER ASSY CLUTCH	3	32.87	98.61
16	R207-16-460B	DISK ASSY CLUTCH	3	57.15	171.15
17	RF01-18-381	"V" BELT	25	2.30	57.50
18	K710-18-140	PLUG GLOW	25	7.44	186.00
19	R201-18-300	ALTERNATOR	1	214.30	214.30
20	R201-18-400	STARTER	1	257.15	257.15
21	S083-26-310	SHOE ASSY	3	32.01	96.03
22	ST20-43-400	MASTER BRAKE CYL.	2	50.01	100.02
23	K742-50-810	GARNISH-CTR	3	18.58	55.74
24	K742-50-830	GARNISH LH	6	3.44	20.64
25	K742-50-820	GARNISH RH	6	3.44	20.64
26	K711-50-911	GARNISH REAR RH	6	7.87	47.22
27	K711-50-921	GARNISH REAR LH	6	7.87	47.22
28	K711-51-030	HEAD LAMP RH	3	32.87	98.61
29	K711-51-040	HEAD LAMP LH	3	32.87	98.61
30	K753-51-150	LAMP REAR RH	3	13.72	41.16
31	K753-51-160	LAMP REAR LH	3	13.72	41.16
32	K710-69-110	MIRROR OUT LH	3	5.72	17.16
33	K710-69-170	MIRROR OUT RH	3	18.01	54.03

*** Total ***

236   4290.66

0123

품 목 별 원 가 계 산 서

o   ITEM : AMBULANCE BESTA

o   COST BREAKDOWN

- F.O.B.   : U$ 14,300.

- FREIGHT   : U$ 2,227.50   (16.5CBM X U$ 135/CBM)

- INSURANCE PREMIUM : U$ 93.-   (CIF X 1.1 X 0.5%)

- MARGIN   : U$ 286.-   (FOB X 2%)

- -

C.I.F.   : U$ 16,906.50

0124

JORDAN 2차분 차량 및 지게차 업체 선정 경위

1991. 3. 20.

1. AMBULANCE

   가. 상기 품목은 국내 기아자동차 및 현대자동차에서 생산가능한 것으로 파악
   되었으며, 기존 BESTA (기아), 혹은 GRACE (현대)의 STANDARD 차종을
   AMBULANCE 용도에 맞게 생산중인 것으로 검토됨.

   나. 현대자동차의 GRACE 는 일본 MITSUBISHI 와의 기술도입에 따른 특약으로
   중동지역 수출이 불가하여 BESTA 로 선정함.

2. JEEP

   가. 상기 품목은 국내 기아자동차 및 쌍용자동차에서 생산되며, 각각의 OFFER를
   접수한 결과 ASIA ROCSTA 가 가격면에서 저렴한 것으로 검토됨.

   나. 현지 A/S 를 고려할 때에도 기존 공급되어 있는 ASIA 제품을 선정함이
   바람직하며, 이는 걸프전후 복구사업 유치차 현지에 다녀온 상공부 관계자의
   의견과도 일치함.

3. FORK LIFT

   가. 상기 품목은 국내 삼성중공업, 한라중공업 및 대우중공업에서 생산되며,
   각 MAKER 마다 접촉하여 문의결과 다음의 사유로 삼성중공업이 적격업체로
   선정됨.

   나. 한라중공업은 BATTERY 충전식 FORK LIFT 만을 수출할 수 있으며, 작업의
   효율성을 고려할때 엔진이 장착된 FORK LIFT 에 비해 능률이 떨어지므로
   부적격한 것으로 검토함.

   다. 대우중공업은 OEM 방식의 CATAPILA BLEND 로 동 제품을 생산하고 있으며
   CATAPILA 와의 특약에 의거 수출은 불가능한 것으로 판명 되었음.

0125

4. PICK-UP TRUCK

가. 상기 품목은 기아자동차, 대우자동차 및 현대자동차에서 생산되며, 각
MAKER 별로 접촉결과 다음의 사유로 기아자동차가 적격 업체로 선정됨.

나. 현재 대우자동차와 현대자동차는 승용차 생산 및 수출에 주력하고 있으며,
TRUCK, BUS 등의 상용차는 수출 CAPACITY 부족으로 같은 GROUP 내의
계열사인 (주) 대우나 현대종합상사에서의 견적 의뢰도 접수하지 못하는
실정임.

0126

132 걸프 사태 주변국 지원 3: 요르단

상 공 부

출 일 28124-75   (503-9436)   1991.3.21.

수 신 외무부장관

제 목 대요르단 지원회신

1. JOW-0257('91.3.10) 관련입니다.

2. 연호와 관련하여 주요르단대사가 문의하신 내용을 별첨과 같이
알려드리며

3. 정부조사단 파견시 요르단측에서 우리부 수출1과장에게 구입희망한
품목에 대한 검토의견을 별첨과 같이 알려드리니 이를 주요르단 대사에게 통보
하여 주시기 바랍니다.

첨 부 : 1. 대요르단 추가지원품목 내용1부.

      2. 수출1과장에게 요청한 JORDAN 희망품목 검토의견 1부.

      3. 관련 카다로그철.   끝.

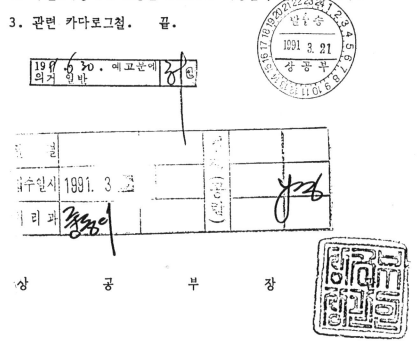

상   공   부   장

0127

요르단 추가 지원품목 내용

1. K2400 DOUBLE CABIN 4X2 PICK-UP TRUCK (KIA)

  가. SPECIFICATIONS

    (1) 카다로그 참조
    (2) 기 타

        o AM/FM STEREO CASSETTE, HEATER AND STANDARD EQUIPMENT
        o 10% SPARE PARTS

  나. UNIT PRICE (CIF AQABA BY SEA)

    (1) VEHICLE   : U$ 9,574.70
    (2) SPARE PARTS : U$ 889.60
    (3) TOTAL   : U$ 10,464.30

  다. S.TOTAL AMOUNT : U$ 10,464.30 × 50 = U$ 523,215

2. BESTA 4X4 AMBULANCE (KIA)

  가. SPECIFICATIONS

    (1) CATALOGUE 참조
    (2) 기 타

        o AM/FM STEREO CASSETTE, HEATER, POWER STEERING AND STANDARD
          EQUIPMENT
        o 10% SPARE PARTS

0128

나. UNIT PRICE

    (1) VEHICLE   : U$ 16,906.50
    (2) SPARE PARTS   : U$ 1,602.50
    (3) TOTAL   : U$ 18,509

다. S. TOTAL AMOUNT : U$ 18,509 × 3 = U$ 55,527

3. JEEP (ASIA ROCSTA)

가. SPECIFICATIONS

    (1) CATALOGUE 참조
    (2) 기 타

       o LIMITED SLIP DIFFERENTIAL, AIR-CON, COLOR GLASS
       o 10% SPARE PARTS

나. UNIT PRICE

    (1) VEHICLE   : U$ 11,448.30
    (2) SPARE PARTS   : U$ 1,124.50
    (3) TOTAL   : U$ 12,572.80

다. S. TOTAL AMOUNT : U$ 12,572.80 × 10 = U$ 125,728

0129

4. FORK LIFT (SAM SUNG)

　가. SPECIFICATIONS

　　(1) CATALOGUE 참조
　　(2) 기　타

　　　o MODEL : GPS 30L
　　　o RECOMMENDED SPARE PARTS (ABT, 5%)

　나. UNIT PRICE

　　(1) VEHICLE　　　 : U$ 22,981.60
　　(2) SPARE PARTS　 : U$　1,143.30
　　(3) TOTAL　　　　 : U$ 24,124.90

　다. S. TOTAL AMOUNT : U$ 24,124.90 × 2 = U$ 48,249.80

5. G. TOTAL AMOUNT : U$ 752,719.80

6. 검토의견

　가. 납기는 K2400 D/C (2 개월) 외에는 1개월이내에 가능하며, K2400 D/C 도
　　　납기 단축 가능한 것으로 검토

　나. JEEP 의 경우는 KORANDO (쌍용) 와 ROCSTA (아시아) 의 두가지
　　　MODEL 이 있으나, JORDAN 현지의 A/S를 고려하여 ROCSTA 로
　　　원가계산 하였음

　다. 요르단 예산잔액

　　　U$ 5,000,000 - U$ 1,987,749.10 (설탕, 콤비버스) - U$ 752,719.80
　　　= U$ 2,259,531.10

0130

JORDAN 희망 품목 검토 의견

1991. 3. 20.

1. 검토 경위

　가. JORDAN 국 희망품목인 15 종류의 중장비류를 검토해본 결과 각각의

　　　SPEC, 가격, 및 DELIVERY 는 아래와 같음.

　나. 해당제품을 생산하고 있는 국내 유수 메이커중 해당 모델의 수출이

　　　실질적으로 가능하고 빠른 DELIVERY 를 할 수 있는 업체의 제품을

　　　우선적으로 선정 하였음.

　다. MOBILE WELDING UNIT, CRANE (HYDRAULIC), 천정기 WINCH TRACTOR

　　　ASPHALT BROILER, SPOT DRILLER 등은 요르단에서 제시한 SPEC 이

　　　국내 생산기종과 전혀 상이하거나, 국내에서 생산치 않은 제품들로서

　　　공급이 불가능한 것으로 판명됨.

　라. CATALOGUE 유첩.

2. 품목별 SPEC, 가격 및 DELIVERY

　A. WHEEL LOADER (MODEL SL 20)

　　a. SPEC

　　　1. NET FLYWHEEL HORSEPOWER ------------- 242 HP/2100 RPM

　　　2. OPERATING WEIGHT -------------------- 19,525KGS

　　　3. BUCKET CAPACITY -------------------- 3.5M3

- 1 -

0131

4. DIMENSION (TRANSPORTATION)

    . OVERALL HEIGHT : 3,464MM

    . OVERALL LENGTH : 8,500MM

    . OVERALL WIDTH : 2,931MM

5. ELECTRICAL SYSTEM : 24VOLT

6. TIPPING LOAD : 15,400KG

7. TRACTIVE EFFORT : 18,400KG

8. DUMPING HEIGHT & DISTANCE : 3,072 X 1,254MM

9. MAX. DIGGING FORCE : 20,620KG

10. TIRE : 23.5-25-20 PR (L3)

11. SERVICE CAPACITY

    . FUEL TANK : 314L

    . HYDRAULIC OIL : 140L

    . COOLANT : 65L

12. POWERSHIFT

b. PRICE

C.I.F. AQABA : U$ 177,011.- (5% S/PARTS INCLUDED)

c. DELIVERY

5 UNITS WITHIN 3 MONTHS AFTER CONTRACT DATE

B. MOTOR GRADER (MODEL SG 15)

a. SPEC

1. NET FLYWHEEL HORSEPOWER --------- 15HP/2200RPM

2. OPERATING WEIGHT --------------- 14,262KGS

3. BLADE -------------------------- 3,710MM

4. DIMENSION (TRANSPORTATION)

    . OVERALL HEIGHT : 3,355MM

    . OVERALL LENGTH : 8,555MM

    . OVERALL WIDTH : 3,710MM

- 2 -

0132

5. ELECTRICAL SYSTEM : 24 VOLT

6. MIN TURNING RADIUS : 6.9M

7. TIRE : 14.00 X 24 - 12PR TUBELESS

8. TRAVEL SPEED

. FORWARD : 6 PHASE

. REVERSE : 6 PHASE

9. TRACTIVE EFFORT : 11,516KG

10. SERVICE CAPACITY

. FUEL TANK : 285L

. HYDRAULIC OIL : 30L

. COOLANT : 50L

b. PRICE

C.I.F. AQABA : U$ 148,500.- (5% S/PARTS INCLUDED)

c. DELIVERY

10 UNITS WITHIN 3MONTHS AFTER CONTRACT DATE

C. TRACK TYPE TRACTOR (MODEL SD 20)

a. SPEC

1. NET FLYWHEEL HORSEPOWER -------------- 220HP/1800RPM

2. OPERATING WEIGHT -------------------- 24,000KG

3. BLADE

. HEIGHT : 1,315MM

. WIDTH : 3,720MM

4. DIMENSION (TRANSPORTATION)

. OVERALL HEIGHT : 3,415MM

. OVERALL LENGTH : 5,750MM

. OVERALL WIDTH : 3,720MM

5. ELECTRICAL SYSTEM : 24V

- 3 -

0133

6. UNDERCARRIAGE

    . NUMBER OF ROLLERS & SHOE

      - UPPER ROLLERS : 2 X 2

      - LOWER ROLLERS : 6 X 2

      - TRACK SHOES : 38 X 2

      - TRACK SHOES WIDHT : 550MM

7. SERVICE CAPACITY

    . FUEL TANK : 450L

    . HYDRAULIC OIL : 110L

    . COOLANT : 79L

8. MAX. DRAWBAR PULL : 24TON

9. POWERSHIFT

b. PRICE

    C.I.F. AQABA : U$ 227,168.- (5% S/PARTS INCLUDED)

c. DELIVERY

    5UNITS WITHIN 3MONTHS AFTER CONTRACT DATE

D. CONCRETE PUMP TRUCK (MODEL CPW 028L0, CPW 932L0)

    a. SPEC

SPECIFICATION		CPW 028 L0	CPW 032 L0
PUMP & BOOM MODEL		PA907F8	←
LOGICAL MAX. DISCHARGE		87㎥/H	←
MAX. PRESSED CARRY DISTANCE	HORIZONTAL	151M	←
(SLUMP:6CM, DISCHARGE:87㎥/H)	VERTICAL	83M	←
MAX. AGGREGATE SIZE (MM)		40	←
CHASSIS MODEL		CWA55P	←
DRIVING SYSTEM		6 X 4	←
ENGINE	MODEL	D2366T	←
	MAX. POWER	305PS/2,200RPM	←
MAX. SPEED		94KM/H	←

- 4 -

0134

GROSS VEHICLE WEIGHT (KG)		22,395	20,585
OVERALL LENGTH (MM) OVERALL WIDTH (MM) OVERALL HEIGHT (MM)		11,095 2,500 3,790	10,585 2,500 3,760
GRADEABILITY		18.7°	21.2°
MIN. TURNING RADIUS (M)		9.9	←
TIRE (FRT, RR)		11.00X20-16PR	←
VALVE SYSTEM		'S'-TUBE TYPE, PROPORTION VALVE	←
PUMP	CYLINDER TYPE	DUAL CYLINDER	←
	BORE X STROKE (MM)	¢ 200 X 1,500	←
OIL PRESSURE CAPACITY (ℓ)		400	←
HOPPER CAPACITY (m³)		0.45	←
WATER TANK CAPACITY (ℓ)		600	←
BOOM PIPE WASHING METHOD		WATER & AIR COMBINED	←
BOOM	MODEL	B5R	B5S
	TYPE	4-ROLL	3-Z
	MAX. VERTICAL DISTANCE	31.9M	28M
	MAX. HORIZONTAL DISTANCE	28M	24M
	ANGLE OF ROTATION	360°	←
	BENDING ANGLE 1 ST 2 ND 3 RD 4 TH	100° 180° 180° 240°	90° 215° 180° -
	BOOM HOSE DIAMETER (MM)	125	←
	END HOSE LENGTH (M)	4	←

b. PRICE

    C.I.F. AQABA : CPW 028 LO - U$ 378,647.- (10% S/PARTS INCLUDED)

                                CPW 032 LO - U$ 449,073.- (10% S/PARTS INCLUDED)

c. DELIVERY

    3UNITS WITHIN 6MONTHS AFTER CONTRACT DATE

E. AIR-COMPRESSOR (MODEL DPC 260-1)

    a. SPEC

WORKING PRESSURE	: 7KG/cm^2
ACTUAL FREE AIR DELIVERY	: 7.5m^3/MIN
REVOLUTION	: 2,200 RPM
FUEL TANK	: 120 LITER
CONT. OUT PUT	: 72PS/2200RPM
TOTAL DISPLACEMENT	: 3,246CC

    b. PRICE

        C.I.F. AQABA : U$ 19,279.-

    c. DELIVERY

        20UNITS WITHIN 3MONTHS AFTER CONTRACT DATE

F. CEMENT MIXER TRUCK (MODEL AM 629)

    a. SPEC

GROSS WEIGHT (MM)	8,360		E N G I N E	TYPE		HINO EF750
OVERALL WIDTH (MM)	2,490			MAX OUTPUT (PS/R.P.M.)		340/2,200
OVERALL HEIGHT (MM)	3,770			MAX TORQUE (KG. M/RPM)		119/1,400
WHEEL BASE (MM)	3,625+1,350			DISPLACE (CC)		16,745
TREAD (MM)	FRT.	2,045		DRUM CAPACITY (m^3)		10.7
	RR.	1,855				
MAX. SPEED(KM/H)	90		D R U M	MIXING CAPACITY (m^3)		6
MAX. GRADE(TANQ)	15			OPERATING GRADE (°)		16
ACCELERATING ABILITY	0.268			D R U M	1 ST MIXING	8-12rpm
MIN. TURNING RADIUS (M)	8.2				2 ND MIXING	2-7 rpm

MIN. TURNING RADIUS (M)	11,380	T U R N ' G	INPUTING	1-10rpm
GROSS WEIGHT(KG)	26,295		OUTPUTING	1-10rpm
WATER TANKER CAPACITY (1)	350	TYRE	FRONT	11.00 X 20-16PR
			REAR	11.00 X 20-16PR

b. PRICE

C.I.F. AQABA : U$ 86,140.- (10% S/PARTS INCLUDED)

c. DELIVERY

10UNITS CAN BE SHIPPED SOON AFTER CONTRACT DATE.

(10UNITS ARE ALREADY MANUFACTURED)

G. HYDRAULIC EXCAVATOR (MODEL SE 210LC)

a. SPEC

1. NET FLYWHEEL HORSEPOWER ------------ 130HP (95.6KW)/2100RPM

2. OPERATING WEIGHT ------------------ 20,000KG

3. BUCKET CAPACITY (CECE) ------------ 0.8M3

4. DIMENSION (TRANSPORTATION)

. OVERALL HEIGHT : 2,990MM

. OVERALL LENGTH : 9,730MM

. OVERALL WIDTH : 2,800MM

5. ELECTRICAL SYSTEM : 24VOLT

6. WORKING RANGES

. MAX. DIGGING RADIUS : 10,000MM

. MAX. DIGGING RADIUS (ON GROUND) : 9,800MM

. MAX. DIGGING DEPTH : 6,820MM

. MAX. DIGGING HEIGHT : 9,510MM

. MAX. DUMPING HEIGHT : 6,710MM

- 7 -

0137

7. UNDERCARRIAGE

    . NUMBER OF ROLLERS AND SHOE

        - UPPER ROLLERS : 2 X 2

        - LOWER ROLLERS : 9 X 2

        - TRACK SHOES   : 54 X 2

        - TRACK SHOES WIDTH : 600MM

8. MAX. DISTANCE FROM FRONT BODY : 4,655MM

9. SERVICE CAPACITY

    . FUEL TANK : 300L

    . COOLANT : 10.5L

    . HYDRAULIC OIL TANK : 250L

b. PRICE

C.I.F. AQABA : STANDARD   - U$ 113,955.- (5% S/PARTS INCLUDED)

                 WITH BREAKER - U$ 148,730.- (5% S/PARTS INCLUDED)

c. DELIVERY

30UNITS WITHIN 3MONTHS AFTER CONTRACT DATE

H. DUMP TRUCK (MODEL AM 629D)

    a. SPEC

OVERALL LENGTH (MM)		8,100
OVERALL WIDTH (MM)		2,490
OVERALL HEIGHT (MM)		3,060
TREAD	FRONT (MM)	2,045
	REAR (MM)	1,855
WHEEL BASE (MM)		3,626 + 1,350
GROUND CLEARANCE (MM)		270
CURB WEIGHT (KG)		11,025
DUMP BOX	LENGTH (MM)	5,300
	WIDHT (MM)	2,300
	HEIGHT (MM)	830

- 8 -

0138

CBM (m³)		10
MAX. SPEED (KM/H)		90
MAX. GRADE (TAN)		0.358
ENGINE	TYPE	HINO EF 750
	DISPLACE (CC)	16,745
	COMPRESSION RATIO	17 : 1
	MAX. OUTPUT (PS/RPM)	340/2,200
	MAX. TORQUE(KG.M/RPM)	119/1,400
CLUTCH		DRY SINGLE, COIL SPRING
TRASMISSITION		6 + 1
DUMP	TYPE	MARREL
	MAX. ANGLE	53°
TYRE		11.00 X 20 - 16PR

b. PRICE

　　C.I.F. AQABA : U$ 80,237.- (10% S/PARTS INCLUDED)

c. DELIVERY

　　10UNITS WITHIN 3MONTHS AFTER CONTRACT DATE

I. MOBILE ELECTRICAL GENERATOR (MODEL DG 75K)

　　a. SPEC

SPECIFICATION	GENERATOR	ENGINE
STAND BY OUTPUT	62 KW	98 PC
CONTINUOUS OUTPUT	55 KG	93 PC
FREQUENCY	50 HZ	
NO OF PICE	0.8	
R P M		1,500
FUEL TANK CAPACITY		150L

- 9 -

0139

b. PRICE

    C.I.F. AQABA : U$ 23,293.-

c. DELIVERY

    50UNITS WITHIN 3MONTHS AFTER CONTRACT DATE

J. MOBILE WELDING UNIT

국내 전기 사양은 220VOLT, 60HZ 인데 비해 JORDAN 국 전기사양은 220VOLT, 50HZ
이며, 동국 사양에 부합되는 SPEC 의 용접기는 국내 생산 불가로 판명됨.

K. CRANE (HYDRAULIC)

. 현재 국내 CRANE 생산업체는 삼성중공업, 한라중공업, 수산중공업 등 3곳임.

. 삼성중공업과 한라중공업 제품은 모두 20TON 이상의 대형 CRANE 이므로
JORDAN 에서 요청한 2TON 급과는 SPEC 에서 큰 차이가 남.

. 또한 생산중인 대형 크레인도 국내 수요자와 선 공급계약 맺고 있는 관계로
향후 6-7 개월내 공급은 불가능함.

. 수산중공업 제품은 기존 화물자동차의 운전석 캐빈과 화물칸 사이에 부착
시키는 특수한 형태의 소형간이 크레인이며, 요르단에서 희망하고 있는
일반 형태의 제품과는 상이함.

. 따라서 요르단국에서 요청하고 있는 CRANE 은 공급 불가능으로 판명됨.

L. 천 정 기

국내제조회사 없음.

M. WINCH TRACTOR

국내제조회사 없음

N. ASPHALT BROILER

국내제조회사 없음.

O. SPOT DRILLER VERTICAL TYPE

국내제조회사 없음. (계양전기에서 PORTABLE DRILL 만 취급)

관리 번호	91- 262

외 무 부

종 별 :

번 호 : JOW-0297　　　　　　　　　　　일 시 : 91 0323 1500

수 신 : 장 관(중동이,기정,사본:상공부장관)

발 신 : 주 요르단 대사

제 목 : 대 요르단 지원

대:WJO-0260

연:JOW-0257

1. 주재국 기획성에서는 잔여 지원품목 결정을 위해 다음품목에 대한 가격을문의하여 왔는바 회보바람

　가.WHEEL LOADER(9 대)

　나.MOTOR GRADER(8 대)

　다.TRACK-TYPE TRACTOR(10 대)

　라.CONCRETE CRANE(1 대)

　마.ROAD ROLLER-METAL(5 대)

　바.AIR COMPRESSOR(16 대)

　사.TRACK-TYPE CEMENT MIXER(5 대)

　아.EXCAVATOR(7 대)

　자.DUMP TRUCK(9 대)

　차.TRACK-TYPE ELECTRICITY GENERATOR UNIT(6 대)

　카.TRACK-TYPE MOVABLE WELDING UNIT(2 대)

　타.CRANE WINCH(2 대)

　파.ARTESAN WELL EXCAVATOR(1 대)

　하.DIESEL RICKER WINCH(1 대)

　갸.ASPHALT MIXER(2 대)

　냐.VERTICAL HOLE EXCAVATOR(2 대)

2. 상기 품목의 희망 스펙은 명 28 일 특파편 발송위게이며, 기획성측에서는 동내용 1 부를 상공부 수출과장에게 수교하였다는바 참고바람

중아국　안기부　상공부

(대사 박태진-국장)
예고:91.12.31. 까지

주 요 르 단 대 사 관

요르단(정) 700-*43*   1991. 3. 24.

수 신 : 장관

참 조 : 중동아프리카국장

제 목 : 대요르단 지원

　　　연: JOW-0297

　연호 주재국 기획성에서 아국의 대주재국 잔여 지원품목 결정을 위해 별첨
SPECIFICATION 에 대한 가격을 문의하여 왔는바 조속 회보 바랍니다.

첨 부 : 동 품목 LIST 1매.　　끝.

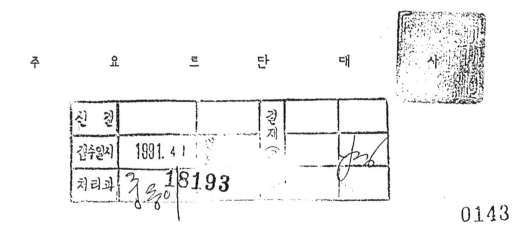

주 　 요 　 르 　 단 　 대 　　　　사

신 청			결 재			
접수일자	1991. 4 1					
처리과	3.용이 18193					

0143

1. Wheel Loader　　　　　　　물량 : 9대

    1) Machine Capacity : 　200 마력 이상
    2) Fuel Tank Volume : 　250 리터 이상
    3) Pocket Volume　　 : 　3 cublic meter 이상
    4) Maximum point that pocket can reach : 　3 m 이상
    5) Electrical System : 24 volt
    6) Machine height with driver cabin : 3.5 m 이하
    7) Operating Weight : 　16,500 Kg 이상
    8) Static Turping Load : 　12,500 Kg 이상
    9) Break force : 11,500 Kg 이상
   10) Power shift : hydrolic

2. Motor Grader　　　　　　　물량 : 8대

    1) Machine Capacity : 　200 마력 이상
    2) Fuel tank volume : 　350 리터 이상
    3) Operating Weight : 　18,500 Kg 이상
    4) Power shift　　 : 　Hydrolic
    5) Electricity System : 　24 Volt
    6) Machine Height with driver's cabin : 3.5 m 이하
    7) Minimum turning radius : 8 m 이하
    8) Blade length　　 : 　4 m 이상

3. Track-type Tractor　　　　물량 : 10대

    1) Machine capacity : 　200 마력 이상
    2) Fuel tank volume : 　400 리터 이상
    3) Blade length : 　　4 m 이상
    4) Operating Weight : 　20,500 Kg 이상
    5) Power shift : 　　hydrolic
    6) Electricity System : 　24 volt
    7) Machine height with driver cabin : 3.5 m 이하

0144

4. Concrete Crane   물량 : 1 대

    1) Concrete pumping system
        a. hydrolic pump specification with revolution speed
           1,450 - 1,600 Rvolution Per Minute (RPM)
           1) Out flow : 400 liter per minute 이상
           2) Operating Pressure : 280 Bar 이상
        b. Concrete pumping quantity : 100 m^3/hour or more
        c. Concrete Basin volume : 500 리터 이상
    2) Boom lift system
        a. hydrolic pump specification with revolution speed
           1,450 - 2,600 RPM
           1) Outflow : 24 liter/minute 이상
           2) Operating pressure : 280 bar 이상
        b. Vertical Expansion : 31 meter 이상
        c. Horizontal Expansion: 27 meter 이상

5. Road roller (아스팔트 다지는 롤러) -Metal   물량 : 5 대

    1) Machien Capacity : 100 마력 이상
    2) Fuel Tank volume : 200 liter 이상
    3) Machine Height : 3 m 이하
    4) Operating Weight : 10,000 Kg 이상
    5) Electricity System : 12 volt
    6) Rocking system should be attached.
    7) Power shift : hydrostatic

6. Air compressor   물량 : 16대

    1) Machien Capacity : 70 마력 이상
    2) Fuel Tank volume : 130 liter 이상
    3) Air Operating Pressure : 6.5 bar 이상
    4) Air outlet : 7 m^3/minute 이상
    5) Electricity System : 12 volt

0145

7. Track-type Cement Mixer   물량 : 5 대

   1) Engine Capacity : 1,000 RPM시 2.5 마력 이상
   2) Tub volume : 200 liter 이상
   3) It should have 4 tyre wheels
   4) Engine is operated with diesel.
   5) Engine revolution transmission to the tub through a chain.
   6) Tub revolution speed : 20 RPM 이상

8. Excavator   물량 : 7대

   1) Machine Capacity : 135 마력 이상
   2) Fuel Tank volume : 300 리터 이상
   3) Operating Weight : 20,000 Kg 이상
   4) Electricity System : 24 volt
   5) Maximum height that pocket can reach : not less than 5 m.
   6) Maximum area that pocket can reach   : not less than 5 m from
                                                machine front
   7) Maximum depth that pocket can reach : not less than 5 m.
   8) Machine height with driver's cabin : 3.5 m 이하
   9) Excavator hammer specification :
      a. number of strikes : 900 strikes/minute 이상
      b. Operating Pressure : 180 bar 이상
  10) Should be provided with necessary extra accessories to utilize
      hammer in braking rocks.

9. Dump Truck   물량 : 9대

   1) Engine Capacity : 200 마력 이상
   2) Volume   : 8 - 10 m^3
   3) Fuel Tank volume : 400 리터 이상
   4) Empty machine weight : 16,500 Kg 이상
   5) Electricity System : 24 Volt
   6) side and back cubic system should be hydrolic.
   7) Number of Tyres : 6 tyres (2 in the front, 4 at the back)

0146

10. Track-type Electricity Generator Unit   물량 : 6 대

1) Engine Capacity : 1,500 RPM시 80 마력 이상
2) Engine should be diesel type
3) Fuel tank volume : 80 리터 이상
4) Main items specification :
   a. Power : 60 KVA
   b. Power coefficient : 0.8
   c. Frequency : 50 Hertz
   d. Should be 3 phases
5) number of tyres : 2 at the back and a pole in the front

11. Track-type movable welding unit   물량 : 2대

1) Engine Capacity : 1,500 RPM 시 50 마력 이상
2) Fuel Tank volume : 70 리터 이상
3) Current : 0 - 500 Ampere
4) Tyres : Two at the back, a pole in the front.
5) Should include operation time measuring device.

12. Crane winch   물량 : 2 대

1) Engine Capacity : 2,300 RPM시 120 마력 이상
2) Diesel fuel tank volume : 180 리터 이상
3) Electricity system : 24 volt
4) Boom revolution : 360°
5) Total boom length : 20 m 이상
6) Maximum boom angle : 70° 이상
7) Hydrolic pump : 2,400 RPM시 170리터/minute 이상
8) Boom capacity on the crane : 20,000 Kg 이상
9) Machine should be provided with balancing jacks.

0147

13. Artesan Well excavator   물량 : 1 대

  1) The excavator operating engine
      a. Power : 600 마력 이상
      b. Speed : 1,800 RPM
      c. Fuel Used : Diesel
      d. Electricity system : 24 volt
  2) Circle head
      a. Strength : 6,000 pounds/foot 이상
      b. drilling revolution speed range : 0 - 100 RPM
  3) Winch
      a. load capacity : 5 ton 이상
  4) Hole depth : 900 m 이상
  5) Prevailing load capacity : 300 ton 이상

14.   Diesel Ricker winch   물량 : 1대

  1) Engine capacity : 2,100 RPM시   220마력 이상
  2) Maximum Speed : 90 Km/hour 이상
  3) Elevation ratio : 55% 이상
  4) Boom revolution : 360°
  5) Boom capacity on the crane : 9,000 Kg 이상
  6) Tyres : 1,400/20 tubeless
  7) Electricity system : 24 volt
  8) Fuel tank volume : 500 liter 이상
  9) Gear box : automatic

15. Asphalt mixer   물량 : 2 대

  1) caldron loaded on a machine whose engine capacity is
     240 마력/2,200 RPM
  2) Volume : 1,500 English galone
  3) Sprinkling width : 2.5 - 3.05, and the sprinkling system
                            works hydrolically.

0148

16. Vertical hole excavator   물량 : 2대

　　1) Earth excavator to excavate bases for electric poles with
　　　 diameter 25 - 30 Cm with depth no less than 2m.
　　2) Hydrolic arm length : 2 m 이상
　　3) Moving angle : 45° to right and 45°to left
　　4) Drilling system operates on air motor whose power is no
　　　 less than 12 horse power.

0149

원 본

외 무 부

종 별 :

번 호 : JOW-0310

일 시 : 91 0326 1530

수 신 : 장 관(중동이)

발 신 : 주 요르단 대사

제 목 : 대요르단 지원

대:WJO-0260

연:JOW-0297

1. 주재국 기획성에서는 연호 DUMP TRUCK 의 도입이 결정될경우, 당지에 대우 AGENT 가 있으므로 대우 생산 장비로 해줄것으로 요청하고 있음

2. 또한 동기획성의 통보에 의하면 주재국의 모든 소형 차량의 연료는 디젤이 불허된다는바, 대호 짚(아시아 록스타)도 휘발유 사용 차량이어야 한다함을 참고바람

(대사 박태진-국장)

예고:91.12.31 까지

중아국   2차보

정 리 보 존 문 서 목 록					
기록물종류	일반공문서철	등록번호	2020110080	등록일자	2020-11-18
분류번호	721.1	국가코드	XF	보존기간	영구
명 칭	걸프사태: 주변국 지원, 1990-92. 전12권				
생 산 과	중동2과/북미1과	생산년도	1990~1992	담당그룹	
권 차 명	V.7 요르단 II: 1991.4-12월				
내용목차					

0001

외 무 부

종 별 : 지 급
번 호 : JOW-0334   일 시 : 91 0402 1600
수 신 : 장관(중동이,기정)사본:상공부장관
발 신 : 주 요르단 대사
제 목 : 대요르단 지원

연:JOW-0297, 요르단 (정)700-43

주재국 기획성에서는 잔여 지원품목 조기결정을 위해 연호 품목의 가격을 가능한한
조속 통보해 줄것을 희망하고 있는바 조치바람

(대사 박태진-국장)
예고:91.12.31 까지

종아국   1차보   2차보   안기부   상공부

PAGE 1   91.04.02   23:54
외신 2과 통제관 DO

0002

JORDAN 희망 품목 검토 의견

1991. 4. 10.

1. 검토 경위

가. JORDAN 국의 희망품목을 생산중인 국내 업체를 검토한 결과 16개 품목중

8개 품목이 수출이 가능함.

나. 각 품목의 SPEC 과 CIF 가격 및 DELIVERY 는 아래와 같음.

2. 품목별 SPEC, 가격 및 DELIVERY

A. WHEEL LOADER (MODEL SL 20)

   a. SPEC

      1. NET FLYWHEEL HORSEPOWER ------------- 242 HP/2100 RPM

      2. OPERATING WEIGHT -------------------- 19,525KGS

      3. BUCKET CAPACITY -------------------- 3.5M3

      4. DIMENSION (TRANSPORTATION)

         . OVERALL HEIGHT : 3,464MM

         . OVERALL LENGTH : 8,500MM

         . OVERALL WIDTH : 2,931MM

      5. ELECTRICAL SYSTEM : 24VOLT

      6. TIPPING LOAD : 15,400KG

      7. TRACTIVE EFFORT : 18,400KG

      8. DUMPING HEIGHT & DISTANCE : 3,072 X 1,254MM

      9. MAX. DIGGING FORCE : 20,620KG

     10. TIRE : 23.5-25-20 PR (L3)

- 1 -

0003

11. SERVICE CAPACITY

     . FUEL TANK : 314L

     . HYDRAULIC OIL : 140L

     . COOLANT : 65L

12. POWERSHIFT

b. PRICE

   C.I.F. AQABA : U$ 177,011.- (5% S/PARTS INCLUDED)

c. DELIVERY

   9 UNITS WITHIN 5 MONTHS AFTER CONTRACT DATE

B. MOTOR GRADER (MODEL SG 15)

   a. SPEC

     1. NET FLYWHEEL HORSEPOWER --------- 155HP/2200RPM

     2. OPERATING WEIGHT ---------------- 14,262KGS

     3. BLADE -------------------------- 3,710MM

     4. DIMENSION (TRANSPORTATION)

        . OVERALL HEIGHT : 3,355MM

        . OVERALL LENGTH : 8,555MM

        . OVERALL WIDTH : 3,710MM

     5. ELECTRICAL SYSTEM : 24 VOLT

     6. MIN TURNING RADIUS : 6.9M

     7. TIRE : 14.00 X 24 - 12PR TUBELESS

     8. TRAVEL SPEED

        . FORWARD : 6 PHASE

        . REVERSE : 6 PHASE

     9. TRACTIVE EFFORT : 11,516KG

    10. SERVICE CAPACITY

       . FUEL TANK : 285L

       . HYDRAULIC OIL : 30L

       . COOLANT : 50L

0004

- 2 -

b. PRICE

    C.I.F. AQABA : U$ 148,500.- (5% S/PARTS INCLUDED)

c. DELIVERY

    8 UNITS WITHIN 3MONTHS AFTER CONTRACT DATE

비고) 요르단측 요청 품목은 200마력이나 국내 생산 가능한 최대 마력은
    155 마력임.

C. TRACK TYPE TRACTOR (MODEL SD 20)

  a. SPEC

    1. NET FLYWHEEL HORSEPOWER -------------- 220HP/1800RPM

    2. OPERATING WEIGHT --------------------- 24,000KG

    3. BLADE

      . HEIGHT : 1,315MM

      . WIDTH : 3,720MM

    4. DIMENSION (TRANSPORTATION)

      . OVERALL HEIGHT : 3,415MM

      . OVERALL LENGTH : 5,750MM

      . OVERALL WIDTH : 3,720MM

    5. ELECTRICAL SYSTEM : 24V

    6. UNDERCARRIAGE

      . NUMBER OF ROLLERS & SHOE

        - UPPER ROLLERS : 2 X 2

        - LOWER ROLLERS : 6 X 2

        - TRACK SHOES : 38 X 2

        - TRACK SHOES WIDHT : 550MM

    7. SERVICE CAPACITY

      . FUEL TANK : 450L

      . HYDRAULIC OIL : 110L

      . COOLANT : 79L

    8. MAX. DRAWBAR PULL : 24TON

- 3 -

0005

9. POWERSHIFT

b. PRICE

C.I.F. AQABA : U$ 227,168.- (5% S/PARTS INCLUDED)

c. DELIVERY

10UNITS WITHIN 5MONTHS AFTER CONTRACT DATE

D. CONCRETE PUMP TRUCK (MODEL CPW 028LO, CPW 932LO)

a. SPEC

SPECIFICATION		CPW 028 LO	CPW 032 LO
PUMP & BOOM MODEL		PA907F8	←
LOGICAL MAX. DISCHARGE		87㎥/H	←
MAX. PRESSED CARRY DISTANCE	HORIZONTAL	151M	←
(SLUMP:6CM, DISCHARGE:87㎥/H)	VERTICAL	83M	←
MAX. AGGREGATE SIZE (MM)		40	←
CHASSIS MODEL		CWA55P	←
DRIVING SYSTEM		6 X 4	←
ENGINE	MODEL	D2366T	←
	MAX. POWER	305PS/2,200RPM	←
MAX. SPEED		94KM/H	←
GROSS VEHICLE WEIGHT (KG)		22,395	20,585
OVERALL LENGTH (MM) OVERALL WIDTH (MM) OVERALL HEIGHT (MM)		11,095 2,500 3,790	10,585 2,500 3,760
GRADEABILITY		18.7°	21.2°
MIN. TURNING RADIUS (M)		9.9	←
TIRE (FRT, RR)		11.00X20-16PR	←
VALVE SYSTEM		'S'-TUBE TYPE, PROPORTION VALVE	←
PUMP	CYLINDER TYPE	DUAL CYLINDER	←
	BORE X STROKE (MM)	¢ 200 X 1,500	←
OIL PRESSURE CAPACITY (ℓ)		400	←

- 4 -

0006

OIL PRESSURE CAPACITY (ℓ)		400	←
HOPPER CAPACITY (m³)		0.45	←
WATER TANK CAPACITY (ℓ)		600	←
BOOM PIPE WASHING METHOD		WATER & AIR COMBINED	←
BOOM	MODEL	B5R	B5S
	TYPE	4-ROLL	3-Z
	MAX. VERTICAL DISTANCE	31.9M	28M
	MAX. HORIZONTAL DISTANCE	28M	24M
	ANGLE OF ROTATION	360°	←
	BENDING ANGLE 1 ST 2 ND 3 RD 4 TH	100° 180° 180° 240°	90° 215° 180° -
	BOOM HOSE DIAMETER (MM)	125	←
	END HOSE LENGHT (M)	4	←

b. PRICE

    C.I.F. AQABA : CPW 028 LO - U$ 378,647.- (10% S/PARTS INCLUDED)

                       CPW 032 LO - U$ 449,073.- (10% S/PARTS INCLUDED)

c. DELIVERY

    1UNIT WITHIN 6MONTHS AFTER CONTRACT DATE

E. ROAD ROLLER

내수용은 한라중공업에서 생산중이나 제품에 대한 신뢰도 부족으로 현재 수출은 하지 않고 있으며, '92년도 부터 수출 예정임. 따라서 현재 수출 불가함.

F. AIR-COMPRESSOR (MODEL DPC 260-1)

    a. SPEC

        WORKING PRESSURE   : 7KG/cm²

        ACTUAL FREE AIR DELIVERY : 7.5m³/MIN

        REVOLUTION   : 2,200 RPM

        FUEL TANK   : 120 LITER

        CONT. OUT PUT   : 72PS/2200RPM

```
        TOTAL  DISPLACEMENT          :  3,246CC
   b.  PRICE

        C.I.F. AQABA  :  U$ 19,279.-

   c.  DELIVERY

        16UNITS WITHIN 3MONTHS AFTER CONTRACT DATE
```

G. TRACK-TYPE CEMENT MIXER

자체엔진을 장착한 TRACK-TYPE 의 MIXER 는 국내에서 생산하지 않고 있음.

H. EXCAVATOR

    a. SPEC

```
        1.  NET FLYWHEEL HORSEPOWER  ------------  130HP (95.6KW)/2100RPM

        2.  OPERATING WEIGHT  -------------------  20,000KG

        3.  BUCKET CAPACITY (CECE)  ------------  0.8M3

        4.  DIMENSION (TRANSPORTATION)

              .  OVERALL HEIGHT  :  2,990MM

              .  OVERALL LENGTH  :  9,730MM

              .  OVERALL WIDTH   :  2,800MM

        5.  ELECTRICAL SYSTEM  :  24VOLT

        6.  WORKING RANGES

              .  MAX. DIGGING RADIUS  :  10,000MM

              .  MAX. DIGGING RADIUS (ON GROUND) : 9,800MM

              .  MAX. DIGGING DEPTH  :  6,820MM

              .  MAX. DIGGING HEIGHT :  9,510MM

              .  MAX. DUMPING HEIGHT :  6,710MM

        7.  UNDERCARRIAGE

              .  NUMBER OF ROLLERS AND SHOE

                  -  UPPER ROLLERS  :  2 X 2

                  -  LOWER ROLLERS  :  9 X 2

                  -  TRACK SHOES    :  54 X 2

                  -  TRACK SHOES WIDTH : 600MM
```

0008

8. MAX. DISTANCE FROM FRONT BODY : 4,655MM

9. SERVICE 15PACITY

. FUEL TANK : 300L

. COOLANT : 10.5L

. HYDRAULIC OIL TANK : 250L

b. PRICE

C.I.F. AQABA : STANDARD   - U$ 113,955.- (5% S/PARTS INCLUDED)

WITH BREAKER - U$ 148,730.- (5% S/PARTS INCLUDED)

c. DELIVERY

7UNITS WITHIN 3MONTHS AFTER CONTRACT DATE

I. DUMP TRUCK (MODEL AM 629D)

a. SPEC

OVERALL LENGTH (MM)		8,100
OVERALL WIDTH (MM)		2,490
OVERALL HEIGHT (MM)		3,060
TREAD	FRONT (MM)	2,045
	REAR (MM)	1,855
WHEEL BASE (MM)		3,626 + 1,350
GROUND CLEARANCE (MM)		270
CURB WEIGHT (KG)		11,025
DUMP BOX	LENGTH (MM)	5,300
	WIDHT (MM)	2,300
	HEIGHT (MM)	830
	CBM (m³)	10
MAX. SPEED (KM/H)		90
MAX. GRADE (TAN)		0.358
ENGINE	TYPE	HINO EF 750
	DISPLACE (CC)	16,745
	COMPRESSION RATIO	17 : 1

MAX. OUTPUT (PS/RPM)		340/2,200
	MAX. TORQUE(KG.M/RPM)	119/1,400
CLUTCH		DRY SINGLE, COIL SPRING
TRASMISSITION		6 + 1
DUMP	TYPE	MARREL
	MAX. ANGLE	53°
TYRE		11.00 X 20 - 16PR

b. PRICE

C.I.F. AQABA : U$ 80,237.- (10% S/PARTS INCLUDED)

c. DELIVERY

9UNITS WITHIN 3MONTHS AFTER CONTRACT DATE

J. TRACK-TYPE ELECTRICITY GENERATOR UNIT (MODEL DG 75K)

(MOBILE TYPE)

a. SPEC

SPECIFICATION	GENERATOR	ENGINE
STAND BY OUTPUT	62 KW	98 PC
CONTINUOUS OUTPUT	55 KG	93 PC
FREQUENCY	50 HZ	
NO OF PICE	0.8	
R P M		1,500
FUEL TANK CAPACITY		150L

b. PRICE

C.I.F. AQABA : U$ 23,293.-

c. DELIVERY

6UNITS WITHIN 3MONTHS AFTER CONTRACT DATE

K. TRACK-TYPE MOVABLE WELDING UNIT

국내에 생산중인 동 제품의 전기사양은 220VOLT, 60HZ 인데 비해 JORDAN 국 전기사양은 220VOLT, 50HZ 이며, 동국 사양에 맞는 용접기는 국내에서 생산 불가함.

L. CRANE WINCH

. 국내 CRANE 생산업체는 삼성중공업, 한라중공업, 수산중공업 등 3곳임.

. 현재 국내 CRANE 시장은 내수 물량 공급 부족 현상으로 향후 6-7 개월치의 생산 물량은 이미 실 수요자에 의해 사전 예약되어 있음.

. 생산업체도 수출보다 내수 위주의 판매 정책을 취하고 있으며, 이에 따라 현재는 수출이 불가하다고 사료됨.

M. ARTESAN WELL EXCAVATOR

국 내 제 조 불 가

N. DIESEL RICKER WINCH

국 내 제 조 불 가

O. ASPHALT MIXER

국 내 제 조 불 가

P. VERTICAL HOLE EXCAVATOR

국 내 제 조 불 가

3. 요 약

번호	품 목	수 량	단 가	CIF AQABA
1	WHEEL LOADER	9 UNITS	@$ 177,011.-	U$ 1,593,099.-
2	MOTOR GRADER	8 UNITS	@$ 148,500.-	U$ 1,188,000.-
3	TRACK TYPE TRACTOR	10 UNITS	@$ 227,168.-	U$ 2,271,680.-

- 9 -

0011

4	CONCRETE CRANE (CPW 028LO)	1 UNIT	@$ 378,647.-	U$ 378,647.-
5	AIR COMPRESSOR	16 UNITS	@$ 19,279.-	U$ 308,464.-
6	EXCAVATOR (WITH BREAKER)	7 UNITS	@$ 148,730.-	U$ 1,041,110.-
7	DUMP TRUCK	9 UNITS	@$ 80,237.-	U$ 722,133.-
8	TRACK-TYPE GENERATOR	6 UNITS	@$ 23,293.-	U$ 139,758.-
	TOTAL	66 UNITS		U$ 7,642,891.-

- 10 -

0012

발 신 전 보

WJO-0323   910411 1515 FL

번   호 : _____   종별 : _____

수   신 : 주   요르단   대사 . 총영지~

발   신 : 장   관   (중동이)

제   목 :   걸프사태 관련 지원

_____

대 : JOW-0297, 0334, 요르단(정) 700-43

1. 대호 요르단측이 제시한 잔여 지원대상 품목에 대해 조사한 국내공급
사정 및 가격현황 (CIF 가격)을 다음 통보함.

　가 .　공급불가 품목(8개)

　　　° Road Roller, Track-Type Cement Mixer,

　　　　Track-Type Movable Welding Unit, Crane Winch,

　　　　Art esan Well Excavator, Diesel Ricker Winch,

　　　　Asphalt Mixer, Vertical Hole Excavator

　나 .　공급가능품목 (8개)

° Wheel Loader	$180,000
° Motor Grader	$150,000
° Track Type Tractor	$230,000
° Concrete Crane	$380,000
° Air Compressor	$ 20,000
° Exca^vator(With Breaker)	$150,000
° Dump Truck	$ 80,000
° Track-Type Gen~erator	$ 23,000

/계속.

보 통	안 제	호

앙 고 재	91 년 4 월 11 일	중 동 2 과	기안자 성명 허우행	과 장 호	심의관 옝	국 장 전결		차 관 191	장 관	외신과통제

0013

2. 요르단에 대한 2차 지원대상물자중 짚은 국내에서 디젤차량만 생산되어 제외하고 기타 각종차량 65대 ($626,991.8 상당)가 5월중순 선적될 예정이므로 요르단에 대한 지원잔액은 $2,385,259 인바 상기1항의 가격을 참조, 각품목별 수량을 확정 보고바람.

3. 지원대상 품목의 카타로그를 차파편 송부예정임.

(중동아국장 이 해 순)

0014

분류기호 문서번호	중동이 20005-**93**	협조문용지 ( )	결 재	담 당	과 장	국 장

심의관 : (서명)

시행일자	1991. 5. 23.

수 신	총무과장(외환계)	발 신	중동아프리카국장

(서명)

제 목	걸프사태 지원물자 경비지불

걸프사태 관련 대 요르단 지원물자의 선적에 따른 경비를

다음과 같이 지불하여 주시기 바랍니다.

- 다 음 -

1. 지 불 액 : U$617,417. 1

2. 지 불 처 : (주) 고려무역

   o 지불은행 : 한미은행 본점

   o 구좌번호 : 100-53470-1341

3. 산출근거

   o 걸프사태 관련 대요르단 지원물자(91.3.29 계약

     체결분)중 불량 차량 1대($9,574. 7 상당)를 제외한

     전량을 선적기일까지 선적함에 따른 경비지불

   o 차량 1대는 6.1경 추가선적예정(지체상금 공제예정)

4. 지출근거 : 정무활동 , 해외경상이전 , 걸프사태 주변

피해국 지원

첨 부 : 1. 재가공문사본 1부 .

2. 계약서 사본 1부 .

3. (주) 고려무역의 청구서

4. 선적서류 사본 각 1부 .   끝 .

0016

輸 出 契 約 書

"甲" 外   務   部
      중동 2 課長   鄭 鎭 鎬

"乙" 株式會社 高 麗 貿 易
      代表理事   副社長 高 一 男

上記 "甲" "乙" 兩者間에 다음과 같이 輸出契約을 締結한다.

第 1 條 : 輸出物品의 表示
          別   添

第 2 條 : "甲"은 上記 第1條의 物品貸金을 船積書類 受取後 "乙"에게 支給한다.

第 3 條 : "乙"은 上記 第1條의 物品을 1991 . 5 . 18. 까지 KOREAN PORT 港
          (또는 空港)에서 AQABA, JORDAN 行 船舶(또는 航空機)에 船積하여야
          한다. 但, 불가피한 事由로 船積이 遲延될 境遇에는 1990. 12. 21.
          外務部長官과 "乙"間에 締結된 輸出代行業體 指定 契約書 第4條 規定에
          依하여 "乙"은 "甲"에게 船積 遲延事由書를 提出하고 "甲"은 同 遲滯
          償金 免除 與否를 決定한다.

第 4 條 : "乙"은 船積完了後 7日 以內에 "甲"이 船積物品 通關에 必要한 諸般
          船積書類를 "甲" 또는 "甲"의 代理人에게 提出 또는 現地公館에 送付
          하여야 한다.

- 1 -

0017

第 5 條 : 上記 船積物品의 品質保證 期間은 船積後 1 年間으로 하며, 이 期間中
正常的인 使用에도 不拘하고 製造不良이나 材質 또는 조립상의 하자가
發生할 境遇 "乙"의 責任下에 解決한다.

本 契約에 明示되지 않은 事由에 對하여는 걸프만 事態 供與品 輸出 代行 契約書
에 따른다.

                                                    1991 年 3 月 29 日

"甲" 外   務   部   "乙" 株 式 會 社 高 麗 貿 易
                                         서울特別市 江南區 三成洞 159,

     중동 2 課長 鄭 鎭 鎬   代表理事 副社長 高 一 男

(別 添)

C.I.F. AQABA

1. BESTA 4X4 AMBULANCE WITH 10% SPARE APRTS

   AM/FM STEREO CASSETTE, HEATER, AIR-CON, POWER STEERING
   AND STANDARD EQUIPMENT

                   3UNITS   @$ 18,509.-   U$ 55,527.-

2. FORK LIFT GPS 30L WITH RECOMMENDED SPARE PARTS

   MAX. LIFTING W'T : 3 TON
   MODEL NO.   : GPS 30L

                   2UNITS   @$ 24,124.90 U$ 48,249.80

3. K2400 DOUBLE CABIN PICK-UP TRUCK WITH 10% SPARE PARTS

   AM/FM STEREO CASSETTE, HEATER AND STANDARD EQUIPMENT

                   50UNITS   @$ 10,464.30 U$ 523,215.-

   G. TOTAL :   U$ 626,991.80

   ////////   ////////   ////////

0019

誓 約 書

受 信 : 外務部長官

題 目 : 걸프만 事態에 따른 供與用 物品供給

　　　　弊社는 貴部가 主管하는 表題 事業이 緊急支援 및 秘密維持를 要하는

國家的 事業임을 認識하고, 今般　JORDAN　國에 供與하는　FORK LIFT, ETC

物品을 供與契約 締結함에 있어 아래 事項을 遵守할 것을 誓約하는 바입니다.

1. 物品供給 契約時 品質 價格面에서 一般 輸出契約과 最小限 同等한 또는 보다

　　有利한 條件을 適用한다.

2. 締結된 契約은 보다 誠實하고 協助的인 姿勢로 履行한다.

3. 同 契約 內容은 業務上 目的 以外에는 公開하지 않는다.

　　　　　　　　　　　　　　　　　　1991 年 3 月 29 日

會 社 名 : 株式會社 高麗貿易

代 表 者 : 代表理事 高 一 男

(署名 및 捺印)

0020

18260

기 안 용 지

분류기호 문서번호	중동이20005-	(전화 :)	시 행 상 특별취급	
보존기간	영구·준영구. 10. 5. 3. 1.		장 관	
수 신 처 보존기간				
시행일자	1991. 5. 23.		예	

보 조 기 관	국 장	전 결 *dp*	협 조 기 관		문 서 통 제
	심의관				
	과 장	*히*			발 송 인
기안책임자		허 덕 행			

경 유 수 신 참 조	주 요르단 대사	발 신 명 의	

제 목	걸프사태 지원물자 선적서류.

걸프사태관련 요르단 지원물자의 선적서류를 별첨과 같이

송부합니다.

   첨   부 : 관련 선적서류 각 1부. 끝.

0021

1505-25(2-1) 일(1)갑
85. 9. 9. 승인   "내가아낀 종이 한장 늘어나는 나라살림"
190mm×268mm 인쇄용지 2급 60g/㎡
가 40-41 1990. 2. 10.

대 한 무 역 진 흥 공 사

무공시개   제 *182* 호   (☎ 551-4372)   1991. 6. 5.

수   신   고려무역사장

참   조   해외사업팀장

제   목   대요르단 무상원조 미니버스 부족부품에 대한 해결의뢰

1. 귀 사의 무궁한 발전을 기원합니다.

2. 우리 공사는 암만 해외무역관으로부터 별첨 공문 (대요르단
무상원조 미니버스의 부품부족및 미선적품 보고 : '91. 6. 3)을 접수, 이를
귀 사에 이첩하오니 적의조치하여 주시고, 동 결과를 상기 무역관에 통보하여
주시기 바랍니다.

별첨 : 암만 무역관의 관련공문 사본 1부. 끝.

대 한 무 역 진 흥 공 사 사 장

0022

KOTRA

FAX: 001-962-6-684254   TEL: 684253   성명 오 진 용   PAGES: 6-1

남반팩스:계 156 호.   1991. 6. 3.

수신: 시경개척부상

제목: 대요르단 부상원조 미니머스의 부품 부족 및 미선적품 보고

  1. 우리나라의 대요르단 부상원조품인 미니머스가 현지에 도착되었으나 현지 확인
    기관인 공공운수 공사(PUBLIC TRANSPORT CORP)에서 선적품목의 명세 를
    확인 결과 일괄 부품이 부족과 가공부분이 발생되어 보고함.

  2. 내역을 아래와 같이 보고하니 우리나라의 창구인 고덕무역(주)에 통보자에
    조속이 구완 조치르독 협조 비림.

아   래

  가. 품목 및 수량 : 미니 버스 50대 및 부품

  나. 부족 부품 내역 : 21종 131점

  다. 미선적 부품내역 : 55종

  라. 설치되에 ~페이그 마이닝콘 규격이 버스 에 부착된것과 상의되어 사용에
    어려운 사태가 법상하는 문제건이 나타나고 있어 사전에 적적한 확인이 요강
    됨.

  유 침 :1. 공공 운수공사 공문 1부.

      2. 부품부족 내역 명세 1부.

      3. 미선적분 내역 명세 1부 . - 끝 -

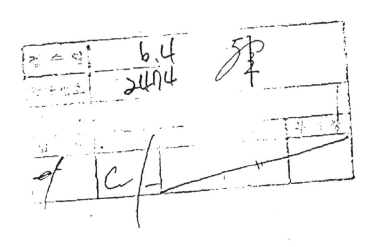

0023

بسم الله الرحمن الرحيم

مؤسسة النقل العام

ص. ب ١٨٣٠ عمان - الأردن

تلفون ٦٧٨٣٦٩ - ٦٧٨٣٧٥

تلكس رقم ٢٣٠٠٨

فاكس ٦٧٨٤٠٨

Ref.: PTC/5/17/ 3896

Date: 20 /5/1991

الرقم

التاريخ

1. 공공 운수회사 발송 공문

EMBASSY OF THE REPUPLIC OF KOREA

P.O. BOX: 3060

AMMAN - JORDAN

SUBGECT: NEW PATCH OF
ASIA BUSES.

REF MR KEVEN KIM CHARGE'D OFFAIRS AND MR WOONG-PACK VISIT
TO JORDAN PUBLIC TRANSPORT CORPORATION LAST WEEK.

1 - ENCLOSED HERE WHITH PLASE FIND THE FOLLOWING.

    A - LIST OF SPARE PARTS FOR THE SUB/BUSES WHICH ARE SHORT
        SHIPMENT FROM THE INVOICED QTY.

    B - LIST OF SPARE PARTS FOR THE SUB/BUSES WHICH ARE SHORT
        PACKED FORMTHE INVOICED QTY.

2 - WE ARE PREPARING LISTS FOR URGENTLY NEEDED SPARES TO SUPPORT
THE BUSES DURING THE ACTIUAL WORKING PERIOD THESE LISTS WILL
BE SENT TO YOU WITHIN ONE WEEK.

YOU ARE KINDLY REQUSTED TO APPROACH YOUR AUTHORITIES
CONCERND FOR THE FOLLOWING.

    A - COMPANCIATE P.T.C.THE SHORTAGES AND SHORT PACKING
        SPARES.

    B - SUPPLY WITH PRICED SPARE PARTS CATALOUGE TO ASIST
        IN SPARE PARTS BUDGETS.

    THANK UOU FOR YOUR CORPORATION.

BEST REGARD'S

GENERALL
SULIMAN AL HABAHBH

5 - 2

0024

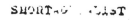

SHORT-OF LIST

2. 부공 부족부 니역

- 1 -

SIR. NO	INVOICE SIR.NO	PART. NO	DESCRIPTION	INV QTY	QTY REC	SHORT QTY
1 -	14	995743200	PISTON RING	102	101	1
2 -	45	W074251200	UNIT FUEL METER	10	2	8
3 -	73	W06539340	RUBBER MISSION MOUNTING	55	54	1
4 -	85	MA9128110O	SPRING ASSY RR	5	4	1
5 -	89	MA91341100	SPRING, S-T.FRT	5	4	1
6 -	86	053934330	BUSH RUBBER FRT	55	51	4
7 -	96	MA91321500A	LINK ASSY.DRAG	10	2	8
8 -	103	W02333312	BRAK LINING,FRT	500	498	2
9 -	118	W1558108CO	WEATHERSTRIP,FRT DOOR	16	1	15
10-	146	MA34101600C	LAMP SET,FRT RH	25	11	14
11-	147	MA34101500C	LAMP SET,FRT LH	25	10	15
12-	150	E57311500	LAMP BACK UP	15	10	5
13-	153	MA34245100	COMBINATION S/W	25	3	22
14-	154	MA34242300C	S/W AUTO DOOR	11	10	1
15-	158	MA34231400B	SPEEDOMETER	5	2	3
16-	161	063611512	WASHER CLUTCH WHEEL	18	7	11
17-	177	MA34231100C	METER SET	10	2	8
18-	180	MA91131100	RADIATOR	10	6	4
19-	187	MA939101000	GRILL RODIATOR	8	5	3
20-	134	W157794OOB	WEATHERSTRIP REAR	10	6	4
21-	111	W02526043	PLATE SET	28	25	3

※ 8함의 브렉이그 다이닝은 규격이 상이하여 사봉 불가함.

ㅎ - 3

0025

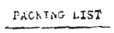
3. 미상적 부품 내역

S/N	PARTNO.	DESCRIPTION	INV.QTY	SIR.INV
1 -	K80011370P02	PULLEY ASSY,CRANK SHAFT	10	20
2 -	KG0155270	UNIT,OIL PRESSURE METER	16	29
3 -	K80014134D	DRIVE OIL	11	31
4 -	330413800	INJECTION PUMP	5	34
5 -	K80018300P02	ALTERNATOR	10	35
6 -	136318651B	RELAY,GLOWPLUG	15	41
7 -	133000270	CLUTCH ASSY	10	44
8 -	K82015010P02	WATER PUMP	25	46
9-	W41402100C	SILENCER	5	51
10-	015516103	OIL SEAL T/M	52	53
11-	W50117263A	KEY,SYNCHONIZER	52	54
12-	W50117263A	KEY,SYNCHONIZER	28	71
13-	K41025121	YOKE,UNIVERSAL,STONT	50	74
14-	MA91251100A	SHAFT,PROPELLER FRT	5	77
15-	W00225321	RUBBER CTR BEARING	25	80
16-	136243540	SENSOR	12	83
17-	MA914111100	ROD,ACCEL PEDAL	10	94
18-	W023322	SEAL DUST	55	98
19-	W023330533	PIN KING LOCK	55	10 9
20-	W02973080	THRUST BEARING5	25	110
21-	W155810700	WEATHERSTRIP.FRT DOOR	16	119
22-	W155810600	WEATHERSTRIP.FRT DOOR	16	120
23-	W155811000	CATCH ASSY	16	122
24-	W155820200	GLASS FRT DOOR	5	123
25-	W155820600	" " "	5	124
26-	MA93391030B	BUBMPER SIDE LH.FRT	5	130
27-	MA93371020B	FRT BUBMPER RH	5	129
28-	MA93381020	RR BUBMPER LH	5	131
29-	MA93381030	RR BUBMPER RHZ	5	132
30-	W157793000B	WEATHER STRIP. FRT	25	133
31-	XC0117301A	GEAR COUTER SHAFT	10	135
32-	W47554600	S/W VENTILATOR	5	138
33-	W076712600	WASHER ASSY	5	141
34-	K42766730	FUSE BLOCK	10	159
35-	072710601A	COBER ASSY TIMING CASE	15	164
36-	072715621A	C/K COVER	55	165
37-	072799100A	PACKING SETAC	50	167
38-	290910400A	GAGE ASSY OIL LEVER	11	171
39-	K80011375	RING TAPERED	15	175
40-	MA91162200A	CLUTCH PEDEL ASSY	2	181

5 - 4

0026

S/N	P/NO	DISCRIPTION	QTY	INVOCE S/N
41-	MA91435400	VACUOM POWER ASSIST	5	183
42-	MA9146260OA	ROD ASSY SHIFT	5	184
43-	MA9146270OA	ROD DEFLELECTION	5	185
44-	W071351300	S/W WATER LEVEL	8	192
45-	W07552190A	S/W PACKING LAMP	11	193
46-	W155310400	WEATHER STRIP F GLASS	25	194
47-	W157792006	GLASS RR	5	196
48-	W158810100	GLASS SIDE	5	197
49-	W50117341A	GEAR DRIVE	10	198
50-	WB34965100	AUTO DOOR MECHANISH	2	200
51-	N. S. N.	AIR CON PARTS	1	206
52-	W157791000	WINDS HIELD FRT	5	195
53-	063634330	RUDDER BUCH FRT	5→50	(90)
54-	W02332631B	TIE ROD	25	99
55-	131633051	KING PIN FRT.AYLE	25	108

5 - 5

0027

관리 번호	91/581

외 무 부

종 별 :

번 호 : JOW-0472   일   시 : 91 0606 1600

수 신 : 장 관(중이,경이)

발 신 : 주 요르단 대사

제 목 : 대 요르단 지원

대:WJO-0381

1. 본직은 금 6.6. 기획성 TOUKAN 차관을 방문, 대주재국 무상원조및 EDCF차관
문제의 조속완결을 위해 협의하였음

동 차관은 주재국이 요청한 무상원조 물자중 금차 해당 품목이 작일 아래와 여히
최종 결정되었음을 통보하고 아측의 조속한 조치를 요망하였음

   - 3 백 40 만개의 PLASTIC BAG(비료 포장용) ← *한국회사 백(百)社로 기정되었하고 와야는 무도(株)전화 미정은 추정하겠습니다*

   - $ 113,668 상당의 타이어

2. 그리고 동차관은 1 차 도착 지원품중 MINI BUS 의 문제점이 있다는바

   -주재국측이 요구한 25 인승 MINI BUS 가 17 인승으로 도착되었다는것과

   -SPARE PART 가 제대로 오지않았다는 것이었음

3. 이에 본직은 동 MINI BUS 가 보조좌석을 합쳐서 25 인승으로 결정된것 같은바
이미 도착된것에 대한 이해를 구하고, SPARE PART 문제점은 파악 시정키로 하였음
(부족품 리스트 파편 송부위계및 사본 KOTRA 경유 고려무역 기전달)

   (대사 박태진-국장)

   예고:91.12.31 까지

   고려3역에 공모버니요.

중아국	차관	1차보	2차보	경제국	외정실	청와대	안기부

PAGE 1

외 무 부

종 별 :

번 호 : JOW-0478   일 시 : 91 0609 1600

수 신 : 장 관(중동이,경이)

발 신 : 주 요르단 대사

제 목 : 대요르단 지원

연:JOW-0473

1. 연호 주재국측 요청 품목중 PLASTIC BAG 의 세부 SPECIFICAION 에 대해 아래와 갑이보고함

가.품목:BAGS OF(50) KGS NET. WOVEN POLYPROPYLENE WITH POLYETHYLENE INNER LINER WITH THE FLWG. SPECS.

1)POLYPROPYLENE WOVEN BAGSIZE55 X 97 CM MIN.DENIER1000 MIN.MESH12 X 12/SQ. INCH MIN.COLORNATURAL WHITE

2)POLYETHYLENE INNER BAGSIZE 57 X 105 CMTHICKNESS100 MICRONS MIN.WEIGHT98 GRMS. MIN.

나.수량:3백40만개

다.예상단가:41.5 CENT(CF)

라.SEWING 방법

1)TOP SIDE:THE(PP) BAG TO BE HEAT CUT ONUTH AND OVERLOCKED WITH(PE) LENER BAG AND SEWN.

2)BOTTOM SIDE:THE (PP) BAG IS DOUBLE POLDED WITH(PE) LINER AND SEWN.

마.인쇄:흑색으로 양면인쇄

2. 상기 PLASTIC BAG 은 주재국 JPMC(JORDAN PHOSPHATE MINES CO.) 사용포장 BAG으로서동회사는 지난 3개월전부터 외국 각 제조업체로부터 견적서를 받아 구입을 추진해 오던중 금번 정부의 결정으로 아국의 무상원조 품목으로 결정되었다고함(아국제품보다 저렴한 이집트및 터키 제품으로 구입 검토한바 있다고함)JPMC 측은 동포장백이 시급히 필요함에 따라 그간 동회사가 접촉해온 아국 제조업체(주) 백산(전화:780-4171/2) 제품으로 공급되기를 희망하여왔음. 아울러

중아국   1차보   2차보   경제국

91.06.10   08:01

외신 2과 통제관 BS

0029

주재국 기획성당국자도 동건은 BADRAN 수상의 관심 사항이므로 JPMC 측이 기접촉한대로 (주)백산측으로 공급받아 소정시일내에 인도받기를 희망하여 왔는바 가격및 기타사항을 참고, 가능하다면 주재국측 요청대로 추진하여 줄것을 건의함

3. 연호 주재국측 요청품목중 타이어는 수량및 규격에 대해 상금 주재국측으로부터 구체적인 통보받은바 없으므로 추후 접수되는대로 보고위계임. 끝.

(대사 박태진-국장)

예고:91.12.31까지

분류번호	보존기간

발 신 전 보

WJO-0401   910611 1623 DU

번 호 : _____   종별 : _____

수 신 : 주 요르단 대사 .총영사
　　　　　 (중동이)

발 신 : 장 관

제 목 : 걸프사태 관련지원

연 : WJO - 0323 (91.4.11)

대 : JOW - 0472 (91.6.6), 0478 (91.6.9)

　　1. 대호 주재국측 요청대로 (주) 벽산이 제작한 비료포장백을 걸프사태
무상원조품으로 지원하는 것은 하기와 같은 사유로 추진이 곤란한 형편임을
주재국측에 적의 설명하고 결과 보고바람.

　　가. 아국은 원조품 공급업체 선정시 불필요 과당경쟁 방지를 위해 수원국에서
　　　　대상품목및 수량을 선정하면 아국정부가 경쟁적 공급조건을 제시한
　　　　업체를 선정발주함. 또한 아국의 예산회계법 및 원조사업 추진 절차상
　　　　아측과 사전협의 없이 수원국이 특정공급업체를 직접 선정할 수는 없음.

　　나. 아국은 원조공여의 장기적 효과를 감안 가급적 내구재 공급을 선호하며
　　　　소모품은 지양하는 입장임.

　　2. 연이나 요르단측이 비료포장백 공급을 계속 요청할 경우에는 동제품을
생산하는 국내 생산업체로부터 견적을 받아, 경쟁적인 공급조건을 제시한 업체를
선정하게 됨. 따라서 (주) 벽산이 공급업체로 선정된다는 보장이 없음.

/계 속....../

복수의

보안통제	36

앙고재	91년6월11일	중동2과	기안자성명	과장	심의관	국장	차관	장관	외신과통제
			허덕랭	36		전결			

0031

3. 걸프사태관련 요르단에 지원한 물자현황 (고아원지원물자제외)은 다음과 같은바 선적서류와 대조한 후 무위수령 여부를 주재국측으로부터 확인받고 수령증을 접수 송부바람. (차량부품의 경우에는 선적서류 상의 부품 리스트와 대조요망)

품 명	도 착 일 (아카바항)
AM 815버스 50대 및 동 부품	4 . 7
K 2400 D/C 트럭 42대 및 동 부품	5 . 29
GPS (30LPG) 지게차 2대 및 부품	5 . 29
엠브란스 3대	6 . 30 (예정)
엠브란스 부품	5 . 29
K 2400 D/C 트럭 7대	6 . 30 (예정)
K 2400 D/C 트럭 1대	6 . 15 (예정)

4. 1차 지원품중 25인승 콤비버스 (아시아자동차 AM815형)는 기송부한 카타로그상에 명시된바와 같이 본체의자 17개 및 보조의자 8개로 구성되어 있는 25인승 버스임. 또한 부품 미발송 여부에 대해서는 공급회사측에 조회한 후 추후 통보위계임.

(중동아국장 이 해 순)

예 고 : 91.12.31.까지

0032

주 요 르 단 대 사 관

요르단(정) 700-*108*   1991. 6. 17.

수 신 : 장 관

참 조 : 중동아프리카국장

제 목 : 대주재국 무상원조   *흥. 헤더기안*

    연 : JOW-0478

연호 대주재국 무상원조 관련, 6.6.자 기획성 장관의 비닐백 및 타이어에 관한 본직앞
협조요청 공한을 별첨과 같이 송부합니다.

첨 부 : 동 서한 1부.   끝.

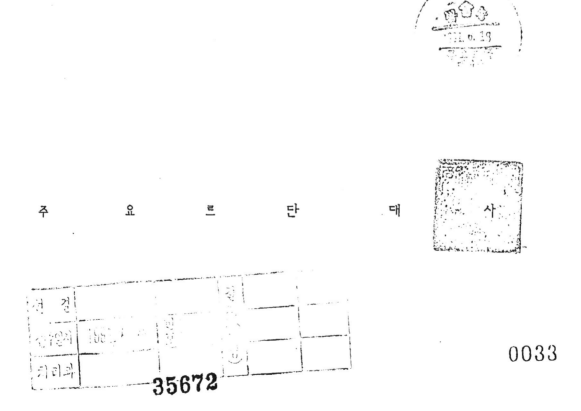

주   요   르   단   대   사

0033

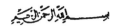

THE HASHEMITE KINGDOM OF JORDAN

MINISTRY OF PLANNING

AMMAN

المملكة الاردنية الهاشمية

وزارة التخطيط

عـمـان

Ref. 5/2/48/2394

Date 6/6/1991

الرقم ....

التاريخ ....

الموافق ....

His Excellency
The Ambassador
Embassy of the Republic of Korea
Amman

Excellency,

I refer to the grant from the government of the Republic of Korea in an amount of US$5million.

I would like to inform Your Excellency that the Jordan Phosphate Mines Company (JPMC) has negotiated the following items with the Korean Companies concerned:

- 3.4 million bags from Balksan Company at a price of 41,5 Cents each C&F Aqaba.
- Tires from Hankook Company in an amount of US$83,329.27 and from Kumho in an amount of US$30,338.84 F.O.B.

I should appreciate it if Your Excellency would take the necessary action with the Korean authorities concerned to finance the above mentioned commodities under the grant referred to above. Also,prompt action from your side, to avoid any delay and price increase,will be highly appreciated.

Accept,Excellency,the assurances of my highest consideration.

Sincerely yours

Minister of Planning

cc.Ministry of Finance
cc.Jordan Phosphate Mines Company

0034

صندوق بريد ٥٥٥ العنوان البرقي : NPC تلكس : NPC ٢١٣١٩ جو، NPC ٢٤٢٥٨ MINP جوفاكسميلي : ٦٤٩٣٤١ تلفون : ٦٤٤٤٦٦/٧٠-٦٤٤٣٨١/٨٥

P.O.Box 555 Cable : NPC Telex : 21319 NPC Jo, 24258 MINP Jo Telfax : 649341 Tel : 644466/70 - 644381/85

외 무 부

종   별 :

번   호 : JOW-0500   일   시 : 91 0620 1330

수   신 : 장관(중동이,경이,기정)

발   신 : 주 요르단 대사

제   목 : 걸프사태 관련 지원

대:WJO-0401

연:JOW-0473,478

1. 본직은 금 6.20. 기획성 TOUKAN 차관을 방문(SALEH 기술경협부국장 배석), 대주재국 지원관련 아국입장및 절차상의 제약사항등을 대호 내용과 여히 설명하였던바 동인의 반응 아래와 같음

가. 그동안 한국측에서 요르단 지원을 위해 계속 노력해주고 있음에 우선 깊은 사의를 표명하고 원조국인 한국측의 입장과 절차에 대해 이해함

나. 그러나 이번 비료 포장백의 요청건에 대해서는 어떤 업무처리 절차상의 문제보다도 실은 정부에서 외환사정의 어려움을 타개하기 위한 방편의 일환으로 정부 고위층의 지시에 의해 한국측에 특별히 요청되었던 편법이었던 것인바, 한국측에서 이러한 사정을 이해 해주고 이번 경우만 특별한 사례로 잘처리해주기 바란다 하였음. 동인은 또한 이번것에 대한 정부 고위인사의 관심도로 보아 다른 어떠한 원조보다 절실한 것임을 재강조하였음(간곡한 표정을 인지할수 있었음) 2. 이에 본직은 주재국의 입장을 아국 정부에 사실 그대로 알려주고 가능한 노력하겠으나 여하한 결과가 나올지 결과 접수되는대로 통보하기로 하였음

3. 본직의견

동건은 주재국 정부 고위인사(수상이상)의 관심도 내지 아국에 대한 기대도등을 고려할때 아국내 업무처리 절차상에 다소의 문제점이 있다하더라도 이를 대국적인 입장에서 긍정적으로 처리해줌이 대주재국 원조의 효과를 높일수 있을것으로 판단됨

(대사 박태진-국장)

예고:91.12.31 까지

중아국	차관	1차보	2차보	경제국	외정실	분석관	청와대	안기부

PAGE 1   91.06.20   23:02

발 신 전 보

WJO-0422   910622 1405 DN

번   호 : _____   종별 : _____

수   신 : 주 요르단   대사 /총영사

발   신 : 장 관   (중동이)

제   목 : 걸프사태 관련 지원

　

대 : JOW - 0500

연 : WJO - 0401

과 제번의를

1. 표제건, 주재국 당국의 특별한 요청을 고려, 비료포장백 공급을
가능한 ~~한~~ 추진코저 하는바 주재국측이 공여 희망품목에 대하여 공식문서로 요청
토록 조치바람. 함.

가장좋은
2. 공급업체 선정은 아국 예산회계법상 연호 2항 통보한바와 같이
~~경쟁적인~~ 공급조건을 제시한 업체~~와~~ 선정되는바 이러한 방식의 지원에 주재국
측이 등의할 경우 추진코자 하나 주재국측 입장을 지급 확인 보고바람. 끝.

할수밖에 없으므로 반드시 주재국측이 희망하는
업체(백산)가 선정되리라고 민장할수 없는 입장임을 설명, 이해를 구하기 바람.

(중동아국장 이 해 순)

예 고 : 91.12.31.까지

앙고재		기안자성명		과장	심의관	국장		차관	장관			보안통제	호
91년 6월 2일	중동2과	허맹행		호		전결		7月				외신과통제	

0036

	분류번호	보존기간

발 신 전 보

WJO-0442   910703 1923 FN

번   호 : _____   종별 : _____

수   신 : 주 요르단   대사//총영사

발   신 : 장 관   (중동이)

제   목 : 걸프사태 지원물자 미선적분 (차량부품)

　

대 : JOW-0472

연 : WJO-0401

1. 대호 차량부품의 미선적건을 (주)고려무역을 통해 조사해본 결과
당시 걸프전이 치열한 상황에서 조기선적을 위해 선적 스케쥴을 여러번 변경하고
선적항이 변경되는 과정에서 차량부품 5개상자중 1개가 운송회사의 실수로 미선적
된것이라함.

2. 동 미선적 부품 1개상자는 6.28자 선적 완료(8.25경 아카바 도착예정)
했는바 동 선적서류는 차파편 송부 위계임.

(중동아국장 이 해 순)

	보 안 통 제	호

앙 고 재	91년 2월 3일	중동2과	기안자 성명		과 장		국 장	전결	차 관	장 관	

외신과통제

0037

분류기호 문서번호	중동이20005- 1673	기 안 용 지 (720-2327)	시 행 상 특별취급	
보존기간	영구.준영구 10. 5. 3. 1	장 관		
수 신 처 보존기간				
시행일자	1991. 7.3.			

보조 기관	국 장	김영준	협 조 기 관			문 서 통 제 검토 1991.7.04
	심의관					
	과 장					
기안책임자		허 덕 행				발 송 인
경 유			발신명의			발송 1991. 7. 04 외부무
수 신	주 요르단대사					
참 조						
제 목	선적서류 송부					

'91.6.28자 선적된 차량부품 선적서류를 별첨과 같이

송부합니다.

첨 부 : 선적서류 2부.   끝.

0038

COMMERCIAL INVOICE

중동2과 보관통

1.Shipper/Exporter	8.No. & Date of invoice
EAST WEST ENTERPRISES LTD. 789-2, YEOK-SAM DONG, KANG-NAM KU, SEOUL / KOREA	ES-91-0627-1 JUN. 27, 1991

2.For Account & Risk of Messrs	9.No. & date of L/C
MINISTRY OF PLANNING THE HASHEMITE KINGDOM OF JORDAN	NONE

10.L/C issuing Bank

NONE

3.Notify Party	11.Remarks.
1. SAME AS ABOVE 2. EMBASSY OF THE REPUBLIC OF KOREA P.O. BOX 3060, AMMAN JORDAN	

4.Port of loading	5.Final destination
BUSAN, KOREA	AQABA, JORDAN

6.Carrier	6.Sailing on or about
PORT STAR V-01W	JUN. 28, 1991

12.Marks and numbers of PKGS	13.Description of goods	14.Q'ty/Unit	15.U/Price	16.Amount
◇ KOTI ◇ AQABA W/B NO. : 1-2 MADE IN KOREA	CIF AQABA, JORDAN			US$ 33,734.67

10% RECOMMENDED SPARE PARTS FOR COMBI BUS

DETAILS AS PER ATTACHED SHEET
(SHORT SHIPPED PARTS FROM ORIGINAL INVOICE NO.
: D2-91-20005 DATED JAN. 31, 1991)

/////////***/////////***/////////***/////////

17.MAIL ADD :
   K.P.O.BOX 1797
     TELEX   : K24692
     FAX   : 558-2493
     TEL   : 558-2490/2

18.Signed by

H.S.LEE / EXPORT MANAGER
EXPORT ADM. DEPT.

0039

SPARE PARTS FOR KIA
=====================

L/I	PART NO.	PART NAME	Q'TY
14	995743200	CLIP, PISTON PIN	1
20	K80011370P02	PULLEY ASSY, CRANKSHAFT	10
29	KG0155270	UNIT, OIL PRESSURE METER	16
31	K80014134D	DRIVE GEAR, OIL PUMP	11
34	330413800	INJECTION PUMP	5
35	180018300P02	ALTERNATOR	10
41	136318651B	RELAY, GLOW PLUG	15
44	133000270	CLUTCH ASSY	10
45	W074251200	UNIT, FUEL METER	8
46	K82015010P02	WATER PUMP	25
51	W41402100C	SILENCER	5
53	015516103	OIL SEAL, T/M	52
54	075016214	COVER, DUST, T/M	52
71	W50117263A	KEY, SYNCHONIZER	28
73	W06539340	RUBBER MISSION MOUNTING	1
74	K41025121	YOKE, UNIVERSAL JOINT	50
77	MA91251100A	SHAFT, PROPELLER FRT	5
80	100225321	RUBBER CTR BEARING	25
83	136243540	SENSOR	12
85	1A91281100	SPRING ASSY RR	1
86	055934330	BUSH, RUBBER FRT	4
89	MA91341100	SPRING ASSY, FRT	1
90	068034330	RUBBER BUSH, FRT	50
94	MA914111100	ROD, ACCEL PEDAL	10
96	MA91321500A	LINK ASSY, DRAG	8
98	W02332289	SEAL DUST	55
99	W02332631B	TIE ROD	25
103	W02333312	BRAKE LINING, FRT	500
108	131633051	KING PIN, FRT AXLE	25
109	W02333055	PIN, KING LOCK	55
110	W02333080	THRUST BEARING	25
111	W02526043	PLATE SET	3
118	W155810800	WEATHERSTRIP, FRT DOOR	15
119	W155810700	WEATHERSTRIP, FRT DOOR	16
120	W155810600	WEATHERSTRIP, FRT DOOR	16
122	W155811000	CATCH ASSY	16
123	W155820200	GLASS, FRT DOOR	5
124	W155820600	GLASS, FRT DOOR	5
129	MA93371020B	BUMPER SIDE RH, FRT	5
130	MA93371030B	BUMPER, SIDE LH, FRT	5
131	MA93381020	BUMPER, SIDE LH, RR	5
132	MA93381030	BUMPER, SIDE RH, RR	5
133	W15779300B	WEATHERSTRIP, FRT	25
134	W15779400B	WEATHERSTRIP REAR	4
135	KG0117301A	GEAR, COUNTER SHAFT	10
138	W47554600	S/W VENTILATOR	5
141	W076712600	WASHER ASSY	5
146	MA34101600C	LAMP SET, FRT RH	14
147	MA34101500C	LAMP SET, FRT LH	15
150	E57311500	LAMP, BACK UP	5
153	MA34245100	COMBINATION S/W	22
154	MA34242300C	S/W, AUTO DOOR	1
158	MA34231400B	SPEEDOMETER	3
159	K42766730	FUSE BLOCK	10

0040

SPARE PARTS FOR KIA
=====================

L/I	PART NO.	PART NAME	Q'TY
161	063611512	WASHER, CLUTCH WHEEL	11
164	C72710601A	COBER ASS'Y, TIMING CASE	15
165	C72715621A	C/K COVER	55
167	C72799100A	PACKING SET E/G	50
171	200910480A	GAGE ASS'Y, OIL LEVEL	11
175	K20011375	RING TAPERED	15
177	MA34231100C	METER SET	8
180	M191151100	RADIATOR	4
181	MA91162200A	CLUTCH PEDEL ASS'Y	2
183	M191435400	VACUUM POWER ASSIST	5
184	MA91462600A	ROD A ASS'Y SHIFT	5
185	M191462700A	ROD B SELECTION	5
187	MA93910100C	GRILL RODIATOR	3
192	W071851300	S/W, WATER LEVEL	8
193	W07552190A	S/W PACKING LAMP	11
194	W155810400	WEATHERSTRIP, SIDE GLASS	25
195	W15779100B	WINDSHIELD FRT	5
196	W15779200B	GLASS RR	5
197	W15881O100	GLASS, SIDE	5
198	W5C117341A	GEAR, DRIVE	10
200	WB34965100	AUTO DOOR MECHANISM	2
206	N.S.N	AIR-CON PARTS	1

*** Total ***

1576

PACKING LIST

1.Shipper/Exporter	8.No. & Date of invoice
EAST WEST ENTERPRISES LTD. 789-2, YEOK SAM-DONG, KANG NAM-KU, SEOUL / KOREA	ES-91-0627-1 JUN. 27, 1991

9.Remarks.

2.For Account & Risk of Messrs.

MINISTRY OF PLANNING
THE HASHEMITE KINGDOM OF JORDAN

3.Notify Party

1. SAME AS ABOVE
2. EMBASSY OF THE REPUBLIC OF KOREA
   P.O. BOX 3060, AMMAN JORDAN

4.Port of loading	5.Final destination
BUSAN, KOREA	AQABA, JORDAN

6.Carrier	7.Sailing on or about
PORT STAR V-01W	JUN. 28, 1991

10.Marks and numbers of PKGS	11.Descriptin of Goods	12.Q'ty	13.N/Wt	14.G/Wt	15.Mea

◇ KOTI ◇

AQABA
W/B NO. : 1-2
MADE IN KOREA

TOTAL 1576 PIECES

10% RECOMMENDED SPARE PARTS FOR COMBI BUS

DETAILS AS PER ATTACHED SHEET
(SHORT SHIPPED PARTS FROM ORIGINAL INVOICE NO.
: D2 91-20005 DATED JAN. 31, 1991)

/////////***/////////***/////////***/////////

17.MAIL ADD :
  K.P.O.BOX:1797
  TELEX   : K24692
  FAX   : 558-2493
  TEL   : 558-2490/2

18.Signed by
H. S. LEE / EXPORT MGR.
EXPORT ADM., DEPT.

0042

SPARE PARTS FOR KIA
===================

L/I	PART NO.	PART NAME	Q'TY	U/PRICE	AMOUNT
14	995743200	CLIP, PISTON PIN	1	0.37	0.37
20	K80011370P02	PULLEY ASSY, CRANKSHAFT	10	83.38	833.80
29	KG0155270	UNIT, OIL PRESSURE METER	16	2.05	32.80
31	K80014134D	DRIVE GEAR, OIL PUMP	11	12.14	133.54
34	330413800	INJECTION PUMP	5	662.06	3310.30
35	180018300P02	ALTERNATOR	10	211.32	2113.20
41	136318651B	RELAY, GLOW PLUG	15	8.62	129.30
44	133000270	CLUTCH ASSY	10	35.54	355.40
45	W074251200	UNIT, FUEL METER	8	3.34	26.72
46	K82015010P02	WATER PUMP	25	53.11	1327.75
51	W41402100C	SILENCER	5	33.82	169.10
53	015516103	OIL SEAL, T/M	52	0.84	43.68
54	075016214	COVER, DUST, T/M	52	1.05	54.60
71	W50117263A	KEY, SYNCHONIZER	28	1.05	29.40
73	W06539340	RUBBER MISSION MOUNTING	1	0.98	0.98
74	K41025121	YOKE, UNIVERSAL JOINT	50	22.29	1114.50
77	MA91251100A	SHAFT, PROPELLER FRT	5	97.55	487.75
80	100225321	RUBBER CTR BEARING	25	22.24	556.00
83	136243540	SENSOR	12	1.53	18.36
85	1A91281100	SPRING ASSY RR	1	89.50	89.50
86	055934330	BUSH, RUBBER FRT	4	1.22	4.88
89	MA91341100	SPRING ASSY, FRT	1	59.76	59.76
90	068034330	RUBBER BUSH, FRT	50	3.84	192.00
94	MA914111100	ROD, ACCEL PEDAL	10	4.68	46.80
96	MA91321500A	LINK ASSY, DRAG	8	24.79	198.32
98	W02332289	SEAL DUST	55	2.64	145.20
99	W02332631B	TIE ROD	25	35.90	897.50
103	W02333312	BRAKE LINING, FRT	500	3.34	1670.00
108	131633051	KING PIN, FRT AXLE	25	4.73	118.25
109	W02333055	PIN, KING LOCK	55	0.38	20.90
110	W02933080	THRUST BEARING	25	10.56	264.00
111	W02526043	PLATE SET	3	1.75	5.25
118	W155810800	WEATHERSTRIP, FRT DOOR	15	3.10	46.50
119	W155810700	WEATHERSTRIP, FRT DOOR	16	3.10	49.60
120	W155810600	WEATHERSTRIP, FRT DOOR	16	3.20	51.20
122	W155811000	CATCH ASSY	16	2.90	46.40
123	W155820200	GLASS, FRT DOOR	5	10.23	51.15
124	W155820600	GLASS, FRT DOOR	5	27.25	136.25
129	MA93371020B	BUMPER SIDE RH, FRT	5	16.40	82.00
130	MA93371030B	BUMPER, SIDE LH, FRT	5	16.40	82.00
131	MA93381020	BUMPER, SIDE LH, RR	5	10.83	54.15
132	MA93381030	BUMPER, SIDE RH, RR	5	10.83	54.15
133	W15779300B	WEATHERSTRIP, FRT	25	11.40	285.00
134	W15779400B	WEATHERSTRIP REAR	4	8.06	32.24
135	KC0117301A	GEAR, COUNTER SHAFT	10	89.93	899.30
138	W47554600	S/W VENTILATOR	5	6.95	34.75
141	W076712600	WASHER ASSY	5	9.26	46.30
146	MA34101600C	LAMP SET, FRT RH	14	18.07	252.98
147	MA34101500C	LAMP SET, FRT LH	15	18.07	271.05
150	E57311500	LAMP, BACK UP	5	6.69	33.45
153	MA34245100	COMBINATION S/W	22	27.79	611.38
154	MA34242300C	S/W, AUTO DOOR	1	4.15	4.15
158	MA34231400B	SPEEDOMETER	3	11.11	33.33
159	K42766730	FUSE BLOCK	10	4.74	47.40

0043

SPARE PARTS FOR KIA
===================

L/I	PART NO.	PART NAME	Q'TY	U/PRICE	AMOUNT
161	063611512	WASHER, CLUTCH WHEEL	11	0.77	8.47
164	072710601A	COBER ASS'Y, TIMING CASE	15	18.38	275.70
165	072715621A	G/K COVER	55	0.90	49.50
167	072799100A	PACKING SET E/G	50	30.90	1545.00
171	290910480A	GAGE ASS'Y, OIL LEVEL	11	3.59	39.49
175	K80011375	RING TAPERED	15	4.29	64.35
177	MA34231100C	METER SET	8	54.14	433.12
180	MA91151100	RADIATOR	4	135.15	540.60
181	MA91162200A	CLUTCH PEDEL ASS'Y	2	5.45	10.90
183	MA91435400	VACUUM POWER ASSIST	5	135.53	677.65
184	MA91462600A	ROD A ASS'Y SHIFT	5	4.17	20.85
185	MA91462700A	ROD B SELECTION	5	5.84	29.20
187	MA93910100C	GRILL RODIATOR	3	22.24	66.72
192	W071851300	S/W, WATER LEVEL	8	0.71	5.68
193	W07552190A	S/W PACKING LAMP	11	0.51	5.61
194	W155810400	WEATHERSTRIP, SIDE GLASS	25	4.45	111.25
195	W15779100B	WINDSHIELD FRT	5	44.77	223.85
196	W15779200B	GLASS RR	5	139.93	699.65
197	W158810100	GLASS, SIDE	5	9.28	46.40
198	W50117341A	GEAR, DRIVE	10	4.96	49.60
200	WB34965100	AUTO DOOR MECHANISM	2	287.67	575.34
206	N.S.N	AIR-CON PARTS	1	10601.1	10601.10

*** Total ***

                                              1576   33734.67

분류기호	중동이 20005-	협조문용지	결	담 당	과 장	국 장
문서번호	L-8	(720-3870)	재	허옥령	朴	서명
시행일자	1991. 7. 3.					(서명)
수　신	총무과장(외환계)	발　신	중동아국장			
제　목	걸프사태 지원물자 경비지불					

연 : 중동이 20005 - 93(91.5.23)

걸프사태 관련 대 요르단 지원물자 중 차량1대가 91.6.1선적

되었는바 동 경비를 다음과 같이 지불하여 주시기 바랍니다.

- 다　　음 -

1. 지 불 액 : U$ 9,373.63

2. 지 불 처 : (주) 고려무역

　o 지불은행 : 제일은행 본점

　o 구좌번호 : 052 - 30 - 002029

3. 산출근거

　o 91.3.29 계약한 제2차 요르단 지원물자 중 차량 1대가

　　불량판정되어 미선적되었다가 6.1선적됨.

　o 동 차량(K2400 DC 트럭)가격은 $9,574.7이나 14일간

　　선적지체에 따른 지체상금 $201.07을 공제하고 $9,373.63

지불　　　　　　　　　　　　　　　　　　　　/ 계 속 ....../

0045

4. 지출근거 : 정무활동, 해외경상이전, 걸프사태 주변

피해국 지원

첨   부 : 1. 재가 공문사본 1부.

       2. 계약서사본 1부.

       3. (주)고려무역 청구서 1부.

       4. 선적서류 사본 1부.   끝.

0046

一般豫算檢討意見書

199 1 . 3 . 21 .   중등2   課

事 業 名	걸프사태관련 물자지원 (요르단)		
支辨科目	細 項	目	金 額
	121	341	$752,719.00

檢 討 意 見	
主 務 者	정부환율, 해외경상이관 이원액에서 집행
擔 當 官	"
調 整 官	"

0047

기 안 용 지

분류번호 문서번호	중동이20005-	(전화:)		시 행 상 특별취급	
보존기간	영구·준영구 10. 5. 3. 1.	차 관		장 관	
수 신 처 보존기간		전결			
시행일지	1991. 3.20.				
보조 기관	국 장	협 조 기 관	기획관리실장 총 무 과 장 기획운영담당관	문 서 통 제	
	심 의 관				
	과 장				
기안책임자	허 덕 행			발 송 인	
경유 수신· 참조		건 의	발신 명의		
제 목		걸프만 사태 관련 물자지원(요르단-2)			

　　　1. 걸프사태 관련 500만불 상당의 물자무상원조가 예정되어 있는

요르단에 대해서는 1차로 $1,987,749.1 상당의 설탕 및 콤비버스가 지원

되었습니다. 요르단측은 2차로 $752,719.8 상당의 물자지원을 요망하여

온바 다음과 같이 지원코자 하니 재가하여 주시기 바랍니다.

　　　2. 잔여 $2,259,531.1 에 대해서는 요르단측이 추가로 희망

품목을 제시하는데로 지원할 예정입니다.　　　　　　　/계속.../

0048

- 다   음 -

가. 지원내역 (단위 : $)

품 목	단 가(CIF)	수 량	금 액
앰블란스(기아 Besta)	18,509	3	55,527
지프(아시아 Rocsta)	12,572.8	10	125,728
포크리프트(삼성 GPS 30L)	24,124.9	2	48,249.8
더블 캐빈 화물차(기아 K2400)	10,464.3	50	523,215
		합계 :	$752,719.8

나. 선적일정

o 전품목은 91.4월말까지 일괄 선적예정

다. 지출근거

o 정무활동, 해외경상이전, 걸프만사태 관련 주변

피해국 지원(요르단)

첨부 : 1. (주) 고려무역의 견적서 및 수출계약서

2. 관련전문   끝.

0049

輸 出 契 約 書

"甲" 外 務 部
      中東 2 課長 鄭 鎭 鎬

"乙" 株式會社 高 麗 貿 易
      代表理事 副社長 高 一 男

上記 "甲" "乙" 兩者間에 다음과 같이 輸出契約을 締結한다.

第 1 條 : 輸出物品의 表示
        別 添

第 2 條 : "甲"은 上記 第1條의 物品貸金을 船積書類 受取後 "乙"에게 支給한다.

第 3 條 : "乙"은 上記 第1條의 物品은 1991 . 5 . 18. 까지 KOREAN PORT 港
      (또는 空港)에서 AQABA, JORDAN 行 船舶(또는 航空機)에 船積하여야
      한다. 但, 불가피한 事由로 船積이 遲延될 境遇에는 1990. 12. 21.
      外務部長官과 "乙"間에 締結된 輸出代行業體 指定 契約書 第4條 規定에
      依하여 "乙"은 "甲"에게 船積 遲延事由書를 提出하고 "甲"은 同 遲滯
      償金 免除 與否를 決定한다.

第 4 條 : "乙"은 船積完了後 7日 以內에 "甲"이 船積物品 通關에 必要한 諸般
      船積書類를 "甲" 또는 "甲"의 代理人에게 提出 또는 現地公館에 送付
      하여야 한다.

0050

- 1 -

第 5 條 : 上記 船積物品의 品質保證 期間은 船積後 1 年間으로 하며, 이 期間中 正常的인 使用에도 不拘하고 製造不良이나 材質 또는 조립상의 하자가 發生할 境遇 "乙"의 責任下에 解決한다.

本 契約에 明示되지 않은 事由에 對하여는 걸프만 事態 供與品 輸出 代行 契約書에 따른다.

1991 年 3 月 29 日

"甲" 外 務 部

중동 2課長 鄭 鎭 鎬

"乙" 株式會社 高麗貿易

서울特別市 江南區 三成洞 159

代表理事 副社長 高 一 男

0051

- 2 -

(別 添)

C.I.F. AQABA

1. BESTA 4X4 AMBULANCE WITH 10% SPARE APRTS

AM/FM STEREO CASSETTE, HEATER, AIR-CON, POWER STEERING
AND STANDARD EQUIPMENT

| | 3UNITS | @$ 18,509.- | U$ 55,527.- |

2. FORK LIFT GPS 30L WITH RECOMMENDED SPARE PARTS

MAX. LIFTING W'T   : 3 TON
MODEL NO.   : GPS 30L

| | 2UNITS | @$ 24,124.90 | U$ 48,249.80 |

3. K2400 DOUBLE CABIN PICK-UP TRUCK WITH 10% SPARE PARTS

AM/FM STEREO CASSETTE, HEATER AND STANDARD EQUIPMENT

| | 50UNITS | @$ 10,464.30 | U$ 523,215.- |

차량(부품제타) 1 UNIT @$ 9,574.20 U$ 9,574.20

G. TOTAL :   U$ 626,991.80

///////   //////////   ///////

株 式 會 社 高 麗 貿 易

電 話 : (02) 737-0860
F A X : (02) 739-7011
TELEX : KOTII K34311

서울 特別市 江南區 三成洞 159番地
貿易會館 빌딩 11層
TRADE CENTER P.O. BOX 23,24.

수 신 : 외무부 중동 2 과장

제 목 : 걸프만 사태 관련 지원물대 송금 신청

폐사는 귀부와의 계약에 의거하여 아래와 같이 걸프만 사태 관련 지원물품을 기 선적하였
아오니 송금조치 하여 주시기 바랍니다.

- 아   래 -

1. 선적물품 내역

품 목	수 량	금 액	선적일	도 착 예정일	선 명	선 적 항	도착항
K2400 DOUBLE CABIN PICK-UP TRUCK	1 UNIT	U$ 9,574.70	6/1	7/15	NOSAC EXPRESS	INCHEON	AQABA
지체상금공제		U$ 201.07					
합 계		U$ 9,373.63					

2. 비 고

가. 걸프만 사태 관련 JORDAN 지원 계약분 ('91. 3. 29.) 중 잔액 전량 선적 완료.

나. 다만 선적기일 (5/18) 이내에 선적이 이행되지 못하였으므로 이에 해당하는

    지체상금(5/19 - 6/1, 14일분, U$ 9,574.70 X 14 X 1.5/1,000) U$ 201.07 은

    물대에서 공제함.

3. 송 금 처 : 제일은행 본점

   구좌번호 : 052-30-002029

   예금주 : (주)고려무역.   끝.

1991年 6月 10日

鍾 路 輸 出 本 部 海 外 事 業 팀

0053

원 가 계 산 (K2400 D/C PICK-UP TRUCK)

단위 : U$

구분	F.O.B.	F			I			M (FOB X 2%)	계
		C B M	단가	운 임	기준가 (CIFx1.1)	요 율	보험료		
금액	차량 (기아자동차) 7,350 X 1대 = 7,350.-	15.0003	135.-	2,025.04	10,532.17	0.5%	52.66	147.-	9,574.70

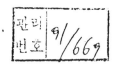

분류기호 문서번호	중동이 20005- 1672	기안용지 (720-2327)	시 행 상 특별취급	
보존기간	영구.준영구 10. 5. 3. 1	장 관		

기안용지 (720-2327)

보존기간	영구.준영구 10. 5. 3. 1		
수 신 처 보존기간			
시행일자	1991. 7. 3.		

보조 기관	국 장	전결
	심의관	
	과 장	
기안책임자	허 덕 행

협조기관

문서통제
검열 1991. 7. 04

발송인

발송 1991. 7. 04 외무부

경 유	
수 신	주 요르단 대사
참 조	

발신명의

| 제 목 | 걸프사태 관련지원 |

연 : WJO - 0401, 중동이 20005 - 18260

걸프사태관련 요르단에 대한 2차 지원품 중 미선적된 K2400DC

트럭 1대가 6.1 선적된바, 동 선적서류를 별첨과 같이 송부합니다.

첨 부 : 선적서류 2부. 끝.

0055

경승2과 보관용

Korea Trading International Inc.

PHONE: 755-9261
FAX   : 753-5131
TELEX: KOTII K27434
CABLE: KOTII SEOUL

17TH FLOOR, WORLD TRADE CENTER KOREA
10-1, 2-KA, HOEHYON-DONG, CHUNG-KU,
SEOUL, KOREA
C. P. O. BOX 3667, 4020

DATE: JUN 10, 1991
YOUR REF:
OUR REF: D2-91-20009-

Messrs. KOREAN EMBASSY IN JORDAN.

Gentlemen,

Shipping Notice of   K2400 D/C

we are pleased to inform you that the captioned goods have been shipped
per   NOSAC EXPRESS

on   JUN 1, 1991 (E.T.A. JUL 15, 1991)

and we have negotiated our draft(s) amounting   U$9,574.70

of the Invoice value through

in accordance with the Letter of Credit No.   KOOBS-20007/A

For your information, we are enclosing the copies of shipping documents
as follows.

(X) Bill of Lading   : 1 ORIGINAL & 1 COPY
(X) Invoice   : 1 ORIGINAL & 1 COPY
(X) Packing List   : 1 ORIGINAL & 1 COPY
(   ) Certificate of Origin   :
(X) Marine Insurance policy   : 1 ORIGINAL & 1 COPY
(   )   :
(   )   :

We trust that the goods will arrive at destination in good and sound
condition.

Very truly yours,

Korea Trading International Inc.

K. J. PARK/MANAGER.

0056

KOTI

Korea Trading International Inc.

PHONE: 755-9261
FAX : 753-5131
TELEX: KOTII K27434
CABLE: KOTII SEOUL

17TH FLOOR, WORLD TRADE CENTER KOREA
10-1, 2-KA, HOEHYON-DONG, CHUNG-KU,
SEOUL, KOREA
C. P. O. BOX 3667, 4020

DATE: JUN 10, 1991

YOUR REF:

OUR REF D2-91-20009-

Messrs. KOREAN EMBASSY IN JORDAN.

Gentlemen,

Shipping Notice of   K2400 D/C

we are pleased to inform you that the captioned goods have been shipped

per NOSAC EXPRESS

on JUN 1, 1991 (E.T.A. JUL 15, 1991)

and we have negotiated our draft(s) amounting U$9,574.70

of the Invoice value through

in accordance with the Letter of Credit No. KOOBS-20007/A

For your information, we are enclosing the copies of shipping documents
as follows.

(X) Bill of Lading   : 1 ORIGINAL & 1 COPY
(X) Invoice   : 1 ORIGINAL & 1 COPY
(X) Packing List   : 1 ORIGINAL & 1 COPY
(   ) Certificate of Origin   :
(X) Marine Insurance policy : 1 ORIGINAL & 1 COPY
(   )   :
(   )   :

We trust that the goods will arrive at destination in good and sound
condition.

Very truly yours,

Korea Trading International Inc.

K. J. PARK/MANAGER.

0057

분류기호 문서번호	중동이 20005- ▷8	협 조 문 용 지 ( )	결 재	담 당	과 장	국 장
시행일자	1991. 7.4..			허덕켱	홓	(서명)
수 신	총무과장(경리계)	발 신	중동아프리카국장			
제 목	선적지체에 따른 지체상금 징구					

걸프사태 관련 물자지원 대행업체인 (주)고려무역으로부터

선적지연에 따른 지체상금 W4,166,835를 징구, 세입조치코자하니

동 세입고지서를 발급, 당국에 송부하여 주시기바랍니다.

　

첨 부 : (주) 고려무역의 선적지체경위서 1부. 끝.

0058

분류기호 문서번호	중동이 20005-12	협조문용지 （　　　　　）	결 재	담　당	과　장	국　장
시행일자	1991. 7.4.					
수　　신	총무과장（경리계）	발　신		중동아프리카국장		（전결）
제　　목	선적지체에 따른 지체상금 징구					

걸프사태 관련 물자지원 대행업체인 （주）고려무역으로부터

선적지연에 따른 지체상금 W4,166,835를 징구, 세입조치코자하니

동 세입고지서를 발급, 당국에 송부하여 주시기바랍니다.

첨　부: （주）고려무역의 선적지체경위서 1부.　끝.

경 위 서

1991. 7. 1.

　　당사는 귀부와 1990년 12월 21일자로 걸프만 주변피해국에 대한 무상지원 업무에 관하여 대행계약을 체결하고 현재 당 업무를 수행해 오고 있습니다.

　　JORDAN 국에 대해서는 1991년 1월 15일 건별 대행 계약을 체결하고 COMBI BUS 및 부품 (50대분) 과 설탕 (1,174 MT) 을 2월 28일까지 선적키로 하였으나 당시 GULF 전이 치열했던 시기여서 선적 스케줄이 여러번 변경 되었습니다.　　이로인해 당초에는 울산항에서 차량 및 부품을 선적할 예정이었으나 선적항이 마산으로 바뀌면서 울산항 으로 운송하여 보관하고 있던 자동차 부품 5개 상자중 1개 상자가 운송회사의 실수로 말미암아 마산항으로 운송치 못하고 울산항에 그대로 남아있게 되었습니다.

　　당사에서는 이러한 사실을 인지하지 못하고 전량 선적으로 귀부에 보고 하였으며, 결과적으로 귀부에 대해 대외적으로 누를 끼치게 된 점을 송구스럽게 생각하고 있습니다.

당사는 향후 이러한 일이 재발되지 않도록 배전의 주의를 기울이겠으며, 이번 문제에 관해서는 아래와 같이 해결코자 합니다.

< 해결방안 >

1. 당사는 JORDAN 국 주재 한국 대사관에서 미 도착 되었다고 보고한 모든 품목과, 사양이 다르다고 이의를 제기한 브레이크 등 전 품목을 6월 28일자 선편 (ETA : AUG 25, 1991) 에 선적 완료 하였으며, (선적서류 참조)

2. 미 선적분에 대해서는 아래와 같이 지체상금을 지불코자 합니다.

- 아　　　　래 -

　　1. 미 선 적 분 　　: U$ 32,071.35

　　2. 지체상금 RATE　: 1.5/1,000

0060

3. 선 적 기 일 : 1991. 2. 28.

4. 실 제 선 적 일 : 1991. 6. 28.

5. 지 체 일 수 : 120일

6. 지 체 상 급 : ₩ 4,166,835.-

　　　　　　　　내역) U$ 32,071.35 X 1.5/1,000 X 120 = U$ 5,772.84

　　　　　　　　U$ 5,772.84 X @$ 721.80 = ₩ 4,166,835.-

　　　　　　　　적용환율 : 6/28일자 전신환 매입율.

3. 기 선적한 브레이크 라이닝 (498PCS) 는 선편으로 (착신자 요금부담) 반송 조치하여 주시면 감사 하겠습니다.

　　착신자 주소 : 110-170

　　　　　　　　KOREA TRADING INT'L INC

　　　　　　　　CHEONMA BLDG 6TH 65-1 GYEONJI-DONG CHONGRO-GU

　　　　　　　　SEOUL, KOREA

　　　　　　　　ATTN : ASST. MANAGER/J. Y. CHANG.　　끝.

(주) 고 려 무 역 해 외 사 업 팀

0061

JORDAN 부품 재선적 내역

1991. 7. 1.

L/I	PART NO.	PART NAME	Q'TY	U/P	AMOUNT
14	995743200	CLIP, PISTON PIN	1	@$ 0.37	U$ 0.37
20	K80011370P02	PULLEY ASSY, CRANKSHAFT	10	@$ 83.38	U$ 833.80
29	KG0155270	UNIT, OIL PRESSURE METER	16	@$ 2.05	U$ 32.80
31	K80014134D	DRIVE GEAR, OIL PUMP	11	@$ 12.14	U$ 133.54
34	330413800	INJECTION PUMP	5	@$ 662.06	U$ 3,310.30
35	K80018300P02	ALTERNATOR	10	@$ 211.32	U$ 2,113.20
41	136318651B	RELAY, GLOW PLUG	15	@$ 8.62	U$ 129.30
44	133000270	CLUTCH ASSY	10	@$ 35.54	U$ 355.40
45	W074251200	UNIT, FUEL METER	8	@$ 3.34	U$ 26.72
46	K82015010P02	WATER PUMP	25	@$ 53.11	U$ 1,327.75
51	W41402100C	SILENCER	5	@$ 33.82	U$ 169.10
53	015516103	OIL SEAL, T/M	52	@$ 0.84	U$ 43.68
54	075016214	COVER, DUST, T/M	52	@$ 1.05	U$ 54.60
71	W50117263A	KEY, SYNCHONIZER	28	@$ 1.05	U$ 29.40
73	W06539340	RUBBER MISSION MOUNTING	1	@$ 0.98	U$ 0.98
74	K41025121	YOKE, UNIVERSAL JOINT	50	@$ 22.29	U$ 1,114.50
77	MA91251100A	SHAFT, PROPELLER FRT	5	@$ 97.55	U$ 487.75
80	W00225321	RUBBER CTR BEARING	25	@$ 22.24	U$ 556.-
83	136243540	SENSOR	12	@$ 1.53	U$ 18.36
85	MA91281100	SPRING ASSY RR	1	@$ 89.50	U$ 89.50
86	055934330	BUSH, RUBBER FRT	4	@$ 1.22	U$ 4.88
89	MA91341100	SPRING ASSY, FRT	1	@$ 59.76	U$ 59.76
90	068034330	RUBBER BUSH, FRT	50	@$ 3.84	U$ 192.-
94	MA914111100	ROD, ACCEL PEDAL	10	@$ 4.68	U$ 46.80
96	MA91321500A	LINK ASSY, DRAG	8	@$ 24.79	U$ 198.32
98	W02332289	SEAL DUST	55	@$ 2.64	U$ 145.20
99	W02332631B	TIE ROD	52	@$ 35.90	U$ 897.50
103	W02333312	BRAKE LINING, FRT	500	@$ 3.34	U$ 1,670.-
108	131633051	KING PIN, FRT AXLE	25	@$ 4.73	U$ 118.25
109	W02333055	PIN, KING LOCK	55	@$ 0.38	U$ 20.90
110	W02933080	THRUST BEARING	25	@$ 10.56	U$ 264.-
111	W02526043	PLATE SET	3	@$ 1.75	U$ 5.25
118	W155810800	WEATHERSTRIP, FRT DOOR	15	@$ 3.10	U$ 46.50
119	W155810700	WEATHERSTRIP, FRT DOOR	16	@$ 3.10	U$ 49.60
120	W155810600	WEATHERSTRIP, FRT DOOR	16	@$ 3.20	U$ 51.20
122	W155811000	CATCH ASSY	16	@$ 2.90	U$ 46.40
123	W155820200	GLASS, FRT DOOR	5	@$ 10.23	U$ 51.15
124	W155820600	GLASS, FRT DOOR	5	@$ 27.25	U$ 136.25
129	MA93371020B	BUMPER, SIDE RH, FRT	5	@$ 16.40	U$ 82.-
130	MA93371030B	BUMPER, SIDE LH, FRT	5	@$ 16.40	U$ 82.-
131	MA93381020	BUMPER, SIDE LH, RR	5	@$ 10.83	U$ 54.15
132	MA93381030	BUMPER, SIDE RH, RR	5	@$ 10.83	U$ 54.15
133	W15779300B	WEATHERSTRIP, FRT	25	@$ 11.40	U$ 285.-
134	W15779400B	WEATHERSTRIP REAR	4	@$ 8.06	U$ 32.24
135	KC0117301A	GEAR, COUNTER SHAFT	10	@$ 89.93	U$ 899.30
138	W47554600	S/W VENTILATOR	5	@$ 6.95	U$ 34.75
141	W076712600	WASHER ASSY	5	@$ 9.26	U$ 46.30
146	MA34101600C	LAMP SET, FRT RH	14	@$ 18.07	U$ 252.98
147	MA34101500C	LAMP SET, FRT LH	15	@$ 18.07	U$ 271.05
150	E57311500	LAMP, BACK UP	5	@$ 6.69	U$ 33.45

0062

153	MA34245100	COMBINATION S/W	22	@$ 27.79	U$ 611.38
154	MA34242300C	S/W, AUTO DOOR	1	@$ 4.15	U$ 4.15
158	MA34231400B	SPEEDOMETER	3	@$ 11.11	U$ 33.33
159	K42766730	FUSE BLOCK	10	@$ 4.74	U$ 47.40
161	063611512	WASHER, CLUTCH WHEEL	11	@$ 0.77	U$ 8.47
164	072710601A	COBER ASS'Y, TIMING CASE	15	@$ 18.38	U$ 275.70
165	072715621A	G/K COVER	55	@$ 0.90	U$ 49.50
167	072799100A	PACKING SET E/G	50	@$ 30.90	U$ 1,545.-
171	290910480A	GAGE ASS'Y, OIL LEVEL	11	@$ 3.59	U$ 39.49
175	K80011375	RING TAPERED	15	@$ 4.29	U$ 64.35
177	MA34231100C	METER SET	8	@$ 54.14	U$ 433.12
180	MA91151100	RADIATOR	4	@$ 135.15	U$ 540.60
181	MA91162200A	CLUTCH PEDEL ASS'Y	2	@$ 5.45	U$ 10.90
183	MA91435400	VACUUM POWER ASSIST	5	@$ 135.53	U$ 677.65
184	MA91462600A	ROD A ASS'Y SHIFT	5	@$ 4.17	U$ 20.85
185	MA91462700A	ROD B SELECTION	5	@$ 5.84	U$ 29.20
187	MA93910100C	GRILL RODIATOR	3	@$ 22.24	U$ 66.72
192	W071851300	S/W, WATER LEVEL	8	@$ 0.71	U$ 5.68
193	W07552190A	S/W PACKING LAMP	11	@$ 0.51	U$ 5.61
194	W155810400	WEATHERSTRIP, SIDE GLASS	25	@$ 4.45	U$ 111.25
195	W15779100B	WINDSHIELD FRT	5	@$ 44.77	U$ 223.85
196	W15779200B	GLASS RR	5	@$ 139.93	U$ 699.65
197	W158810100	GLASS, SIDE	5	@$ 9.28	U$ 46.40
198	W50117341A	GEAR, DRIVE	10	@$ 4.96	U$ 49.60
200	WB34965100	AUTO DOOR MECHANISM	2	@$ 287.67	U$ 575.34
206	N.S.N	AIR-CON PARTS	1	@$ 10,601.10	U$ 10,601.10

TOTAL :   1,576   U$ 33,734.67

///////   ///////   ///////

0063

COMMERCIAL INVOICE

KOREA TRADING INTERNATIONAL INC.

① Shipper/Exporter

11TH FLOOR, TRADE TOWER,
159, SAMSUNG-DONG, KANGNAM-KU,
SEOUL, KOREA.
TRADE CENTER P.O. BOX 23, 24

② For account & risk of Messrs.

MINISTRY OF PLANNING
THE HASHEMITE KINGDOM OF JORDAN

③ Notify party
1. SAME AS ABOVE
2. EMBASSY OF THE REPUBLIC OF KOREA
   P.O. BOX 3060, AMMAN, JORDAN
   (TEL : 660745, 660746)

④ Port of loading
MASAN PORT

⑤ Final destination
AQABA, JORDAN

⑥ Carrier
TINA

⑦ Sailing on or about
JAN 31, 1991

⑧ No. & date of invoice
D2-91-20005   JAN 31, 1991

⑨ No. & date of L/C
KOOBS-20002/B   JAN 25, 1991

⑩ L/C issuing bank

⑪ Remarks:

⑫ Marks and numbers of Package

◇ KOTI

AQABA
UNIT NO. : 1-50
W/B NO. : 1-4
MADE IN KOREA

⑬ Description of goods   ⑭ Quantity/unit   ⑮ Unit-Price   ⑯ Amount

C.I.F. AQABA

AM 815 COMBI BUS (LHD) 24+1   50 UNITS   @ $ 27,600.56   U$ 1,380,028.-
SEATS WITH BELOW ACCESSORIES

(WITH 10% RECOMMENDED SPARE PARTS)

TOTAL :   U$ 1,380,028.-
//////   ///////

COMBI ACCESSORIES

. DRIVER HEATER
. RADIO & CASSETTE
. WHEEL CAP (4EA)
. TUBED TYRE RADIAL TYPE (7.00-16-10PR)
. AIR-CON & DUCT
. FOLDING TYPE MAIN DOOR (AUTOMATIC)
. SIDE GLASS : SLIDING COLOR GLASS
. REAR VIEW MIRROW (CONVEX MANUAL)
. LINOLEUM COVERED FLOOR MAT
. SUN VISOR : CURTAIN (2EA)
. VENTILATOR (2EA)
. SEAT : 25 SEATS DLX
. REAR WIPER & WASHER
. REAR UNDER VIEW MIRROW
. FOG LAMP (2EA)
. VINYL COVERED TOP CEILING
. SAFETY BELT : . 2 POINT : 1EA
                . 3 POINT : 2EA

- SPARE PARTS LISTS ARE AS PER ATTACHED SHEET -

⑰ Signed by

(210 × 297mm)

0064

⑱ Phone : 551-3114
Fax : 551-3100
Telex : KOTI K27434
Cable : KOTI SEOUL

L/I	PART NO.	PART NAME	Q'TY	U/P	AMOUNT
1	K80010100A	CYLINDER HEAD ASSY	5	@$ 644.30	U$ 3,221.50
2	K62213510	SENSOR WATER THERMOSTAT	17	@$ 2.51	U$ 42.67
3	052710311A	CYLINDER LINER	120	@$ 38.46	U$ 4,615.20
4	052711351	BRG SET, MAIN STD	25	@$ 50.25	U$ 1,256.25
5	052711352	BRG SET, MAIN 254	25	@$ 50.25	U$ 1,256.25
6	052711353	BRG SET, MAIN 508	25	@$ 50.25	U$ 1,256.25
7	063611383	THRUST BEARING UPPER	52	@$ 1.65	U$ 85.80
8	063611384	THRUST BEARING LOWER	52	@$ 1.65	U$ 85.80
9	SE0811399	OIL SEAL, E/G	100	@$ 4.02	U$ 402.-
10	V10110602	SEAL, E/G	105	@$ 2.26	U$ 237.30
11	052823200A	PISTON SET, STD	90	@$ 35.69	U$ 3,212.10
12	063611201	PISTON PIN	102	@$ 4.26	U$ 434.52
13	052723206	PISTON RING SET, STD	25	@$ 87.22	U$ 2,180.50
14	995743200	CLIP, PISTON PIN	102	@$ 0.37	U$ 37.74
15	V10111210	CONECTING ROD	60	@$ 59.08	U$ 3,544.80
16	063611213	BUSH, CONNECTING ROD	122	@$ 1.35	U$ 164.70
17	V10123105	BRG SET, CONROD STD	25	@$ 34.31	U$ 857.75
18	V10123106	BRG SET, CONROD 254	25	@$ 34.31	U$ 857.75
19	V1011301	CRANK SHAFT	5	@$ 1,064.58	U$ 5,322.90
20	K80011370P02	PULLEY ASSY, CRANKSHAFT	10	@$ 83.38	U$ 833.80
21	063611304	PILOT BEARING	25	@$ 8.13	U$ 203.25
22	063612111	INLET VALVE	102	@$ 2.65	U$ 270.30
23	052712121	EXHAUST VALVE	102	@$ 4.85	U$ 494.70
24	063612115	INNER SPRING, VALVE	102	@$ 0.55	U$ 56.10
25	063612116A	LOWER SEAT, VALVE SPRING	102	@$ 0.19	U$ 19.38
26	078412421	CAM SHAFT	10	@$ 211.32	U$ 2,113.20
27	063612311	PUSH ROD	62	@$ 1.86	U$ 115.32
28	K80023802	OIL FILTER CARTRIDGE	750	@$ 8.87	U$ 6,652.50
29	KG0155270	UNIT, OIL PRESSURE METER	16	@$ 2.05	U$ 32.80
30	K80014130D	SHAFT ASSY, OIL PUMP	11	@$ 13.84	U$ 152.24
31	K80014134D	DRIVE GEAR, OIL PUMP	11	@$ 12.14	U$ 133.54
32	063613650	NOZZLE	50	@$ 12.70	U$ 635.-
33	K62123570	CARTRIDGE, FUEL FILTER	750	@$ 5.20	U$ 3,900.-
34	330413800	INJECTION PUMP	5	@$ 662.06	U$ 3,310.30
35	K80018300P02	ALTERNATOR	10	@$ 211.32	U$ 2,113.20
36	MA34721100	STARTER	10	@$ 322.46	U$ 3,224.60
37	269118501A	S/W, OIL PRESSURE	15	@$ 5.93	U$ 88.95
38	K62018510	UNIT SET, HEAT GAGE	15	@$ 4.35	U$ 65.25
39	135418140A	GLOW PLUG	100	@$ 5.98	U$ 598.-
40	136318154A	CONNECTOR, GLOW PLUG	18	@$ 0.20	U$ 3.60
41	136318651B	RELAY, GLOW PLUG	15	@$ 8.62	U$ 129.30
42	XK0118381	V-BELT	25	@$ 13.21	U$ 330.25
43	041920060	MAGNET S/W ASSY	10	@$ 51.80	U$ 518.-
44	133000270	CLUTCH ASSY	10	@$ 35.54	U$ 355.40
45	W074251200	UNIT, FUEL METER	10	@$ 3.34	U$ 33.40
46	K82015010P02	WATER PUMP	25	@$ 53.11	U$ 1,327.75
47	V10115140	COOLING FAN	5	@$ 126.38	U$ 631.90
48	103415171C	THERMOSTAT	15	@$ 13.88	U$ 208.20
49	K80015188	HOSE, WATER BY PASS	18	@$ 1.54	U$ 27.72
50	MA91151600A	TANK RESERVE	11	@$ 2.50	U$ 27.50
51	W41402100C	SILENCER	5	@$ 33.82	U$ 169.10
52	072723603	ELEMENT, AIR CLEANER	500	@$ 9.80	U$ 4,900.-

0065

53	015516103	OIL SEAL, T/M	52	@$ 0.84	U$ 43.68
54	075016214	COVER, DUST, T/M	52	@$ 1.05	U$ 54.60
55	W46162000	DISC, CLUTCH	150	@$ 18.14	U$ 2,721.-
56	W46161000	COVER, CLUTCH	10	@$ 66.97	U$ 669.70
57	022216222	BEARING, CLUTCH RELEASE	15	@$ 32.83	U$ 492.45
58	082016510	COLLAR, RELEASE	10	@$ 36.26	U$ 362.60
59	MA91161100	CLUTCH RELEASE CYL	15	@$ 12.42	U$ 186.30
60	W11160030	HOSE, FLEXIBLE	10	@$ 6.43	U$ 64.30
61	W02341990A	CLUTCH MATER CYL	15	@$ 30.18	U$ 452.70
62	W50117111	GASKET, T/M	28	@$ 0.92	U$ 25.76
63	W50117335A	OIL SEAL, T/M	28	@$ 1.20	U$ 33.60
64	W50117361A	GASKET, RR COVER, T/M	28	@$ 0.92	U$ 25.76
65	W50117432	GASKET, T/M	28	@$ 1.06	U$ 29.68
66	W50117201B	GEAR, MAIN DRIVE	5	@$ 76.52	U$ 382.60
67	W50117204	BEARING, TAPER	5	@$ 30.44	U$ 152.20
68	072717210A	BEARING NEEDLE	10	@$ 9.66	U$ 96.60
69	W50117242	SLEEVE, CLUTCH HUB	5	@$ 35.60	U$ 178.-
70	W50117262	SLEEVE, CLUTCH HUB	5	@$ 57.32	U$ 286.60
71	W50117263A	KEY, SYNCHONIZER	28	@$ 1.05	U$ 29.40
72	W50217265C	RING SYNCHRONIZER	25	@$ 12.51	U$ 312.75
73	W06539340	RUBBER MISSION MOUNTING	55	@$ 0.98	U$ 53.90
74	K41025121	YOKE, UNIVERSAL JOINT	50	@$ 22.29	U$ 1,114.50
75	072725026	SEAL DUST, P/SHAFF	55	@$ 0.92	U$ 50.60
76	016425060	JOINT, UNIVERSAL	25	@$ 12.40	U$ 310.-
77	MA91251100A	SHAFT, PROPELLER FRT	5	@$ 97.55	U$ 487.75
78	MA91251200A	SHAFT, PROPELLER RR	5	@$ 156.88	U$ 784.40
79	W00225150A	BALL BEARING	25	@$ 10.64	U$ 266.-
80	W00225321	RUBBER CTR BEARING	25	@$ 22.24	U$ 556.-
81	W07553110A	SWITCH, STOP	10	@$ 4.45	U$ 44.50
82	K41043990	BRAKE MASTER CYLINDER	15	@$ 63.20	U$ 948.-
83	136243540	SENSOR	12	@$ 1.53	U$ 18.36
84	MA91441100D	CABLE ASSY	25	@$ 8.78	U$ 219.50
85	MA91281100	SPRING ASSY RR	5	@$ 89.50	U$ 447.50
86	055934330	BUSH, RUBBER FRT	55	@$ 1.22	U$ 67.10
87	068028330	RUBBER BUSH, RR	55	@$ 1.45	U$ 79.75
88	MA91281400	DAMPER RR	15	@$ 16.82	U$ 252.30
89	MA91341100	SPRING ASSY, FRT	5	@$ 59.76	U$ 298.80
90	068034330	RUBBER BUSH, FRT	50	@$ 3.84	U$ 192.-
91	MA91341500	DAMPER, FRT	15	@$ 17.72	U$ 265.80
92	W113405000	BUSH, RUBBER	50	@$ 0.29	U$ 14.50
93	9965215560	DISC WHEEL	10	@$ 93.71	U$ 937.10
94	MA914111100	ROD, ACCEL PEDAL	10	@$ 4.68	U$ 46.80
95	W41415100B	CALBE, ACCEL	50	@$ 4.60	U$ 230.-
96	MA91321500A	LINK ASSY, DRAG	10	@$ 24.79	U$ 247.90
97	W02332281	STUD SEAL	55	@$ 4.80	U$ 264.-
98	W02332289	SEAL DUST	55	@$ 2.64	U$ 145.20
99	W02332631B	TIE ROD	25	@$ 35.90	U$ 897.50
100	W02332450	JOINT BALL RH	25	@$ 13.10	U$ 327.50
101	W02332510	JOINT BALL LH	25	@$ 13.10	U$ 327.50
102	W02333313	RIVET TUBULER	1,550	@$ 0.77	U$ 1,193.50
103	W02333312	BRAKE LINING, FRT	500	@$ 3.34	U$ 1,670.-
104	055933075	OUTER BEARING FRT	25	@$ 11.88	U$ 297.-
105	W00133065	OIL SEAL, FRT	55	@$ 1.34	U$ 73.70
106	MA91335410	WHEEL CYL RH, FRT	15	@$ 17.16	U$ 257.40
107	MA91335510	WHEEL CYL LH, FRT	15	@$ 17.16	U$ 257.40
108	131633051	KING PIN, FRT AXLE	25	@$ 4.73	U$ 118.25
109	W02333055	PIN, KING LOCK	55	@$ 0.38	U$ 20.90
110	W02933080	THRUST BEARING	25	@$ 10.56	U$ 264.-

0066

111	W02526043	PLATE SET	28	@$ 1.75	U$ 49.-
112	K41026132	BOLT, HUB, RH	50	@$ 2.56	U$ 128.-
113	K41026142	BOLT, HUB, LH	50	@$ 2.56	U$ 128.-
114	W02526154A	OIL SEAL, RR BRAKE	52	@$ 1.85	U$ 96.20
115	W02533312	BRAKE LINING, RR	500	@$ 4.26	U$ 2,130.-
116	MA91335610	WHEEL CYL RH, RR	15	@$ 17.16	U$ 257.40
117	MA91335710	WHEEL CYL LH, RR	15	@$ 17.16	U$ 257.40
118	W155810800	WEATHERSTRIP, FRT DOOR	16	@$ 3.10	U$ 49.60
119	W155810700	WEATHERSTRIP, FRT DOOR	16	@$ 3.10	U$ 49.60
120	W155810600	WEATHERSTRIP, FRT DOOR	16	@$ 3.20	U$ 51.20
121	W155810100	GLASS, FRT DOOR	5	@$ 11.83	U$ 59.15
122	W155811000	CATCH ASSY	16	@$ 2.90	U$ 46.40
123	W155820200	GLASS, FRT DOOR	5	@$ 10.23	U$ 51.15
124	W155820600	GLASS, FRT DOOR	5	@$ 27.25	U$ 136.25
125	W10911200D	DOOR LOCK ASSY RH	10	@$ 20.64	U$ 206.40
126	W10912200D	DOOR LOCK ASSY LH	10	@$ 20.64	U$ 206.40
127	W10911100D	DOOR REGULATOR ASSY RH	10	@$ 20.64	U$ 206.40
128	W10912100D	DOOR REGULATOR ASSY LH	10	@$ 20.64	U$ 206.40
129	MA93371020B	BUMPER, SIDE RH, FRT	5	@$ 16.40	U$ 82.-
130	MA93371030B	BUMPER, SIDE LH, FRT	5	@$ 16.40	U$ 82.-
131	MA93381020	BUMPER, SIDE LH, RR	5	@$ 10.83	U$ 54.15
132	MA93381030	BUMPER, SIDE RH, RR	5	@$ 10.83	U$ 54.15
133	W15779300B	WEATHERSTRIP, FRT	25	@$ 11.40	U$ 285.-
134	W15779400B	WEATHERSTRIP REAR	10	@$ 8.06	U$ 80.60
135	KC0117301A	GEAR, COUNTER SHAFT	10	@$ 89.93	U$ 899.30
136	W50117400	GEAR, SPEEDO	10	@$ 11.63	U$ 116.30
137	KC0117611D	GEAR, OVER TOP	10	@$ 45.85	U$ 458.50
138	W47554600	S/W VENTILATOR	5	@$ 6.95	U$ 34.75
139	MA93991000	WIPER, BLADE	105	@$ 3.85	U$ 404.25
140	MA34221120C	MOTOR WIPER, FRT	10	@$ 50.99	U$ 509.90
141	W076712600	WASHER ASSY	5	@$ 9.26	U$ 46.30
142	MA93992000A	WIPER, ARM	16	@$ 3.95	U$ 63.20
143	MA93993000	LINK, WIPER	10	@$ 13.30	U$ 133.-
144	MA34101300	HEAD LAMP ASSY, RH	25	@$ 34.64	U$ 866.-
145	MA34101400	HEAD LAMP ASSY, LH	25	@$ 34.64	U$ 866.-
146	MA34101600C	LAMP SET, FRT RH	25	@$ 18.07	U$ 451.75
147	MA34101500C	LAMP SET, FRT LH	25	@$ 18.07	U$ 451.75
148	MA34311100B	COMBINATION LAMP LH	25	@$ 15.96	U$ 399.-
149	MA34312100B	COMBINATION LAMP RH	25	@$ 15.96	U$ 399.-
150	E57311500	LAMP, BACK UP	15	@$ 6.69	U$ 100.35
151	MA34411100A	LAMP, ROOM	5	@$ 71.06	U$ 355.30
152	MA34243100	KEY SET	5	@$ 17.73	U$ 88.65
153	MA34245100	COMBINATION S/W	25	@$ 27.79	U$ 694.75
154	MA34242300C	S/W, AUTO DOOR	11	@$ 4.15	U$ 45.65
155	DA34242400	S/W, STEP LAMP	11	@$ 2.92	U$ 32.12
156	DA3424210	SWITCH, ROOM LAMP	11	@$ 2.92	U$ 32.12
157	MA34242200	S/W BACK MIRROR	10	@$ 5.87	U$ 58.70
158	MA34231400B	SPEEDOMETER	5	@$ 11.11	U$ 55.55
159	K42766730	FUSE BLOCK	10	@$ 4.74	U$ 47.40
160	330499100	GASKET SET, ENGINE	50	@$ 38.14	U$ 1,907.-
161	063611512	WASHER, CLUTCH WHEEL	18	@$ 0.77	U$ 13.86
162	063612123	TAPERED SLEEVE	18	@$ 1.11	U$ 19.98
163	072710500A	CASE, TIMING GEAR	15	@$ 90.92	U$ 1,363.80
164	072710601A	COBER ASS'Y, TIMING CASE	15	@$ 18.38	U$ 275.70
165	072715621A	G/K COVER	55	@$ 0.90	U$ 49.50
166	072739040A	RUBBER MOUNTING	11	@$ 3.01	U$ 33.11

0067

167	072799100A	PACKING SET E/G	50	@$ 30.90	U$ 1,545.-
168	091124140	BALVE DELIVERY	10	@$ 54.11	U$ 541.10
169	093324020	PUMP FEED, FUEL PUMP	10	@$ 87.17	U$ 871.70
170	09424300A	VALVE SOLENOID	10	@$ 80.94	U$ 809.40
171	290910480A	GAGE ASS'Y, OIL LEVEL	11	@$ 3.59	U$ 39.49
172	807210155	OIL DEFLECTOR	18	@$ 0.34	U$ 6.12
173	K41013840	SEDIMENTER	12	@$ 11.54	U$ 138.48
174	K41067820	RELAY, WIPER INT	10	@$ 5.50	U$ 55.-
175	K80011375	RING TAPERED	15	@$ 4.29	U$ 64.35
176	K85067740	RELAY, AUTO DOOR	10	@$ .7.-	U$ 70.-
177	MA34231100C	METER SET	10	@$ 54.14	U$ 541.40
178	MA32461200C	RELAY ASS'Y, STOP LAMP	10	@$ 20.21	U$ 202.10
179	MA34575200	CABLE POSITIVE	8	@$ 0.50	U$ 4.-
180	MA91151100	RADIATOR	10	@$ 135.15	U$ 1,351.50
181	MA91162200A	CLUTCH PEDEL ASS'Y	2	@$ 5.45	U$ 10.90
182	MA91321100	STEERING & KEY ASS'Y	5	@$ 294.41	U$ 1,472.05
183	MA91435400	VACUUM POWER ASSIST	5	@$ 135.53	U$ 677.65
184	MA91462600A	ROD A ASS'Y SHIFT	5	@$ 4.17	U$ 20.85
185	MA91462700A	ROD B SELECTION	5	@$ 5.84	U$ 29.20
186	MA91462800B	ROD B ASS'Y SHIFT	5	@$ 7.45	U$ 37.25
187	MA93910100C	GRILL RODIATOR	8	@$ 22.24	U$ 177.92
188	V10112411A	GEAR, CAMSHAFT	15	@$ 17.68	U$ 265.20
189	V10124049	CAM DISC	10	@$ 69.04	U$ 690.40
190	V10124100	HEAD DISTRIBUTOR	10	@$ 273.22	U$ 2,732.20
191	W02526076	BRG, OUTER	18	@$ 2.49	U$ 44.82
192	W071851300	S/W, WATER LEVEL	8	@$ 0.71	U$ 5.68
193	W07552190A	S/W PACKING LAMP	11	@$ 0.51	U$ 5.61
194	W155810400	WEATHERSTRIP, SIDE GLASS	25	@$ 4.45	U$ 111.25
195	W15779100B	WINDSHIELD FRT	5	@$ 44.77	U$ 223.85
196	W15779200B	GLASS RR	5	@$ 139.93	U$ 699.65
197	W158810100	GLASS, SIDE	5	@$ 9.28	U$ 46.40
198	W50117341A	GEAR, DRIVE	10	@$ 4.96	U$ 49.60
199	W50117632A	GASKET	28	@$ 0.85	U$ 23.80
200	WB34965100	AUTO DOOR MECHANISM	2	@$ 287.67	U$ 575.34
201	W50817231B	GEAR, 3RD	5	@$ 67.71	U$ 338.55
202	F40117243A	KEY, SYNCHRONIZER	28	@$ 0.46	U$ 12.88
203	W50117245A	RING, SYNCHRONIZER	25	@$ 7.60	U$ 190.-
204	W50817251B	GEAR, 2ND	5	@$ 57.71	U$ 288.55
205	W50817271C	GEAR, 1ST	5	@$ 67.75	U$ 338.75
206	N.S.N	AIR-CON PARTS	1	@$ 10,601.10	U$ 10,601.10

TOTAL :   9,573   U$ 125,528.-

///////   ///////   ///////

0068

31091

분류기호 문서번호	중동이20005-		기 안 용 지 (720-3869)		시 행 상 특별취급		
보존기간	영구.준영구 10. 5. 3. 1		장		관		
수 신 처 보존기간							
시행일자	1991. 7. 4.						
보조 기관	국 장	전결	협 조 기 관			문 서 통 제	
	심의관						
	과 장						
기안책임자	허 덕 행					발 송 인	
경 유			발 신 명 의				
수 신	(주) 고려무역사장						
참 조							
제 목	선적 지연에 따른 지체상금 청구						

걸프사태 관련 1차 지원품인 AM815버스부품1상자 (U$32,071.35)

는 당초 '91.1.15자 계약에 의하면 '91.2.28까지 선적키로 되어있으나

실제 '91.6.28선적된바, 동 대행계약서 약정에 따라 지체상금을

다음과 같이 지불하여 주시기바랍니다.

- 다 음 -

1. 지체상금액 : ₩4,166,835

2. 산출근거

o U$ 32,071.35 x 1.5/1,000 x 120일

= U$ 5,772.84 /계 속..../

0069

U$ 5,772.84 x 721.8(6.28자 전신환매입율)=W 4,166,835

3. 지불방식 : 별첨 세입고지서에 따라 지불

첨 부 : 세입고지서 1부. 끝.

0070

발 신 전 보

WJO-0448   910706 1137 CT

번 호 : _____   종별 : _____

수 신 : 주 요르단 대사. *총영사*

발 신 : 장 관   (중동이)

제 목 : 걸프사태 지원물자 (차량부품)

연 : WJO - 0442

1. 연호 통보한 바와 같이 차량부품 1상자가 추가 선적됨에 따라 교체 대상 물자인 브레이크 라이닝 49개는 선편, 착신자 요금 부담 조건으로 반송 조치바람.

2. 착신자 주소는 하기와 같으며 동건 상세는 (주)고려무역이 귀지 무역관에 직접 연락 조치하였으니 참고바람.

110 - 170
KOREA TRADING INT'L INC
CHEONMA BLDG 6th 65-1
GYEONJI - DONG CHONGRO - KU
SEOUL, KOREA
ATTN : ASS'T. MANAGER / J.Y.CHANG

(중동아국장대리 양 태 규)

보안통제	ℒ

양고재	91년 8월 6일	중동 2과	기안자 성명 허무행	과장 ℒ	국장 전결	차관	장관	외신과통제

0071

관리
번호 9//679

외 무 부

종 별 :

번 호 : JOW-0533

일 시 : 91 0709 1200

수 신 : 장 관(중동이,경이,기정)

발 신 : 주 요르단 대사

제 목 : 걸프사태관련 지원

연:JOW-0500

대:WJO-0422

1. 대호 아측 입장을 주재국 기획성측에 설명한바, 동측은 아국의 사정과 입장은 충분히 이해하나 인산비료 수출의 납품기일 엄수등 사정이 긴박하여 자체적으로 파악한 결과 한국벽산이 가장 필요조건을 충족시킬수 있어 이를 재희망하고 한국측의 특별 배려를 재요청하였음

2. 연호 건의와 같이 고위층의 높은 관심과 아울러 아측의 특별 배려를 재차 간곡히 요청한 점과 대주재국 무상원조의 실효성 제고를 위해서도 특별 조치해 줄것을 재건의함

(대사 박태진-국장)

예고:91.12.31 까지

중아국   장관   차관   1차보   2차보   경제국   분석관   청와대   안기부
안기부

분류번호	보존기간

발 신 전 보

번 호 : WJO-0475   910727 1305 FO   종별 : _____

수 신 : 주 요르단 대사. 총영사

발 신 : 장 관 (중동이)

제 목 : 걸프사태 관련 지원

　　　　대 : JOW - 0533, 0500

　　　　　　요르단 (정) 700 - 208

　　　　연 : WJO - 0422, 0401

　　1. 대호 요르단측이 요청한 (주) 벽산제조 비료포장백 공급을 대행업체인 (주)고려무역을 통해 조사해본 결과, 그간 해상 운송료 증액, 보험료 추가등으로 개당 CIF 단가가 43센트로 산정됨. (벽산의 FOB 공급가격은 36.8센트로 동일함)

　　2. 걸프사태 지원사업 대행업체인 (주)고려무역과 비료포장백 340만개를 개당 CIF 단가 43센트(전체 $1,462,000)에 공급계약을 체결코자 하는바 이에대한 귀견 지급 보고바람. 끝.

　　　　　　　　　　　　　　　　　　　　(중동아국장 이 해 순)

보안 통제	±

앙 고 재	91 년 7 월 29 일	중동 2 과	기안자 성명 최규행	과 장 ±	심의관 on	국 장 전결		차 관	장 관		외신과통제

0073

관리 번호 91/기ㅍ

외 무 부

종 별 :

번 호 : JOW-0545

일 시 : 91 0728 1600

수 신 : 장 관(중동이)

발 신 : 주 요르단 대사

제 목 : 걸프사태 관련 지원

대:WJO-0475

대호 요르단 인산비료공사측은 벽산측이 동사제품을 공급하게될 경우 이미 해상 운송료 증액및 보험료 추가분등을 감안, 벽산으로부터 CIF 40 센트로 공급할수 있다는 언질을 받았다고 하면서 선처하여 줄것을 요망하여 왔는바 회시바람

(대사 박태진-국장)

예고:91.12.31 까지

중아국   차관   1차보   2차보

91.07.29   00:04

외신 2과 통제관 CF

0074

분류번호	보존기간

발 신 전 보

번   호 : WJO-0477   910730 1540 FO 종별 :

수   신 : 주 요르단   대사 . 총영사/

발   신 : 장 관   (중동이)

제   목 : 걸프사태 지원

대 : (1) JOW - 0478, 요르단(정) 700 - 108(91.6.17)

　　　(2) JOW - 0545

　　대호 (1)항 벽산의 비료포장백 공급 가격은 C&F Aqaba 항 41.5센트이나

대호 (2)항 보고에 의하면 운송료 증액 및 보험료 추가분까지 포합해도 CIF 40센트로서

오히려 감소한바 벽산에 정확한 CIF 공급 가격을 확인 보고바람.

　　　요르단측에 제시한

　　　　　　　　　　　　　　　　　(중동아국장 이 해 순)

예 고 : 91.12.31.까지

		보 안 통 제	

앙 고 재	91 년 7 월 30 일	중동2과	기안자 성명		과 장	심이찬	국 장	전결	차 관	장 관	

외신과동제

0075

관리 번호	91 /734

외 무 부

종 별 :

번 호 : JOW-0552

일 시 : 91 0731 1600

수 신 : 장 관(중동이)

발 신 : 주 요르단 대사

제 목 : 걸프사태 지원

대:WJO-0477

연:JOW-0545

1. 대호 벽산이 주재국 인산비료 공사측에 텔렉스로 제시한 C F AQABA 항 비료포장백 공급가격을 당관에서 직접 확인한바 40 센트로 되어있음

2. 이에 불구 아측의 최종가격이 있으면 주재국에 그대로 통보코자하는바 회보바람

3. 벽산으로부터 CIF 가격 제시는 없었다함

(대사 박태진-국장)

예고:91.12.31 까지

중아국   차관   1차보   2차보

91.08.01   00:28

외신 2과 통제관 DO

0076

발 신 전 보

번   호 : WJO-0483   910805 1835   FG종별 :

수   신 : 주 요르단   대사. 총영사//

발   신 : 장 관
                (중동아)

제   목 : 비료포장백 공급

대 : JOW - 0545

대호건 요르단측에서 요청하는대로 백산제품의 비료포장백 340만개
(C&F 40센트) 공급을 위해 재가 상신중에 있음.   끝.

(중동아국장 이 해 순)

예   고 : 91.12.31.까지

보안 통제	초

앙 고 재	91 년 8 월 5 일	중 동 아 과	기안자 성명 허종령		과 장 초	심의관 OM	국 장 전결		차 관	장 관 794

외신과통제

0077

一般豫算檢討意見書

199 *1. 8. 6.*　　　　중동2　課

事業名	걸프만사태관련물자지원		
支辨科目	細項	目	金額
	1211	341	$1,360,000.-

檢討意見	
主務者	정무활동, 해외경상이란 에서 집행.
擔當官	
審議官	

0078

분류기호 문서번호	중동이20005-	기안용지 (720-3869)	시 행 상 특별취급	

보존기간	영구.준영구 10. 5. 3. 1	차 관	장 관

전결

수 신 처 보존기간			

시행일자	1991. 8. 5.		문 서 통 제
보조 기관	국 장	협 조 기 관	기획관리실장 총 무 과 장 기획운영담당관	
	심의관		
	과 장		
기안책임자	허 덕 행		발 송 인

경 유		발신명의	
수 신	건 의		
참 조			

제 목	걸프만사태 관련 물자지원 (요르단 - 3)

1. 걸프사태 피해국인 요르단에 대해서는 500만불 상당의

물자를 지원키로 하였는바 그간 $2,605,166.2 상당의 물자가 지원

되었으며 잔여 $2,394,833.8 중 요르단 정부에서 요청한 비료포장백

340만개를 다음과 같이 지원코자 하니 재가하여 주시기 바랍니다.

- 다   음 -

품목	수량	단가(C&F)	금액
비료포장백	340만개	40센트	$1,360,000

/계속.../

0079

√

2. 동 공급과 관련 요르단 정부가 (주)백산과 공급가격 협의를

하고 동 공급을 희망한 바 있으며 또한 대행업체인 (주)고려무역을

통해 국내제조업체별 실적 및 공급가격을 확인해본 결과, (주)백산

제품이 가장 적합한 것으로 조사되어 동사제품을 공급키로 하였습니다.

3. 지출근거

○ 정무활동, 해외경상이전, 걸프만사태 주변피해국 지원

(요르단)

첨 부 : 1. (주)고려무역의 검토의견서, 견적서 및 수출계약서

2. 관련공문. 끝.

0080

KOTI

KOREA TRADING INTERNATIONAL INC.

PHONE:(02)551—3114	11TH FLOOR, TRADE TOWER,	DATE: AUG 1, 1991
F A X :(02)551—3100	159, SAMSUNG-DONG, KANGNAM-KU,	YOUR REF:
TELEX:KOTII K27434	SEOUL, KOREA	
CABLE:KOTII SEOUL	TRADE CENTER P.O.BOX23, 24	OUR REF: KOOBS-20013

OFFER SHEET

To: THE MINISTRY OF FOREIGN AFFAIRS IN R.O.K.

Dear Sirs,

We have the pleasure in offering you as follows:

Delivery	: NOV 15, 1991	Packing	: 500PCS IN ONE BALE WRAPPED WITH P.P. WOVEN CLOTH
Origin	: R.O.K.	Inspection	: SELLER'S TO BE FINAL
Port of Shipment	: KOREAN PORT	Validity	: AUG 15, 1991
Destination	: AQABA	Remarks	:
Payment	: C.A.D.		

Description	Quantity	Unit Price	Amount	Remarks
		C N F AQABA		

OUTER BAG

WOVEN POLYPROPOLENE, OPEN MOUTH,   3,400,000PCS   @$0.40   U$1,360,000.-
WHITE NATURAL CLOLOR, TUBULAR, 55x97CM
MIN., 1000 D, DIN 12x12/SQ. INCH MIN,
TOP HEAT CUT DOUBLE FOLDED AT BOTTOM
SEWN. WEIGHT 116 GRMS MIN.

INNER LINER BAG

0.1MM THICKNESS MIN, SIZE : 57x105CM
MIN, WEIGHT 98 GRMS MIN.
BOTH WPP AND PE BAGS ARE SEWN TOGETHER
AT MOUTH

////////   ////////////   ////////////

Very truly yours,

Accepted by

0081

Korea Trading International Inc.

S. Y. KIM/DIRECTOR

원 가 계 산 [NYLON (P.P.) BAG]

물계명 : 배산포대스틱

단위 : U$

| 비 고 | F.O.B. | F | | | M | 합 계 |
		C B M	단 가	송 료	(FOB X 1.5%)	
사 전 원 가	0.3626 X 3,400,000 = 1,232,840. -	20' X 54.4 CONT'S	2000/20'	108,800. -	18,360. -	1,360,000. -

0082

BAIK SAN PLASTICS CO

OFFER

44-13, YOIDO-DONG
YEUNG DEUNG PO-GU,
SEOUL KOREA

TELEX : K22365
PHONE : (02) 780 - 4271/2
TELEFAX : (02) 785 - 3770

BAIK SAN PLASTIC CO., LTD, as Seller, hereby confirms having sold you (your company), following goods on the date and on the terms and conditions hereinafter set forth;

MESSRS:	DATE: JUL. 12, 1991	NO: JL/B/12

COMMODITY DESCRIPTION	BUYER'S REFERENCE NO:	

	QUANTITY	UNIT PRICE	AMOUNT
OUTER BAG		CNF AQABA	
WOVEN POLYPROPOLENE, OPEN MOUTH, WHITE NATURAL COLOR, TUBULAR, 55X97CM MIN., 1000 D, DIN 12X12/SQ.INCH MIN, TOP HEAT CUT DOUBLE FOLDED AT BOTTOM SEWN. WEIGHT 116 GRMS MIN.	3,400,000PCS	@$0.3946	U$1,341,640.
		(F.O.B. BUSAN)	
INNER LINER BAG		@$0.3626	U$1,232,840.
0.1 MM THICKNESS MIN, SIZE: 57X105CM MIN, WEIGHT 98 GRMS MIN. BOTH WPP AND PE BAGS ARE SEWN TOGETHER AT MOUTH			
TOTAL			

SHIPMENT	Port of Discharging: AQABA, JORDAN
Time of Shipment:	Transhipment: permitted/not permitted XXXXXX
TILL SEP. 15 : 1,020,000 PCS	Partial shipment: permitted/not permitted XXXXXXX
TILL OCT. 15 : 1,000,000 PCS	
TILL NOV. 15 : 1,380,000 PCS	PAYMENT:
TOTAL : 3,400,000 PCS	BY SIGHT DRAFT

PORT OF LOADING BUSAN, KOREA	INSPECTION: MILL'S FINAL
PACKING: 500 PCS IN ONE BALE WRAPPED WITH P.P. WOVEN CLOTH	INSURANCE: X X X X X

OTHER TERMS AND CONDITIONS:

VALIDITY : TILL AUG. 12

Refer to General Terms and Conditions on the reverse side hereof which are incorporated herein and make a part of this

Accept by
(Buyer)

(Signature)

(Name & Title)

Date _____ . 19

0083

BAIK SAN PLASTICS CO.

(Seller)

(Signature)

(Name & Title) Y. K. OH / PRESIDENT

Date 12 . 7 . 1991

서울特別市永登浦區汝矣島洞44-13

白山프라스틱

代 表 吳 庸

DAE HAN INDUSTRIAL CO., LTD.

HEAD OFFICE : TFL, BOOKOOK SECURITIES BLDG,
34-2, YOIDO-DONG, YOUNGDEUNGPO-KU,
SEOUL, KOREA
TEL : (02)780-3271(대표)
FAX : (02)780-3273
TLX : MOCNDM K23231 T101-51

OFFER SHEET

Messrs :

Date : ....

Gentlemen :

Our Ref : ....

Believing to have your esteemed order, we offer you the following :

DESCRIPTION	QUANTITY	UNIT PRICE	AMOUNT
BAG OF 50 KG NET. WOVEN POLYPROPYLENE WITH POLYETHYLENE INNER LINER	1,620,000PCS	@$0.375/PC	U$607,500.-
		F. O. B BUSAN	
POLYPROPYLENE WOVEN BAG SIZE: 55 x 97CM, DENIER 1,000 MIN., MESH 12 x 12/SQ.INCH MIN., COLOR NATURAL WHITE			
POLYETHYLENE INNER BAG SIZE : 57 x 105CM, THICKNESS 100 MICRONS MIN. WEIGHT 98 GRMS MIN.			
TOP SIDE: THE (PP) BAG TO BE HEAT CUT MOUTHAND OVERLOCKED WITH (PE) INNER BAG AND SEWN.			
BOTTOM SIDE: THE (PP) BAG IS DOUBLE FOLDED, AND SEWN TOGETHER.			
TOTAL			

SHIPMENT : TILL NOV 1991

VALIDITY : TILL JUL 30, 1991

DESTINATION :

ORIGIN :

INSURANCE : xxxx

PACKING : 500 PCS ONE BALE

PAYMENT :

REMARKS :

ACCEPTED :

Yours very truly,

DAE HAN INDUSTRIAL CO., LTD.
大韓産業株式會社
仁川直轄市 南區 龍現洞 六貳七
代表理事 金 濱 —
PRESIDENT

BY :　　　　ON :

0084

E. & O. E.

타자지 (21×30) 87. 7. 20승인 제12호.

대한산업주식회사

Exporter & Manufacturers

Messrs.

Our Ref.

Seoul ....

OFFER SHEET

We are pleased to offer the under-mentioned article(s) as per conditions and details
described as follows:

Item No.	Commodity & Description	Unit	Quantity	Unit price	Amount
	BAG OF 50 KG NET. WOVEN POLYPROPYLENE WITH POLYETHYLENE INNER LINER POLYPROPYLENE WOVEN BAG SIZE: 55 x 97CM, DENIER 1,000 MIN., MESH 12 x 12/SQ.INCH MIN., COLOR NATURAL WHITE POLYETHYLENE INNER BAG SIZE: 57 x 105CM, THICKNESS 100 MICRONS MIN. WEIGHT 98GRMS MIN. TOP SIDE: THE (PP) BAG TO BE HEAT CUT MOUTH AND OVERLOCKED WITH (PE) INNER BAG AND SEWN. BOTTOM SIDE: THE (PP) BAG IS DOUBLE FOLDED, AND SEWN TOGETHER.		820,000 PCS	@$0.375/PC F. O. B.	U$307,500. BUSAN

Origin   : R. O. K.
Packing   : 500 PCS INONE BALE, WRAPPED WITH P.P. WOVEN CLOTH
Shipment   : TILL NOV. 1991
Shipping port :
Inspection   :
Destination :
Payment   :
Validity   : JUL. 30, 1991
Remark   :

Looking forward to your valued order for the above offer, we are,

yours faithfully,

星 都 産 業 社

경북금릉군지례면도곡리농공지구4B

代 表 都 國 煥

.0085

A-JIN CORPORATION

CABLE ADD.: "AZOBISCO" SEOUL
TELEX: "AJINCO" K28561

MANUFACTURER
EXPORTER & IMPORTER
C.P.O. BOX NO. 3103
SEOUL, KOREA

SEOUL OFFICE:
236-162, SUNG SOO-DONG
SUNG DONG-KU, SEOUL, KOREA
TEL: (02) 464-4191-5
FAX: (02) 468-2155

OFFER SHEET

To Messers : ....

Date 19 ....
Our Ref, No. ....
Your Ref, No. ....
Mci Reg, No. ....

Dear Sirs :

We have the pleasure to offer/quote you the undermentioned goods, subject to our final confirmation, in accordance with the terms and conditions given hereunder.

Thanking you for your patronage, we are.

Packing : 500 PCS INONE BALE, WRAPPED WITH P.P. WOVEN CLOTH

Shipment : TILL NOV. 1991

Payment :

This offer is valid until

Item No.	Commodity & Description	Quantity	Price	
			Unit Price	Total
	BAG OF 50 KG NET. WOVEN POLYPROPYLENE WITH POLYETHYLENE INNER LINER	960,000PCS	@$0.375/PC F. O. B BUSAN	U$360,000.-
	POLYPROPYLENE WOVEN BAG SIZE: 55 x 97CM, DENIER 1,000 MIN., MESH 12 x 12/SQ. INCH MIN., COLOR NATURAL WHITE			
	POLYETHYLENE INNER BAG SIZE : 57 x 105CM, THICKNESS 100 MICRONS MIN., WEIGHT 98 GRMS MIN.			
	TOP SIDE : THE (PP) BAG TO BE HEAT CUT MOUTH AND OVERLOCKED WITH (PE) INNER BAG AND SEWN.			
	BOTTOM SIDE: THE (PP) BAG IS DOUBLE FOLDED, AND SEWN TOGETHER			

京畿道 安山市 元時洞776-4
株式會社 亞 進
代表理事 趙 昌

E. & O. E.

0086

Messrs.

Our Ref.

Seoul ....

OFFER SHEET

We are pleased to offer the under-mentioning article(s) as per conditions and details described as follows:

Item No.	Commodity & Description	Unit	Quantity	Unit price	Amount
	BAG OF 50 KG NET. WOVEN POLYPROPYLENE WITH POLYETHYLENE INNER LINER POLYPROPYLENE WOVEN BAG SIZE: 55 x 97CM , DENIER 1,000 MIN. MESH 12 x 12/SQ.INCH MIN., COLOR NATURAL WHITE POLYETHYLENE INNER BAG SIZE: 57 x 105CM, THICKNESS 100 MICRONS MIN. WEIGHT 98 GRMS MIN. TOP SIDE : THE (PP) BAG TO BE HEAT CUT MOUTH AND OVERLOCKED WITH (PE) INNER BAG AND SEWN. BOTTOM SIDE : THE (PP) BAG IS DOUBLE FOLED, AND SEWN TOGETHER	2,000,000 PCS	@$0.39/PC F. O. B BUSAN	U$780,000.-

Origin : R. O. K.

Packing : 500 PCS INONE BALE, WRAPPED WITH P.P. WOVEN COLTH

Shipment : TILL NOV. 1991

Shipping port :

Inspection :

Destination :

Payment :

Validity :

Remarks :

Looking forward to your valued order for the above offer, we are,

yours faithfully,

경기도 강화군 강화읍 관청리 512

東 原 實 業

JORDAN P.P. BAG 공급 검토 의견

1991. 8. 1.

1. 검토 경위

1990년도 50KGS 일반 비료용 P.P. BAG 수출실적을 생활용품 수출조합을 통하여
입수 후 동 품목에 관한 제반 국내 공급 상황을 고려하여 생산시설이 양호하고
수출경험도 풍부한 회사를 중심으로 검토 하였음.

2. P.P. BAG 국내 공급 상황

가. 국내 P.P. BAG 산업은 사양화 추세이며, 국제 경쟁력도 점점 떨어지고 있어
   많은 업체가 특수용도의 P.P. CONTAINER BAG (1TON 용) 및 WOOL PACK 으로
   시설 전환을 완료하였으며, 내수를 제외한 수출용 P.P. BAG 생산은 수지
   악화로 인해 급감하고 있음.

나. 따라서, 영세업체의 대부분은 소수 업체들의 분업체제를 갖추고 동 품목을
   생산하고 있어 품질관리등에 문제점을 안고 있으며, 전 공정의 생산체제를
   갖춘 생산업체는 한정되어 있음.

다. 더구나, 고용인력의 이탈로 가동율은 60% 정도이며, 8월말부터 11월까지는
   양곡 수확에 대비한 내수 수요철로 모든 생산업체가 수출에 비해 채산성이
   높은 내수를 선호하므로 조속한 제품 선적에도 문제점이 있음.

라. 이런 이유로 일부 상사에서는 공급능력 및 가격문제로 중국 등 제 3국에서
   제품을 수입하여 재 수출하는 경우도 많으나 품질 관리에 문제가 있는 것
   으로 검토 되었음.

3. 50KG 일반 비료용 P.P. BAG 수출 실적 (1990년)

수출업체명	수출금액	비고
고려무역	U$ 7,200,000.-	전량 백산 프라스틱 대행분
삼성물산	U$ 11,000,000.-	U$ 7,000,000 은 중국산 수입하여 재수출
현대상사	U$ 950,000.-	
주 화	U$ 5,800,000.-	전량 1TON 특수용도 BAG

0088

4. 검토 내용

가. 생활용품 수출조합을 통해 파악한 50KGS 일반 비료용 P.P. BAG 수출실적은
   위와 같으나, 그중에서 주화의 U$ 5,800,000.- 은 전량 1TON 들이 특수
   용도의 P.P. BAG 으로 50KGS 일반 비료용 P.P. BAG 은 생산 및 수출경험이
   없으며, 삼성물산 및 현대상사의 경우는 하청생산에 의해 수출 하였고
   더구나 삼성물산은 중국에서 생산된 제품을 수입후 재수출한 실적이 전체의
   70% 정도나 되는 것으로 검토 되었음.

나. 따라서, 당사 대행으로 1990년 U$ 7,200,000.- 상당의 동 제품을 수출한
   경험이 있는 백산프라스틱과 비교적 생산시설이 양호한 대한산업, 성도산업사
   아진 및 동원실업을 접촉하여 11월말까지 공급조건으로 동 품목의 견적을
   접수함.

다. 주 요르단 공관의 요청에 의거하여 보험료를 제외한, CNF 가격을 산출 하였으며
   제시된 단가인 CNF U$ 0.40 에 맞추기 위하여 당사 MARGIN 율을 1.5% 로 하향
   조정 하였음.

라. 접촉 업체별 가격 및 생산가능 물량

번호	회 사 명	I T E M	FOB KOREA	CNF AQABA	공 급 능 력 (NOV 30, 1991)
1	백산프라스틱	P.P BAG WITH P.E INNER BAG	@$ 0.3626	@$ 0.40	3,400,000PCS (NOV 15, 1991)
2	대 한 산 업	"	@$ 0.375	@$ 0.4124	1,620,000PCS
3	성도산업사	"	@$ 0.375	@$ 0.4124	820,000PCS
4	아 진	"	@$ 0.375	@$ 0.4124	960,000PCS
5	동 원 실 업	"	@$ 0.39	@$ 0.4274	2,000,000PCS

5. 검토 의견

가. 별첨 5개업체의 OFFER 중 백산프라스틱의 가격이 가장 저렴하며, DELIVERY
   도 가장 빠른것으로 검토 되었으며, 백산프라스틱은 당사 거래업체로서
   과거 3년여의 거래경험에 비추어 동 사업을 무난히 추진할 수 있을것으로
   파악 되었음.

0089

나. 품질관리 측면에서도 1개 업체에서 전량 생산하는 것이 효과적이라고 사료되며, JORDAN 까지의 선박 SERVICE 가 좋지 않고 JORDAN 정부의 수요시기가 급박한 점을 고려하여 2-3 차례에 걸친 분할 선적도 검토 되어야 할 것임.

첨 부 : 업체 OFFER 사본 각 1부.   끝.

(주) 고 려 무 역 해 외 사 업 팀

0090

BAIK SAN PLASTICS ⊏

OFFER

14-13, YOIDO-DONG
YEUNG DEUNG PO-GU,
SEOUL KOREA

TELEX : K22365
PHONE : (02) 760-4271/2
TELEFAX : (02) 785-3770

BAIK SAN PLASTIC CO., LTD, as Seller, hereby confirms having sold you (your company), following goods on the date and on the terms and conditions hereinafter set forth:

MESSRS:		DATE: JUL. 12, 1991	NO: JL/B/12
COMMODITY DESCRIPTION		BUYER'S REFERENCE NO:	

COMMODITY DESCRIPTION	QUANTITY	UNIT PRICE	AMOUNT
OUTER BAG -------- WOVEN POLYPROPOLENE, OPEN MOUTH, WHITE NATURAL COLOR, TUBULAR, 55X97CM MIN., 1000 D, DIN 12X12/SQ.INCH MIN, TOP HEAT CUT DOUBLE FOLDED AT BOTTOM SEWN. WEIGHT 116 GRMS MIN. **INNER LINER BAG** ---------------- 0.1 MM THICKNESS MIN, SIZE: 57X105CM MIN, WEIGHT 98 GRMS MIN. BOTH WPP AND PE BAGS ARE SEWN TOGETHER AT MOUTH	3,400,000PCS	CNF AQABA @$0.3946 (F.O.B. BUSAN) @$0.3626	U$1,341,640. U$1,232,840.
TOTAL			

SHIPMENT	Port of Discharging: AQABA, JORDAN
Time of Shipment: TILL SEP. 15 : 1,020,000 PCS TILL OCT. 15 : 1,000,000 PCS TILL NOV. 15 : 1,380,000 PCS TOTAL : 3,400,000 PCS	Transhipment:permitted/not permitted XXXXX Partial shipment:permitted/not permitted XXXXXXX PAYMENT: BY SIGHT DRAFT
PORT OF LOADING BUSAN, KOREA	INSPECTION: MILL'S FINAL
PACKING: 500 PCS IN ONE BALE WRAPPED WITH P.P. WOVEN CLOTH	INSURANCE: X X X X X

OTHER TERMS AND CONDITIONS:

VALIDITY : TILL AUG. 12

Refer to General Terms and Conditions on the reverse side hereof which are incorporated herein and make a part of this

Accept by
(Buyer)

(Signature)

(Name & Title)

Date . 19

BAIK SAN PLASTICS CO.
(Seller)

(Signature)
(Name & Title) Y. K. OH / PRESIDENT

Date 12 . 7 . 1991

서울特別市 永登浦區 汝矣島洞 44-13

白山프라스틱
代表 吳 廈

0091

걸프사태 : 주변국 지원, 1990-92. 전12권 (V.7 요르단 II: 1991.4-12월) 247

DAE HAN INDUSTRIAL CO., LTD.

HEAD OFFICE : TFL. BOOKOOK SECURITIES BLDG,
34-2., YOIDO-DONG, YOUNGDEUNGPO-KU
SEOUL, KOREA
TEL : (02) 780-3271(대표)
FAX : (02) 780-3273
TLX : MOCNDM K23231 T101-51

OFFER SHEET

Messrs :

Date : ....

Gentlemen :

Our Ref : ....

Believing to have your esteemed order, we offer you the following :

DESCRIPTION	QUANTITY	UNIT PRICE	AMOUNT
BAG OF 50 KG NET. WOVEN POLYPROPYLENE WITH POLYETHYLENE INNER LINER POLYPROPYLENE WOVEN BAG SIZE: 55 x 97CM, DENIER 1,000 MIN., MESH 12 x 12/SQ.INCH MIN., COLOR NATURAL WHITE POLYETHYLENE INNER BAG SIZE : 57 x 105CM, THICKNESS 100 MICRONS MIN. WEIGHT 98 GRMS MIN. TOP SIDE: THE (PP) BAG TO BE HEAT CUT MOUTHAND OVERLOCKED WITH (PE) INNER BAG AND SEWN. BOTTOM SIDE: THE (PP) BAG IS DOUBLE FOLDED, AND SEWN TOGETHER.	1,620,000PCS	@$0.375/PC F. O. B BUSAN	U$607;500.-
TOTAL			

SHIPMENT : TILL NOV 1991

VALIDITY : TILL JUL 30, 1991

DESTINATION :

ORIGIN :

INSURANCE : xxxx

PACKING : 500 PCS ONE BALE

PAYMENT :

REMARKS :

ACCEPTED :

Yours very truly,

DAE HAN INDUSTRIAL CO., LTD.
大韓産業株式會社
仁川直轄市 南區 農現洞 六五七番地
代表理事 金 濤
PRESIDENT

BY :   ON :

0092

타자기(21×30)87.7.20승인 제12호

대한산업주식회사

Messrs.   Our Ref.

OFFER SHEET

Seoul ....

We are pleased to offer the under-mentioned article(s) as per conditions and details described as follows:

Item No.	Commodity & Description	Unit	Quantity	Unit price	Amount
	BAG OF 50 KG NET. WOVEN POLYPROPYLENE WITH POLYETHYLENE INNER LINER POLYPROPYLENE WOVEN BAG SIZE: 55 x 97CM, DENIER 1,000 MIN., MESH 12 x 12/SQ.INCH MIN., COLOR NATURAL WHITE POLYETHYLENE INNER BAG SIZE: 57 x 105CM, THICKNESS 100 MICRONS MIN. WEIGHT 98GRMS MIN. TOP SIDE: THE (PP) BAG TO BE HEAT CUT MOUTH AND OVERLOCKED WITH (PE) INNER BAG AND SEWN. BOTTOM SIDE: THE (PP) BAG IS DOUBLE FOLDED, AND SEWN TOGETHER.		820,000 PCS	@$0.375/PC F. O. B.	U$307,500 BUSAN

Origin   : R. O. K.
Packing   : 500 PCS INONE BALE, WRAPPED WITH P.P. WOVEN CLOTH
Shipment   : TILL NOV. 1991
Shipping port :
Inspection :
Destinaton :
Payment   :
Validity   : JUL. 30, 1991
Remark   :

Looking forward to your valued order for the above offer, we are,

yours faithfully,

星 都 産 業 社

代 表 都 國 換

0093

A-JIN CORPORATION

CABLE ADD.:"AZOBISCO"SEOUL
TELEX:"AJINCO" K28561

MANUFACTURER
EXPORTER & IMPORTER
C.P.O. BOX NO. 3103
SEOUL, KOREA

SEOUL OFFICE:
236-162,SUNG SOO-DONG
SUNG DONG-KU,SEOUL, KOREA
TEL:(02)464-4191-5
FAX:(02)468-2155

OFFER SHEET

To Messers : ....

Date 19 ....
Our Ref. No. ....
Your Ref. No. ....
Mci Reg. No. ....

Dear Sirs :

We have the pleasure to offer/quote you the undermentioned goods, subject to our final confirmation, in accordance with the terms and conditions given hereunder.

Thanking you for your patronage, we are.

Packing : 500 PCS INONE BALE, WRAPPED WITH P.P. WOVEN CLOTH

Shipment : TILL NOV. 1991

Payment : ....

This offer is valid until ....

Item No.	Commodity & Description	Quantity	Price	
			Unit Price	Total
	BAG OF 50 KG NET. WOVEN POLYPROPYLENE WITH POLYETHYLENE INNER LINER	960,000PCS	@$0.375/PC	U$360,000.
			F. O. B BUSAN	
	POLYPROPYLENE WOVEN BAG SIZE: 55 x 97CM, DENIER 1,000 MIN., MESH 12 x 12/SQ.INCH MIN., COLOR NATURAL WHITE			
	POLYETHYLENE INNER BAG SIZE : 57 x 105CM, THICKNESS 100 MICRONS MIN., WEIGHT 98 GRMS MIN.			
	TOP SIDE : THE (PP) BAG TO BE HEAT CUT MOUTH AND OVERLOCKED WITH (PE) INNER BAG AND SEWN.			
	BOTTOM SIDE: THE (PP) BAG IS DOUBLE FOLDED, AND SEWN TOGETHER			

京畿道 安山市 元時洞776-4
株式會社 亞 進
代表理事 趙 昌 煥

E. & O. E.

0094

Messrs.

Our Ref.

Seoul ....

OFFER SHEET

We are pleased to offer the under-mentioning article(s) as per conditions and details described as follows:

Item No.	Commodity & Description	Unit	Quantity	Unit price	Amount
	BAG OF 50 KG NET. WOVEN POLYPROPYLENE WITH POLYETHYLENE INNER LINER		2,000,000 PCS	@$0.39/PC F.O.B BUSAN	U$780,000.
	POLYPROPYLENE WOVEN BAG SIZE: 55 x 97CM , DENIER 1,000 MIN. MESH 12 x 12/SQ.INCH MIN., COLOR NATURAL WHITE				
	POLYETHYLENE INNER BAG SIZE: 57 x 105CM, THICKNESS 100 MICRONS MIN. WEIGHT 98 GRMS MIN.				
	TOP SIDE : THE (PP) BAG TO BE HEAT CUT MOUTH AND OVERLOCKED WITH (PE) INNER BAG AND SEWN.				
	BOTTOM SIDE : THE (PP) BAG IS DOUBLE FOLED, AND SEWN TOGETHER				

Origin   : R. O. K.
Packing   : 500 PCS INONE BALE, WRAPPED WITH P.P. WOVEN COLTH
Shipment   : TILL NOV. 1991
Shipping port :
Inspection   :
Destination   :
Payment   :
Validity   :
Remarks   :

Looking forward to your valued order for the above offer, we are,

yours faithfully,

東 原 實 業

0095

輸 出 契 約 書

"甲"　外　　　　務　　　　部
　　　중동 2 課長　鄭　鎭　鎬

"乙"　株式會社　高　麗　貿　易
　　　代表理事　副社長　高　一　男

上記 "甲" "乙" 兩者間에 다음과 같이 輸出契約을 締結한다.

第 1 條 ：　輸出物品의 表示
　　　　　　別　　　添

第 2 條 ：　"甲"은 上記 第1條의 物品貸金을 船積書類 受取後 "乙"에게 支給한다.

第 3 條 ：　"乙"은 上記 第1條의 物品을 1991 . 11 . 15 . 까지 KOREAN PORT 港
　　　　　　(또는 空港)에서　AQABA　行 船舶(또는 航空機)에 船積하여야
　　　　　　한다.　但, 불가피한 事由로 船積이 遲延될 境遇에는 1990. 12. 21.
　　　　　　外務部長官과 "乙"間에 締結된 輸出代行業體 指定 契約書 第4條 規定에
　　　　　　依하여 "乙"은 "甲"에게 船積 遲延事由書를 提出하고 "甲"은 同 遲滯
　　　　　　償金 免除 與否를 決定한다.

第 4 條 ：　"乙"은 船積完了後 7日 以內에 "甲"이 船積物品 通關에 必要한 諸般
　　　　　　船積書類를 "甲" 또는 "甲"의 代理人에게 提出 또는 現地公館에 送付
　　　　　　하여야 한다.

- 1 -

0096

第 5 條 : 上記 船積物品의 品質保證 期間은 船積後 1 年間으로 하며, 이 期間中

正常的인 使用에도 不拘하고 製造不良이나 材質 또는 조립상의 하자가

發生할 境遇 "乙" 의 責任下에 解決한다.

本 契約에 明示되지 않은 事由에 對하여는 걸프만 事態 供與品 輸出 代行 契約書
에 따른다.

1991 年 8 月 2 日

"甲" 外   務   部   "乙" 株 式 會 社 高 麗 貿 易

서울特別市 江南區 三成洞 15

중동 2 課長 鄭 鎭 鎬   代表理事 副社長 高 一 男

0097

DESCRIPTION	Q'TY	UNIT PRICE	AMOUNT
OUTER BAG			
WOVEN POLYPROPOLENE, OPEN MOUTH, WHITE NATURAL COLOR, TUBULAR, 55x97CM MIN., 1000 D, DIN 12x12/SQ INCH MIN, TOP HEAT CUT DOUBLE FOLDED AT BOTTOM SEWN. WEIGHT 116 GRMS MIN.	3,400,000PCS	@$ 0.40	U$ 1,360,000.-
INNER LINER BAG			
0.1MM THICKNESS MIN, SIZE : 57x105CM MIN, 98GRMS MIN. BOTH WPP AND PE BAGS ARE SEWN TOGETHER AT MOUTH			
TOTAL :			U$ 1,360,000.-

0098

誓 約 書

受 信 : 外務部長官

題 目 : 걸프만 事態에 따른 供與用 物品供給

　　　　幣社는 貴部가 主管하는 表題 事業이 緊急支援 및 秘密維持를 要하는

國家的 事業임을 認識하고, 今般　JORDAN　國에 供與하는 OUTER BAG, INNER LINER BAG

物品을 供與契約 締結함에 있어 아래 事項을 遵守할 것을 誓約하는 바입니다.

1. 物品供給 契約時 品質 價格面에서 一般 輸出契約과 最小限 同等한 또는 보다

　　有利한 條件을 適用한다.

2. 締結된 契約은 보다 誠實하고 協助的인 姿勢로 履行한다.

3. 同 契約 內容은 業務上 目的 以外에는 公開하지 않는다.

　　　　　　　　　　　1991 年 8 月 2 日

會　社　名 : 株式會社　高麗貿易

代　表　者 : 代表理事　高　一　男

(署名 및 捺印)

0099

輸 出 契 約 書

"甲" 外　　　務　　　部
　　　중동 2 課長　鄭 鎭 鎬

"乙"　株式會社　高　麗　貿　易
　　　代表理事　副社長　高 一 男

上記 "甲" "乙" 兩者間에 다음과 같이 輸出契約을 締結한다.

第 1 條 ： 輸出物品의 表示
　　　　　　別　　　添

第 2 條 ： "甲"은 上記 第1條의 物品貸金을 船積書類 受取後 "乙"에게 支給한다.

第 3 條 ： "乙"은 上記 第1條의 物品을 1991 . 11 . 15 . 까지 KOREAN PORT　港
　　　　　（또는 空港）에서　　　AQABA　　　行 船舶（또는 航空機）에 船積하여야
　　　　　한다.　但, 불가피한 事由로 船積이 遲延될 境遇에는 1990. 12.　21.
　　　　　外務部長官과 "乙"間에 締結된 輸出代行業體 指定 契約書 第4條 規定에
　　　　　依하여 "乙"은 "甲"에게 船積 遲延事由書를 提出하고 "甲"은 同 遲滯
　　　　　償金 免除 與否를 決定한다.

第 4 條 ： "乙"은 船積完了後 7日 以內에 "甲"이 船積物品 通關에 必要한 諸般
　　　　　船積書類를 "甲" 또는 "甲"의 代理人에게 提出 또는 現地公館에 送付
　　　　　하여야 한다.

- 1 -

第 5 條　:　上記　船積物品의　品質保證　期間은　船積後　1 年間으로　하며, 이　期間中
　　　　　　　正常的인　使用에도　不拘하고　製造不良이나　材質　또는　조립상의　하자가
　　　　　　　發生할　境遇　"乙"의　責任下에　解決한다.

本　契約에　明示되지　않은　事由에　對하여는　걸프만　事態　供與品　輸出　代行　契約書
에　따른다.

　　　　　　　　　　　　　　　　　　　　　　　　　　　　1991　年　8 月　2 日

"甲"　外　　　務　　　部　　　　　　"乙"　株 式 會 社 高 麗 貿 易
　　　　　　　　　　　　　　　　　　　　서울特別市　江南區　三成洞
　　중동 2 課長　鄭　鎭　鎬　　　　　代表理事　副社長　高　一

DESCRIPTION	Q'TY	UNIT PRICE	AMOUNT
OUTER BAG			
WOVEN POLYPROPYLENE, OPEN MOUTH, WHITE NATURAL COLOR, TUBULAR, 55x97CM MIN., 1000 D, DIN 12x12/SQ INCH MIN, TOP HEAT CUT DOUBLE FOLDED AT BOTTOM SEWN. WEIGHT 116 GRMS MIN.	3,400,000PCS	@$ 0.40	U$ 1,360,000.-
INNER LINER BAG			
0.1MM THICKNESS MIN, SIZE : 57x105CM MIN, 98GRMS MIN. BOTH WPP AND PE BAGS ARE SEWN TOGETHER AT MOUTH			
TOTAL :			U$ 1,360,000.-

0102

（別　添　- 1）

1991년 8월 2일자 기 계약된 내용을 아래와 같이 변경함.　　　✓

DESCRIPTION	Q'TY	UNIT PRICE	AMOUNT
OUTER BAG			
WOVEN POLYPROPYLENE, OPEN MOUTH, WHITE NATURAL COLOR, TUBULAR, 55x97CM MIN., 1000 D, DIN 12x12/SQ INCH MIN, TOP HEAT CUT DOUBLE FOLDED AT BOTTOM SEWN. WEIGHT 116 GRMS MIN.	2,843,750PCS	@$ 0.40	U$ 1,137,500.- (DELIVERY : DEC. 31, 1991)
INNER LINER BAG			
0.1MM THICKNESS MIN, SIZE : 57x105CM MIN, 98GRMS MIN. BOTH WPP AND PE BAGS ARE SEWN TOGETHER AT MOUTH			
OUTER BAG			
WOVEN POLYPROPYLENE, OPEN MOUTH, WHITE NATURAL COLOR, TUBULAR, 55x95CM, 1200 DENIER, 12x12/SQ INCH, TOP HEAT CUT DOUBLE FOLDED AT BUTTOM SEWN.　U.V STABILIZED	500,000PCS	@$ 0.445	U$ 222,500.- (DELIVERY : NOV. 30, 1991)
INNER LINER BAG			
0.12MM THICKNESS SIZE : 57x102CM BOTH WPP AND PE BAGS ARE SEWN TOGETHER AT MOUTH.			
TOTAL :	3,343,750PCS		U$ 1,360,000.-

1991. 11. 20

"甲" 外　　務　　部　　　　　"乙" 株式會社 高麗貿易

　　　　　　　　　　　　　　　서울特別市 江南區 三成洞 159

중동 2 課長 鄭 鎭 鎬　　　　代表理事 副社長 高 一

0103

관리
번호 91/817

외 무 부

종 별 :

번 호 : JOW-0597

일 시 : 91 0827 1130

수 신 : 장 관(중동이,기정)

발 신 : 주 요르단 대사

제 목 : 걸프사태 관련지원

대:WJO-0401, 중동이 20005-9757(91.3.18)

1. 8.27 주재국 기획성은 대호 제반 차량및 부품 지원외에 다음과 같이 공한으로 추가 요청하여 왔음

-픽업트럭(K 2400 D/C 및 동부품) 2 대(50 대 기도착)

-엠블런스(BESTA 및 동부품) 2 대(3 대 기도착)

-짚(ROCK STAR 및 동부품) 25 대

2. 기획성은 상기외 WATER TANK 5 대및 픽업트럭 5 대 추가 요청안을 각의에 상정중이므로 조만간 결정이 날것이라함

(대사대리 김균-국장)

예고:91.12.31 까지

중아국   2차보   안기부

PAGE 1

분류기호 문서번호	중동아 20005-181	협조문용지 ( )	결 재	심의관:		
				담 당	과 장	국 장
시행일자	1991. 8. 28.					(서명)
수 신	총무과장(외환계)	발 신	중동아프리카국장			
제 목	걸프사태 지원사업 경비지불					

걸프사태 관련 대요르단 지원물자인 비료포장백 340만개중

735천개 선적에 따른 경비를 아래와 같이 지불하여 주시기 바랍니다.

- 아   래 -

1. 지불액 : $294,000

2. 지불처 : (주) 고려무역

    O 지불은행 : 제주은행 서울지점

    O 구좌번호 : 963-THR 109-01-0

3. 산출근거 : 걸프사태 관련 대요르단 지원물자(91.8.2

            계약체결분)중 일부를 선적기일까지 선적함에

        따른 경비지불

4. 예산항목 : 정무활동, 해외경상이전, 걸프사태 주변피해국

        지원

/계속.../

첨 부 : 1. 재가공문 사본 1부.

2. 계약서 사본 1부.

3. (주)고려무역의 청구서 1부.

4. 선적서류 사본 각 1부.   끝.

0106

株 式 會 社 高 麗 貿 易

電 話 : (02) 737-0860
F A X : (02) 739-7011
TELEX : KOTII K34311

서울 特別市 江南區 三成洞 159番地
貿易會館 빌딩 11屆
TRADE CENTER P.O. BOX 23,24.

수 신 : 외무부 중동 2 과장
제 목 : 걸프만 사태 관련 선적 물품대금 송금 신청

폐사는 귀부와의 계약에 의거하여 아래와 같이 걸프만 사태 관련 지원물품을 기 선적하였
아오니 송금조치 하여 주시기 바랍니다.

- 아   래 -

1. 선적물품 내역

품 목	수 량	금 액	선적일	도 착 예정일	선 명	선적항	도 착 항
P.P. BAG (OUTER BAG & INNER LINER)	300,000PCS	U$ 120,000.-	8/14	9/30	SRBIJA V-02A11	BUSAN	AQABA
P.P. BAG (OUTER BAG & INNER LINER)	435,000PCS	U$ 174,000.-	8/20	10/5	GOWA V-9111	BUSAN	AQABA
합 계	735,000PCS	U$ 294,000.-					

2. 비 고

걸프만 사태관련 JORDAN 지원 계약분 ('91. 8. 2.) 중의 일부 선적분임.

3. 송 금 처 : 제주은행 서울지점

   구좌번호 : 963-THR 109-01-0

   애금주 : (주)고려무역.

1991年 8月 21日

鍾 路 貿 易 本 部 海 外 事 業 팀

0107

원 가 계 산 [NYLON (P.P.) BAG]

업체명 : 백산프라스틱

단위 : US$

비 고	F.O.B.	C B M	F 단 가	송 료	M (FOB X 1.5%)	합 계
사 전 원 가	0.3626 X 3,400,000 = 1,232,840.-	20' X 54.4 CONT'S	2000/20'	108,800.-	18,360.-	1,360,000.-

0108

분류기호 문서번호	중동이20005- 21()	기 안 용 지 (720-3869)		시 행 상 특별취급	
보존기간	영구.준영구 10. 5. 3. 1		장 관		
수 신 처 보존기간					
시행일자	1991. 9. 6.				

예

보조기관	국 장	전 결	협조기관		문서통제
	심의관				김덕 1991.9.07
	과 장				
기안책임자	김 철 호				발 송 인
경 유			발신명의		발송 1991 9 1 외무부
수 신	주 요르단 대사				
참 조					
제 목	선적서류 송부				

91.8.14자 및 8.20자 선적된 비료포장백 선적 서류를 별첨과

같이 송부합니다.

첨 부 : 선적서류 2부. 끝.

0109

JORDAN 국 희망 品目에 관한 검토 의견서

1991. 8. 30.

JORDAN 국에서 요청한 품목【K2400(W/SPARE PARTS) 2대, AMBULANCE(W/SPARE PARTS) 2대, ROCKSTAR(W/SPARE PARTS) 25대】의 DELIVERY 및 공급 사양에 관하여 검토한 결과, 아래와 같음.

- 아   래 -

1. DELIVERY

   K2400 DC : 3 MONTHS
   AMBULANCE : 3 MONTHS
   ROCKSTAR : 45 DAYS

2. 공급 사양

   K2400 DC : 기존 공급 사양
   AMBULANCE : 기존 공급 사양
   ROCKSTAR : DIESEL OR UNLEADED GASOLINE ENGINE.

3. 문의 사항

現地의 운행 규정이 승용차(ROCKSTAR 포함)는 LEADED GASOLINE 만을 사용해야 하는 것으로 알고 있는바, 국내에서 공급 가능한 DIESEL ENGINE 이나 UNLEADED GASOLINE ENGINE 을 장착한 ROCKSTAR가 현지에서 사용되는데 문제가 없는지 확인하여 주시기 바람.

(주) 고 려 무 역 해 외 사 업 팀

0110

COMMERCIAL INVOICE

① Shipper/Exporter	⑧ No. & date of invoice
KOREA TRADING INTERNATIONAL INC. KOTI 11TH FLOOR, TRADE TOWER, 159, SAMSUNG-DONG, KANGNAM-KU, SEOUL, KOREA TRADE CENTER P.O. BOX 23, 24	D2-91-20012-2 dated SEP. 09, 1991

⑨ No. & date of L/C
KOOBS-20013   dated   AUG. 02, 1991

② For account & risk of Messrs.	⑩ L/C issuing bank
MINISTRY OF PLANNING THE HASHEMITE KINGDOM OF JORDAN	X X X X X

③ Notify party	⑪ Remarks:

1. SAME AS ABOVE
 2. EMBASSY OF THE REPUBLIC OF KOREA
  P.O. BOX 3060 AMMAN, JORDAN
  (TEL : 660745, 660746)	

④ Port of loading	⑤ Final destination
BUSAN, KOREA	AQABA

⑥ Carrier	⑦ Sailing on or about
SUNNY OCEAN	SEP. 10, 1991

⑫ Marks and numbers of Package	⑬ Description of goods	⑭ Quantity/unit	⑮ Unit-Price	⑯ Amount
CD91-527F FERTILIZER-UNIT △ JPMC AQABA-JORDAN BALE NO. 1471-2190	C AND F AQABA BUYERS CONFIRMATIONS ORDER CD91-527F/3307 DATED 8.6.1991 OUTER BAG --------- WOVEN POLYPROPOLENE, OPEN MOUTH, WHITE NATURAL COLOR, TUBULAR, 55X97CM, MIN., 1000 D, DIN 12X12/SQ.INCH MIN., TOP HEAT CUT DOUBLE FOLDED AT BOTTOM SEWN. INNER LINER BAG --------------- 0.1 MM THICKNESS MIN., SIZE 57X105CM MIN. BOTH WPP AND PE BAGS ARE SEWN TOGETHER AT MOUTH. 360,000 BAGS //////////	 @$0.40/BAG //////////	 U$144,000.- //////////

KOREA TRADING INTERNATIONAL INC.

(signature)

IL-NAM KOH
⑱ Signed VICE PRESIDENT

⑰ Phone : 551-3114	
Fax : 551-3100	
Telex : KOTII K27434	
Cable : KOTII SEOUL	

0111

(210×297mm)

株 式 會 社 高 麗 貿 易

電 話 : (02) 737-0860

F A X : (02) 739-7011

TELEX : KOTII K34311

서울 特別市 江南區 三成洞 159番地

貿易會館 빌딩 11層

TRADE CENTER P.O. BOX 23,24.

수 신 : 외무부 중동 2 과장

제 목 : 걸프만 사태 관련 선적 물품대금 송금 신청

폐사는 귀부와의 계약에 의거하여 아래와 같이 걸프만 사태 관련 지원물품을 기 선적하였
아오니 송금조치 하여 주시기 바랍니다.

- 아   래 -

1. 선적물품 내역

품 목	수 량	금 액	선적일	도 착 예정일	선 명	선적항	도 착 항
P.P. BAG (OUTER BAG & INNER LINER)	360,000PCS	U$ 144,000.-	9/10	10/26	SUNNY OCEAN 02A13	BUSAN	AQABA

2. 비 고

걸프만 사태관련 JORDAN 지원 계약분 ('91. 8. 2.) 중의 일부 선적분임.

3. 송 금 처 : 제주은행 서울지점

구좌번호 : 963-THR 109-01-0

예 금 주 : (주) 고 려 무 역.

1 9 9 1 年 9 月 16 日

鍾 路 貿 易 本 部 海 外 事 業 팀

0112

원 가 계 산 : NYLON (P.P.) BAG

품명 : 폐산비닐대

단위 : US$

0113

비 목	F.O.B.	C B M	단 가	송 료	M (FOB X 1.5)	합 계
사 전 원 가	0.3626 X 3,400,000 = 1,232,840.-	29' X 54.4 CONT'S	2000/29'	108,800.-	18,360.-	1,360,000.-

분류기호 문서번호	중동이 20005- 202	협조문용지 ( )	결 재	담 당	과 장	국 장
시행일자	1991. 9 .17.				(서명)	
수 신	총무과장(외환계장)	발 신		중동2과장		
제 목	걸프사태 지원사업 경비지불 (요르단)					

연 : 중동이 20005 - 181

걸프사태 관련 대요르단 지원물자인 비닐포장백 340만개중

360천개 선적에 따른 경비를 아래와 같이 지불하여 주시기 바랍니다.

- 아   래 -

1. 지불액 : US$144,000

2. 지불처 : (주) 고려무역

   ○ 은행 : 제주은행 서울지점

   ○ 구좌번호 : 963-THR 109-01-0

3. 지출근거 : 걸프사태 관련 대요르단 지원물자(91.8.2

              계약체결)중 일부를 선적기일내 선적함에

              따른 경비지불

4. 예산항목 : 정무활동, 해외경상이전, 걸프사태 주변피해국

              지원 (요르단 물자지원 500만불 배정 예산중)

/계속.../

0114

첨 부 : 1. 재가공문 사본 1부.

2. 계약서 사본 1부.

3. 고려무역 청구서 1부.

4. 선적서류 사본 1부.　끝.

0115

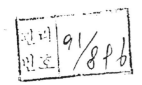

분류기호 문서번호	중동이 20005	기안용지 (720-3869)	시 행 상 특별취급	
보존기간	영구.준영구 10. 5. 3. 1	장 관		
수 신 처 보존기간				
시행일자	1991. 9. 17.			

보조기관	국 장	전 결	협조기관		문 서 통 제
	심의관				1991. 9. 17
	과 장				
기안책임자	김 은 석				발 송 인
경 유			발신명의		발송 1991. 9. 17 외무부
수 신	주 요르단 대사				
참 조					
제 목	선적서류 송부				

연 : 중동이 20005-2197

연호 요르단에 대한 비닐백 지원관련, 9.10 선적된 360천개에

대한 선적서류를 별첨과 같이 송부합니다.

첨   부 : 선적서류 2부.   끝.

0116

COMMERCIAL INVOICE

① Shipper/Exporter	⑧ No. & date of invoice
KOREA TRADING INTERNATIONAL INC. 11TH FLOOR, TRADE TOWER, 159, SAMSUNG-DONG, KANGNAM-KU, SEOUL, KOREA TRADE CENTER P.O. BOX 23, 24	02-91-20012-3 NOV. 25, 1991

② For account & risk of Messrs.	⑨ No. & date of L/C
MINISTRY OF PLANNING THE HASHEMITE KINGDOM OF JORDAN	K00BS-20013 AUG. 2, 1991
	⑩ L/C issuing bank

③ Notify party	⑪ Remarks:
1. SAME AS ABOVE 2. EMBASSY OF THE REPUBLIC OF KOREA P.O. BOX 3060 AMMAN, JORDAN (TEL. 660745, 660746)	

④ Port of loading	⑤ Final destination
BUSAN, KOREA	AQABA

⑥ Carrier	⑦ Sailing on or about
HAI GUANG	NOV. 25, 1991

⑫ Marks and numbers of Package	⑬ Description of goods	⑭ Quantity/unit	⑮ Unit-Price	⑯ Amount
		C AND F AQABA		
CD91-527F FERTILIZER-UNIT △ JPMC AQABA-JORDAN BALE NO. 1-100	BUYERS CONFIRMATION OF ORDER CD91-527F/3307 DATED 8.6.1991 **OUTER BAG** WOVEN POLYPROPYLENE, OPEN MOUTH WHITE NATURAL COLOR, TUBULAR, 55x95CM, 1200 DENIER, 12x12/SQ.INCH, TOP HEAT CUT DOUBLE FOLDED AT BOTTOM SEWN. U.V. STABILIZED **INNER LINER BAG** 0.12MM THICKNESS, SIZE : 57x102CM BOTH WPP AND PE BAGS ARE SEWN TOGETHER AT MOUTH.	50,000 BAGS	@$0.445/BAG	U$22,250.-
	////	////		////

KOREA TRADING INTERNATIONAL INC.

IL-HAM KOH
⑱ Signed by VICE PRESIDENT

① Phone : 551-3114
Fax : 551-3100
Telex : KOTII K27434
Cable : KOTII SEOUL

0117

(210×297㎜)

분류번호	보존기간

발 신 전 보

번　호 : WJO-0561　　910917 1337　FG종별 :

수　신 : 주 요르단　　대사.총영사,

발　신 : 장　관
　　　　　　(중동아)

제　목 : 걸프사태 무상원조

대 : JOW - 0597

1.　대호 요르단측이 요청한 품목관련, 상세사항을 아래 통보함.

　－ K2400 및 부품 : $10,464.30 (인도기간 3개월)

　－ Besta 앰블란스 및 부품 : $18,509.00 (인도기간 3개월)

　－ Rocsta 및 부품 : $12,572.80 (인도기간 45일)

2.　단, 상기 Rocsta는 디젤 및 무연(unleaded)휘발유용만으로 공급
가능한바 귀지에서의 사용에 문제가 없는지 (우리업체에 의하면 귀지에서는
유연 휘발유 승용차만 허용된다고 함)를 확인 보고바람.　끝.

(중동아국장 이 해 순)

		보 안 통 제	초

앙고재	91년 8월 13일	중동2과	기안자성명		과 장		국 장		차 관	장 관

외신과통제

0118

一般豫算檢討意見書

199 1. 10. 15.   중동 乙 課

事 業 名	걸프사태 관련 물자 지원		
支辨科目	細 項	目	金 額
	121	341	$349,088.40

檢 討 意 見	
主 務 者	정무활동, 해외경상이전 에서 집행
擔 當 官	〃
審 議 官	〃

0119

분류기호 문서번호	중동이20005-	기 안 용 지 (720-3869)		시 행 상 특별취급	
보존기간	영구.준영구 10. 5. 3. 1	차 관		장 관	
수 신 처 보존기간		전결			
시행일자	1991.10.14.				
보조 기관	국 장	협 조 기 관	기획관리실장 총 무 과 장 기획운영담당관	문 서 통 제	
	심의관				
	과 장				
기안책임자	김은석			발 송 인	
경 유		발신명의			
수 신	건 의				
참 조					
제 목	걸프사태 관련 물자지원 (요르단 - 4차)				

1. 우리정부는 걸프사태 피해국인 요르단에 대하여 500만불

상당의 물자를 지원키로 하고 지금까지 3차에 걸쳐 US$3,914,740. 90

상당의 물자를 지원하였으며 잔여 US$1,085,259. 10 중 요르단

정부에서 요청한 하기품목을 4차분으로 아래와 같이 지원코자 하니

재가하여 주시기 바랍니다.

- 아   래 -

가. 지원내역

품 목	수 량	단 가 (CIF)	금 액

/계속.../

0120

앰블란스(Besta)	2대	$17,472.	$ 34,944.
트럭(K2400)	2대	$ 9,523. 20	$ 19,046. 40
지프차(ROCSTA)	25대	$ 11,803. 92	$295,098.

총 계 : $349,088. 40

　나. 선적일정

　　o 전품목을 92.1.14까지 일괄 선적예정

　다. 지출근거

　　o 정무활동, 해외경상이전, 걸프 사태 주변피해국지원(요르단)

676/76

　2. 금번 4차분 집행이후 잔액($736,170. 70)은 물탱크 및

픽업트럭으로 지원코자 요르단 정부와 협의중에 있습니다.

첨부 : 1. (주) 고려무역 견적서 및 수출계약서

　　2. 관련전문　　　　끝.

0121

輸 出 契 約 書

"甲" 外　　　務　　　部
　　　중동 2 課長　鄭　鎭　鎬

"乙" 株式會社　高　麗　貿　易
　　　代表理事　副社長 高 一 男

上記 "甲" "乙" 兩者間에 다음과 같이 輸出契約을 締結한다.

第 1 條 ： 輸出物品의 表示
　　　　　別　　　添

第 2 條 ： "甲"은 上記 第1條의 物品貸金을 船積書類 受取後 "乙"에게 支給한다.

第 3 條 ： "乙"은 上記 第1條의 物品을 1992 . 1 . 14 . 까지 KOREAN PORT 港
　　　　　(또는 空港)에서　　AQABA　　行 船舶(또는 航空機)에 船積하여야
　　　　　한다.　但, 불가피한 事由로 船積이 遲延될 境遇에는 1990. 12. 21.
　　　　　外務部長官과 "乙"間에 締結된 輸出代行業體 指定 契約書 第4條 規定에
　　　　　依하여 "乙"은 "甲"에게 船積 遲延事由書를 提出하고 "甲"은 同 遲滯
　　　　　償金 免除 與否를 決定한다.

第 4 條 ： "乙"은 船積完了後 7日 以內에 "甲"이 船積物品 通關에 必要한 諸般
　　　　　船積書類를 "甲" 또는 "甲"의 代理人에게 提出 또는 現地公館에 送付
　　　　　하여야 한다.

- 1 -

0122

第 5 條 : 上記 船積物品의 品質保證 期間은 船積後 1 年間으로 하며, 이 期間中
正常的인 使用에도 不拘하고 製造不良이나 材質 또는 조립상의 하자가
發生할 境遇 "乙"의 責任下에 解決한다.

本 契約에 明示되지 않은 事由에 對하어는 걸프만 事態 供與品 輸出 代行 契約書
에 따른다.

1991 年 10 月 14 日

"甲" 外 務 部   "乙" 株式會社 高麗貿易

서울特別市 江南區 三成洞 1

중동 2 課長 鄭 鎭 鎬   代表理事 副社長 高 一 男

- 2 -

0123

DESCRIPTION	Q'TY	UNIT PRICE	AMOUNT
		C.I.F AQABA	
1. BESTA 4x4 AMBULANCE WITH AM/FM STEREO CASSETTE, HEATER, AIR-CONDITIONER, POWER STEERING AND STANDARD EQUIPMENT (WITH 10% S/PARTS)	2 UNITS	@$ 17,472.-	U$ 34,944.-
2. K2400 D/C WITH AM/FM STEREO CASSETTE HEATER AND STANDARD EQUIPMENT (WITH 10% S/PARTS)	2 UNITS	@$ 9,523.20	U$ 19,046.40
3. AM102 ROCSTA, 4x4, 2,200CC DIESEL E/G, LHD "DX" TYPE AIR-CON, COLOR GLASS AND HARD TOP (WITH 10% S/PARTS)	25UNITS	@$ 11,803.92	U$ 295,098.-
TOTAL :	29UNITS		U$ 349,088.40

- 3 -

0124

KOTI

KOREA TRADING INTERNATIONAL INC.

PHONE: (02) 551-3114
FAX : (02) 551-3100
TELEX: KOTII K27434
CABLE: KOTII SEOUL

11TH FLOOR, TRADE TOWER,
159, SAMSUNG-DONG, KANGNAM-KU,
SEOUL, KOREA
TRADE CENTER P.O. BOX 23, 24

DATE: OCT.11,1991
YOUR REF:
OUR REF: KOOBS-20015

OFFER SHEET

To: THE MINISTRY OF FOREIGN AFFAIRS IN R.O.K

Dear Sirs,

We have the pleasure in offering you as follows:

Delivery	: WITHIN 3MONTHS AFTER SIGNING CONTRACT	Packing	: STANDARD EXPORT PACKING
Origin	: R.O.K	Inspection	: SELLER'S TO BE FINAL
Port of Shipment	: KOREAN, PORT	Validity	: NOV.11, 1991
Destination	: AQABA	Remarks	:
Payment	: C.A.D		

Description	Quantity	Unit Price	Amount	Remarks
1. BESTA 4x4 AMBULANCE WITH AM/FM STEREO CASSETTE, HEATER, AIR-CONDITIONER, POWER STEERING AND STANDARD EQUIPMENT (WITH 10% S/PARTS)	2UNITS	@$17,472.-	U$34,944.-	
2. K2400 D/C WITH AM/FM STEREO CASSETTE HEATER AND STANDARD EQUIPMENT(WITH 10% S/PARTS)	2UNITS	@$9,523.20	U$19,046.40	
3. AM102 ROCSTA,4x4, 2,200CC DIESEL E/G, LHD "DX" TYPE AIR-CON, COLOR GLASS AND HARD TOP (WITH 10% S/PARTS)	25UNITS	@$11,803.92	U$295,098.-	

TOTAL :	29UNITS		U$349,088.40	(C.I.F AQABA)

//////// /////////// ///////////

Very truly yours,

Korea Trading International Inc.

S. Y. KIM/DIRECTOR

Accepted by

0125

원 가 계 산 서 (사전원가)

R E F : KOOBS-20015
단 위 : US DOLLAR

품명	업체명	F. O. B	C B M	F 단가	F 운송	기준가 (CIFx1.1)	I 율(%)	I 평균근	M (FOBx2%)	C I F
1.BESTA AMBULANCE	기아자동차	14,300 X 2 = 28,600	16.5x2 = 33	80	2,640	35,128.50	0.35	123	572	31,935
- S/PARTS	동서교역	1,430 X 2 = 2,860	1	80	80	3,309.90	0.35	11.80	57.20	3,009
2.K2400 D/C TRUCK	기아자동차	7,350 X 2 = 14,700	15x2 = 30	80	2,400	19,207.10	0.35	67	294	17,461
- S/PARTS	동서교역	735 X 2 = 1,470	1	80	80	1,743.94	0.35	6.-	29.40	1,585.40
3.ROCSTA	아시아자동차	9,640 X 25	11.5x25	80	2,300	296,844.90	0.35	1,039	4,820	269,859
- S/PARTS	동서교역	964 X 25 = 24,100	7	80	560	27,762.90	0.35	97	482	25,239
TOTAL		312,730			28,760			1,343.80	6,254.60	349,088.40

0126

Kia Motors Corporation
15 Yoido-dong, Youngdeungpo-ku,
Seoul, Korea
Tel. (02)784-1501
Fax. (02)784-0746
Telex K27327 KIACO

MCT Reg. NO

<u>OFFER SHEET</u>

To

KOREA TRADING INTERNATION INC.
SEOUL, KOREA

Our Ref.: 3L011K091018

Date : OCT. 11, 1991

Gentlemen:

We have the pleasure to submit you our offer as follows on the terms and conditions set forth as hereunder

Description	Quantity	Unit Price	Amount
KIA VEHICLES		FOB KOREAN PORT IN US$	
BESTA 4X4 AMBULANCE WITH AM/FM STEREO CASSETTE, HEATER, AIR-CONDITIONER, POWER STEERING AND STANDARD EQUIPMENT	2 UNITS	@USD14,300	USD28,600
K2400 D/C WITH AM/FM STEREO CASSETTE, HEATER AND STANDARD EQUIPMENT	2 UNITS	@USD7,350	USD14,700
TOTAL	4 UNITS		USD43,300

Origin   REPUBLIC OF KOREA
Shipment   WITHIN TWO(2) MONTHS AFTER RECEIPT OF YOUR CASH OR LOCAL L/C
Destination   ANY KOREAN PORT
Packing   EXPORT STANDARD PACKING(BARE)
Payment   BY CASH

Validity   DEC. 10, 1991
Remarks   - OTHER TERMS AND CONDITIONS NOT STIPULATED HEREIN SHALL BE DISCUSSED LATER ON AND SUBJECT TO OUR FINAL WRITTEN CONFIRMATION.
                - MANUFACTURER'S INSPECTION BEFORE SHIPMENT TO BE FINAL, IF ADDITIONAL INSPECTION IS REQUIRED SUCH CHARGE SHALL BE BORNE BY BUYER.
                - THE OFFERED VEHICLES ARE BASED ON OUR STANDARD SPECIFICATIONS AND FEATURES.

Very truly yours,

Accepted by:

Kia Motors Corporation

0127

Asia Motors Co., Inc.

15 YOIDO-DONG, YOUNGDEUNGPO-G▆▆▆JI, KOREA. C.P.O.BOX : 1191 FAX : (02) 785-1485
TELEX : ASIAMCO K24647 CABLE: "ASIAMOTORS" SEOUL TEL: (02) 785-1484, 784-6047

PROFORMA INVOICE

DATE : OCT. 07, 1991
REF.NO.: 91-E-10-490

MESSRS.

KOREA TRADING INTERNATIONAL INC.

GENTLEMEN :

IN REPLY TO YOUR INQUIRY OF AM102 ROCSTA 4WD JEEP(LHD),"DX" TYPE , WE HAVE THE

PLEASURE OF OFFERING YOU THE FOLLOWING ON THE TERMS AND CONDITIONS SET FORTH HEREUNDER.

PRICE   : F.O.B. KOREAN PORT IN U.S. DOLLARS.
SHIPMENT   : WITHIN 2(TWO) MONTHS AFTER OUR RECEIPT OF YOUR COMPETENT L/C.
PAYMENT   : BY AN IRREVOCABLE L/C TO BE DRAWN 100% AT SIGHT IN FAVOR OF US.
DESTINATION : KOREAN PORT.
PACKING   : BARE.
VALIDITY   : BY THE END OF OCTOBER, 1991.
REMARKS   : NOTE I.

YOURS FAITHFULLY,

亞細亞自動車工業株式會社

ITEM NO.	DESCRIPTIONS	QUANTITY	UNIT PRICE	AMOUNT
1.	AM102 ROCSTA, 4x4,2,200CC DIESEL E/G LHD, "DX" TYPE, WITH STANDARD SPEC., LIMITED SLIP DIFFERENTIAL, AIR-CON, COLOR GLASS AND HARD TOP. MAIN ACCESSORIES ARE AS FOLLOWS;	25 UNITS	@ $ 9,640.-	U $ 241,000.-

-5 SHIFT T/M(FLOOR SHIT)   -FOG LAMP
-HEATER   -ADJUSTABLE HEADREST
-FREE WHEEL HUB   -BLACKOUT DRIVING LAMP
-LAMINATED GLASS   -RADIO & CASSETTE
-RADIAL TYRE-P215/75R15   -BATTERY(M.F. TYPE)
-MIRROR(DAY AND NIGHT TYPE)   -SAFETY BELTS
-TILTING STEERING   -P.V.C TOP CEILING
-RR.GLASS DEFROSTER   -DECORATION DAPE
-DIGITAL CLOCK   -FRT. CONSOLE BOX

TOTAL..................................25 UNITS.................U $ 241,000.-

NOTE I.
----

1. THIS QUOTATION IS BASED ON OUR STANDARD SPECIFICATIONS AND VALID ONLY
   FOR JORDAN.
2. MANUFACTURER'S INSPECTION BEFORE SHIPMENT IS TO BE FINAL. IF ANY
   ADDITIONAL INSPECTION IS REQUIRED, SUCH CHARGE SHALL BE BORNE BY THE
   BUYER.
3. OTHER TERMS AND CONDITIONS NOT STIPULATED HEREIN SHALL BE DISCUSSED
   LATER ON AND SUBJECT TO OUR FINAL WRITTEN CONFIRMATION.
4. PARTIAL SHIPMENT AND TRANSSHIPMENT SHOULD BE ALLOWED.

- E. & O. E. -

0128

EAST WEST ENTERPRISES LTD.

PHONE : 215-2212/4   322 1 KUN JA-DONG MIRABO BLDG.,   TELEX : K24692 HANSEN
FAX   : 215 2215   SUNG DONG-KU, SEOUL, KOREA.   K.P.O.BOX : 1797

OFFER SHEET

YOUR REF. _____   OUR REF. EW-91-1010 _____.
TO. KOREA TRADING INTERNATIONAL INC.,   DATE.   OCT 10, 1991 ___.
    (JORDAN)

Gentlemen. :

    In compliance with your request/solicitation, we are pleased to make an offer
for sale to you upon the terms and conditions set forth hereunder and in the
attached page here of :

Commodity : SPARE PARTS FOR ROCSTAR   (U$ 964.00 x 25 UNITS)
            SPARE PARTS FOR BESTA AMBULANCE (U$ 1,430.00 X 2 UNITS)
            SPARE PARTS K2400 D/C   (U$ 735.00 X 2 UNITS)
            (Specifications and descriptions, as per described in the attached page of
            this offer)

Quantity :   TOTAL 80 ITEMS

Amount (Total) :   F.O.B PRICE US$ 28,430.-

Payment   :   BY A KOREAN CURRENCIES

Shipment :
            Partial Shipments : NOT ALLOWED   Transhipment : NOT ALLOWED

Packing   :   EXPORT STANDARD PACKING

Shipping Port :   KOREAN PORT

Discharging Port :

Inspection :   MAKER'S INSPECTION AT PLANT TO BE FINAL

Country of Origin :   REPUBLIC OF KOREA

Validity :   UNTIL THE END OF NOV 1991.

Remarks   :

Agreed and accepted by : .   Yours faithfully,

_____   _____
(Name)   (Name) H. S. LEE
(Title)_____   (Title) MANAGING DIRECTOR_____.

                                                                    0129

ORDNO: EW-9110-005-00
DATE : 91/10/11   PAGE : 1

L/I	PART-NO	PART-NAME	Q'TY	U/PRICE	AMOUNT
1	OR20-11-205	BELT TIMING	50	22.54	1,127.00
2	OK71-01-8140	GLOW PLUG	100	8.45	845.00
3	K790-23-603B	AIR ELEMENT (R2)	150	8.59	1,288.50
4	NA11-15-1100-D	RADIATOR	25	175.77	4,394.25
5	NA11-16-2200	RELEASE CYLINDER	50	16.90	845.00
6	HE01-16-410B	CLUTCH COVER	25	33.80	845.00
7	R207-16-460B	CLUTCH DISK	25	58.14	1,453.50
8	0259-25-060	BEARING	100	11.27	1,127.00
9	0603-26-154	OIL SEAL	50	0.85	42.50
10	0602-26-154	OIL SEAL	50	2.25	112.50
11	PB11-26-1510	WHEEL CYLINDER	50	22.54	1,127.00
12	0603-26-341	RETURN SPRING	100	1.41	141.00
13	0223-27-018	PINION OIL SEAL	125	1.69	211.25
14	PB11-28-2300-B	RUBBER BUSH (RR)	300	0.42	126.00
15	PB11-34-2800-B	RUBBER BUSH (FRT)	300	0.42	126.00
16	KJ01-33-065	HUB OIL SEAL	100	3.38	338.00
17	0636-13-483	JOINT - EXH.PIPE	25	1.01	25.25
18	F305-40-305	GASKET, EXHAUST	75	1.13	84.75
19	NA11-16-2500	RETURN, SPRING	25	2.00	50.00
20	6012-03-15	SPRING RETURN	25	1.27	31.75
21	PB11-43-5100-B	MASTER CYLINDER	50	53.52	2,676.00
22	NA23-11-1012-A	PIPE	25	22.54	563.50
23	NA23-37-1200-D	FRT S/BUMPER LH	75	11.27	845.25
24	NA23-37-1400-A	FRT SIDE BUMPER RH	75	11.27	845.25
25	NA23-38-1200-B	RR S/BUMPER LH	100	8.45	845.00
26	NA23-38-1300-B	RR SIDE BUMPER	100	8.45	845.00
27	NA23-91-2100	BACK MIRROR LH	100	5.07	507.00
28	NA23-91-2200	BACK MIRROR RH	100	5.07	507.00
29	NA23-91-1100	APPLIQUE, FRT	25	12.68	317.00
30	NA23-91-1200	FRT APPLIQUE RH	25	12.68	317.00
31	NA23-91-1700	RR APP FENDER LH	25	12.68	317.00
32	NA23-91-1800-B	CABLE	25	12.72	318.00
33	NA23-99-1200	WIPER BLADE	100	3.21	321.00
34	NA23-99-1100	WIPER ARM ASSY	50	3.66	183.00
35	NA24-83-1100	ANTENNA ASSY	25	14.08	352.00
		** TOTAL ***	2,650		24,100.00

** EX-FACTORY PRICE .... US$ 24,100.00
===
** TOTAL   F.O.B   PRICE .... US$ 24,100.00
===

0130

ORDNO: EW-9110-006-00

DATE :   91/10/11   PAGE :   1

L/I	PART-NO	PART-NAME	Q'TY	U/PRICE	AMOUNT
1	RF01-11-213	CON ROD BUSH (2)	24	1.97	47.28
2	K790-23-603B	AIR ELEMENT (R2)	15	8.73	130.95
3	F801-11-399	CRANK OIL SEAL	6	4.28	25.68
4	K770-15-140	FAN COOLING	2	84.51	169.02
5	R207-16-460B	CLUTCH DISK	3	50.70	152.10
6	8501-18-140A	GLOW PLUG	8	6.76	54.08
7	HE07-16-410B	CLUTCH COVER	3	29.58	88.74
8	RF01-18-381	ERROR	5	2.25	11.25
9	R201-18-300C	ALTERNATOR	2	211.27	422.54
10	RF01-18-400A	STARTER	2	239.44	478.88
11	RF01-23-130A	PISTON RING SET	2	146.48	292.96
12	K710-23-570	FUEL FILTER	15	7.04	105.60
13	S083-26-330C	BRAKE SHOE ASS'Y	8	6.48	51.84
14	RF03-23-802A	OIL FILTER	16	5.07	81.12
15	K770-51-030	HEAD LAMP RH (MMO)	2	42.25	84.50
16	K770-51-150	RR COMBI LAMP RH(MMO	3	19.72	59.16
17	K770-51-040	HEAD LAMP LH (MMO)	2	42.25	84.50
18	K778-67-330	WIPER BLADE (MMO)	4	3.94	15.76
19	SA56-41-660A	ACCEL CABLE	3	7.04	21.12
20	K770-51-160	RR COMBI LAMP LH(MMO	3	19.72	59.16
21	K771-69-110A	BACK MIRROR RH(MMO)	4	27.04	108.16
22	ST20-43-400	BRAKE MASTER CYL	1	52.08	52.08
23	K771-69-170A	BACK MIRROR LH(MMO)	4	18.87	75.48
24	SA44-60-070B	SPEED METER CABLE	3	11.03	33.09
25	SA67-66-120B	COMBI S/W	2	30.99	61.98
26	K710-99-100X	ALL SET	3	30.99	92.97
		** TOTAL ***	145		2,860.00

** EX-FACTORY PRICE .... US$ 2,860.00

==

** TOTAL   F.O.B   PRICE .... US$ 2,860.00

==

0131

ORDNO: EW-9110-007-00
DATE :   91/10/11   PAGE :   1

L/I	PART-NO	PART-NAME	Q'TY	U/PRICE	AMOUNT
1	K756-26-310	RR BRAKE SHOE	5	7.61	38.05
2	K756-26-610	RR WHEEL CYL	2	10.70	21.40
3	K591-13-840	SEDIMNTER	2	19.72	39.44
4	K591-13-850	FUEL FILTER(E-2200)	8	23.66	189.28
5	FE50-16-410B	C. COVER	2	38.03	76.06
6	FE50-16-460	CLUTCH DISC	2	70.42	140.84
7	K629-18-300B	ALTERNATOR	1	217.40	217.40
8	K586-18-701	CONTROL UNIT(LOT:300	3	21.97	65.91
9	K592-23-603A	AIR ELEMENT	8	8.73	69.84
10	K589-41-920	CLUTCH R/C	2	14.93	29.86
11	K590-50-050B	FR BUMPER PROTECTOR(	3	10.70	32.10
12	K590-50-060B	FR BUMPER PROTECTOR(	3	10.70	32.10
13	K592-50-710	RADIATOR GRILL	3	13.52	40.56
14	K586-51-030	HEAD LAMP (RH)	2	43.66	87.32
15	K586-51-040	HEAD LAMP (LH)	2	43.66	87.32
16	K586-51-150	RR COMB LAMP(RH)	2	15.77	31.54
17	K586-51-160	RR COMB LAMP(LH)	2	15.49	30.98
18	K596-69-110	BACK MIRROR (RH)	4	32.39	129.56
19	K596-69-170	BACK MIRROR (LH)	4	27.61	110.44
		** TOTAL ***	60		1,470.00

** EX-FACTORY PRICE .... US$ 1,470.00

** TOTAL F.O.B   PRICE .... US$ 1,470.00

0132

HAE DONG TRADING CO., LTD.

952-6 DAB SIMRI-DONG, DONG DAE MUN-KU, SEOUL, KOREA
PHONE : (02) 213-9642   FAX : (02) 244-6728

OFFER SHEET

MESSERS : KOREA TRADING INTERNATIONAL INC.,   DATE   : OCT 12, 1991
                                                    YOUR REF :
                                                    OUR REF : 911012-171

Gentlemen :

    WE ARE VERY PLEASED TO OFFER YOU AS FOLLOWS ;

Shipping port : BUSAN, KOREA   Destination : JORDAN

Packing   : EXPORT STANDARD   Origine   :

Validity   : OCT 30, 1991

Shipment   :

Payment   : KOREA CORRENCIERS   Very turly yours,

Remarks   : KOREAN PORT   HAE DONG TRADING CO., LTD

Accepted by   :

ITEM NO.	DESCRIPTION	Q'TY	U/PRICE	AMOUNT
	" DETAILS AS PER ATTACHED SHEET "			

0133

ASIA ROCSTAR
==================

L/I	PART NO.	PART NAME	Q'TY	U/PRICE	AMOUNT
1	K790-23-603B	AIR ELEMENT (R2)	150	10.11	1516.50
2	NA11-15-1100	RADIATOR	25	179.35	4483.75
3	NA11-16-2200	RELEASE CYLINDER	50	16.90	845.00
4	HE0116410B	CLUTCH COVER	25	37.17	929.25
5	R207-16-460B	CLUTCH DISK	25	65.43	1635.75
6	0259-25-060	BEARING	100	13.51	1351.00
7	0602-26-154	OIL SEAL	50	2.25	112.50
8	PB11-26-1510	WHEEL CYLINDER	50	22.54	1127.00
9	0223-27-018	PINION OIL SEAL	125	1.69	211.25
10	PB11-28-2300	RUBBER BUSH(RR)	300	0.39	117.00
11	PB11-34-2800	RUBBER BUSH (FRT)	300	0.39	117.00
12	KJ01-33-065	HUB OIL SEAL	100	3.35	335.00
13	0636-13-483	GASKET, EXHAUST	37	1.00	37.00
14	F305-40-305	GASKET, EXHAUST	75	1.02	76.50
15	PB11-43-5100	MASTER CYLINDER	50	61.04	3052.00
16	NA23-11-1012	PIPE	25	22.54	563.50
17	NA23-37-1400	FRT SIDE BUMPER RH	75	18.12	1359.00
18	NA23-38-1200	RR S/BUMPER LH	100	11.72	1172.00
19	NA23-91-2100	BACK MIRROR LH	100	10.69	1069.00
20	NA23-91-2200	BACK MIRROR RH	100	10.69	1069.00
21	NA23-91-1100	APPLOIQUE, FRT	25	24.50	612.50
22	NA23-91-1200	FRT APPLIQUE RH	25	24.50	612.50
23	NA23-91-1700	RR APP FENDER LH	25	24.50	612.50
24	NA23-91-1800	CABLE	25	11.17	279.25
25	NA23-99-1200	WIPER BLADE	100	3.20	320.00

0134

```
 26 NA23-99-1100 WI    ARM ASSY                    50          3.61          180.50
 27 NA24-83-1100 ANTENNA ASSY                       25         12.15          303.75

* Total ***
                                             2137        593.53       24100.00
```

0135

BESTA AMBULANCE

L/I	PART NO.	PART NAME	Q'TY	U/PRICE	AMOUNT
1	RF01-11-213	CON ROD BUSH (2)	12	2.17	26.04
2	K790-23-603B	AIR ELEMENT (R2)	10	13.41	134.10
3	F801-11-399	CRANK OIL SEAL	3	5.12	15.36
4	R207-16-460B	CLUTCH DISK	3	67.31	201.93
5	8501-18-140A	GLOW PLUG	6	9.72	58.32
6	R201-18-300C	ALTERNATOR	2	247.11	494.22
7	RF01-18-400A	STARTER	2	258.62	517.24
8	RF01-23-130A	PISTON RING SET	3	146.48	439.44
9	K710-23-570	FUEL FILTER	15	11.15	167.25
10	S083-26-330C	BRAKE SHOE ASS'Y	8	11.45	91.60
11	RF03-23-802A	OIL FILTER	16	8.69	139.04
12	K770-51-030	HEAD LAMP RH (MMO)	1	51.09	51.09
13	K770-51-150	RR COMBI LAMP RH(MMO)	3	22.12	66.36
14	K770-51-040	HEAD LAMP LH(MMO)	1	50.62	50.62
15	K778-67-330	WIPER BLADE (MMO)	4	3.21	12.84
16	SA56-41-660A	ACCEL CABLE	3	7.01	21.03
17	K770-51-160	RR COMBI LAMP LH(MMO)	3	23.12	69.36
18	K771-69-110A	BACK MIRROR RH(MMO)	2	31.21	62.42
19	ST20-43-400	BRAKE MASTER CYL	1	62.19	62.19
20	K771-69-170A	BACK MIRROR LH(MMO)	4	21.12	84.48
21	SA44-60-070B	SPEED METER CABLE	3	11.03	33.09
22	SA67-66-120B	COMBI S/W	2	30.99	61.98

** Total ***

| | | | 107 | 1094.94 | 2860.00 |

0136

```
                              K2400 D/B
                              =============

   L/I PART NO.      PART NAME                       Q'TY      U/PRICE       AMOUNT

    1 K756-26-310    RR BRAKE SHOE                     5         8.31         41.55

    2 K756-26-610    RR WHEEL CYL                      2        10.51         21.02

    3 K591-13-840    SEDIMNTER                         2        23.15         46.30

    4 K591-13-850    FUEL FILTER(E-2200)               4        35.43        141.72

    5 FE50-16-410B   C. COVER                          2        43.15         86.30

    6 FE50-16-460    CLUTCH DISC                       2        88.31        176.62

    7 K629-18-300B   ALTERNATOR                        1       274.67        274.67

    8 K586-18-701    CONTROL UNIT(LOT:300              3        20.78         62.34

    9 K592-23-603A   AIR ELEMENT                       8        13.25        106.00

   10 K592-41-920    CLUTCH R/C                        2        21.69         43.38

   11 K590-50-050B   FR BUMPER PROTECTOR               3        15.15         45.45

   12 K590-50-060B   FR BUMPER PROTECTOR               3        15.15         45.45

   13 K592-50-710    RADIATOR GRILL                    3        12.92         38.76

   14 K586-51-151    RR COMB LAMP(RH)                  2        16.92         33.84

   15 K586-51-160    RR COMB LAMP(LH)                  2        16.92         33.84

   16 K596-69-110    BACK MIRROR (RH)                  4        41.15        164.60

   17 K596-69-170    BACK MIRROR (LH)                  4        27.04        108.16

*** Total ***
                                                      52       684.50       1470.00
```

0137

분류기호	중동이	협조문용지	결	담 당	과 장	국 장
문서번호	20005-27	( )	재	서명		
시행일자	1991. 10. 17.					
수 신	총무과장 (외환계장)	발 신	중동 2과장		(서명)	
제 목	걸프전 지원경비 여입신청					

　

걸프사태 관련 대요르단 1차 지원품중 AM 815 버스 부품

1 여상자(U$32,071. 35)는 당초 91.1.15자 계약에 의하면 91.2.28까지

선적키로 되어 있었으나 실제로는 91.6.28에 선적됨으로써 아래와

같이 걸프전 지원 수출 대행회사인 (주)고려무역으로 부터 지체 상금을

징구하여 입금하였는바, 이를 걸프전 지원경비에 여입조치하여 주시기

바랍니다.

- 아　　　　래 -

1. 지체상금액 : US 5,772, 84 (₩4,312,880, 환율 747.0)

2. 은행납부일자 : 91.10.15 (외환은행 광화문 지점)

3. 산출근거

U$ 32,071. 35 X 1.5/1000 X 120일 = U$ 5,772. 84

첨부 : 여입 영수증서 1매.　끝.

0138

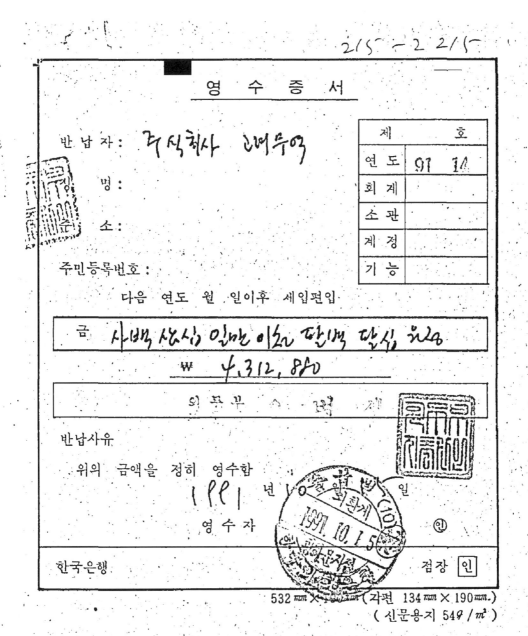

영 수 증 서

반납자 : 주식회사 대우??

명 :

소 :

주민등록번호 :

다음 연도 월 일이후 세입편입

제		호
연 도	91	14
회 계		
소 관		
계 정		
기 능		

금 사백삼십일만 이천 팔백 팔십 원정

₩ 4,312,880

외무부

반납사유

위의 금액을 정히 영수함 1991 년 10 월 15 일

영수자   ⑪

1991. 10. 15

한국은행   점장 ⑪

532㎜ × (각편 134㎜ × 190㎜.)
(신문용지 54g / ㎡)

0139

	분류번호	보존기간

발 신 전 보

번   호 : WJO-0623   911018 1849   FN종별 :

수   신 : 주 요르단   대사. 총영사 ///

발   신 : 장 관
                (중동아)

제   목 : 무상원조

대 : JOW - 0705

연 : WJO - 0561

1. 대호 대요르단 4차 지원품 앰블란스 2대 (CIF 단가 $17,472.00),
트럭 2대($9,523.20)및 지프차 25대($11,803.92) 는 92.1.14이전 일괄
선적 예정임. 2차 지원시에 비해 동품목 단가가 낮은 이유는 걸프전 이후 해상
운임이 하락하였기 때문임.

2. 금번 지원 총액은 $349,088.40 으로 1차 $1,987,749.10 , 2차
$626,991.80 , 3차 $1,360,000.00 을 포함하면 현재까지 총계 $4,323,829.30 이
집행되어 잔액은 $676,170.70 인바 동잔액이 금년내에 필히 전액 집행될 수
있도록 조치바람. 끝.

(목록고속차령보고)

(중동아장 이해순)

안 고 재	91년 10월 18일	기안자 성명		과 장	국 장	차 관	장 관	보 안 통 제	호
		중동2과 김		호	전결			외신과통제	

관리
번호 91/P75

외 무 부

종 별 :

번 호 : JOW-0746   일 시 : 91 1020 1400

수 신 : 장 관(중동이)

발 신 : 주 요르단 대사

제 목 : 무상원조

1. 주재국 기획성에서는 공한을 통해 대주재국 무상원조중에서 WATER TANKS(12 CUBIC METERS)2 대및 PICK-UP(DOUBLE CABIN) 5 대를 추가 요청하여 왔는바 조치바람

2. 또한 주재국측은 백산이 1 차 선적한 비료 포장백 30 만매가 당초 계약에 따른 품질검사에 불합격되어 동사측에 공급 중지를 요청하였다함

(대사 이한춘-국장)

예고:91.12.31 까지

중아국

91.10.20   23:07

외신 2과 통제관 CA

0141

분류번호	보존기간

발 신 전 보

번   호 : WJO-0629   911023 1611   FN종별 :

수   신 : 주 요르단   대사. 총영사////

발   신 : 장 관   (중동이)

제   목 : 무상원조

대 : JOW - 0746

연 : WJO - 0623

1. 대호 Water Tank 사용목적 및 상세사양을 보고바람. (대호만으로는
요청품목이 무엇인지 알수가 없다고 함.)

2. 연호 통보대로 지금까지 요르단 지원은 4차에 걸쳐 지원되어 왔으며
현재 잔액이 $676,170.70 임. 금번 요청품목도 동잔액을 소진하는데 충분치
않은 것으로 판단되는바 금년말 이전 완전집행을 희망하는 우리측 입장을 재차
설명하고 추가품목 요청토록 조치하고 결과 보고바람.

3. 대호 비료포장백은 고려무역 및 백산에 조사한 결과에 의하면,
백산측 송부제품이 품질검사에 불합격된 것이 아니라 발주처에서 당초 국제입찰
당시 공고했던 spec의 변경(outer bag 1000 denier, inner bag 0.1mm에서 1200
denier 및 0.12mm로)을 동건 계약체결후 요청해 왔으나 백산측으로서는 이미
원단을 구입하였고 제품을 생산하였기 때문에 거절하였다~함. 당초 계약상
공급수량 340만개중 현재까지 백산이 선적완료한 수량은 109만5천개, 생산완료후
선적 대기중인 수량은 66만개임. 따라서 동문제는 발주처의 귀책 사유라고
판단되나 정부지원사업임을 감안하여 미생산분에 대하여는 원만한 해결방안을
모색하도록 조치할 예정이니 귀관에서도 요르단측 관계자를 접촉하여 상세
경위를 파악하고 동건에 대한 요르단측의 희망 해결방안을 조속 보고바람. 끝.

(중동아국장 이 해 순)

백산이 공명조회.

보안통제	출

앙고재	91년 10월 21일	중동2과	기안자성명 김○실	과장 출 OR	국장 전결	차관	장관 ○○	외신과통제

0142

52138

		기 안 용 지 (720-3869)	시 행 상 특별취급	
분류기호 문서번호	중동이20005-			
보존기간	영구.준영구 10. 5. 3. 1	장 관		

보조기관	국 장	전 결	협조기관		문 서 통 제
	심의관	62			검열 1991. 10. 2 4 통제관
	과 장	去			
기안책임자		김 은 석			발 송 인

경 유		발신명의	
수 신	(주) 고려무역 사장		
참 조			

제 목	요르단 무상원조

주요르단 대사에 의하면 걸프전 관련 대요르단 3차지원

계약품인 비료포장백 30만개가 당초 계약에 따른 품질 검사에

불합격되어 공급회사인 백산측에 공급 중지를 요청하였다하니

동건 관련 경위를 지급 조사하여 91.10.25한 동 경위서를 제출

하여 주시기 바랍니다. 끝.

0143

대 한 민 국
외 무 부

중동이20005- 52138 　(720-3869)　　　　　1991.10.24.

수 신 : (주)고려무역 사장

제 목 : 요르단 무상원조

　　　주요르단 대사에 의하면 걸프전 관련 대요르단 3차지원
계약품인 비료포장백 30만개가 당초 계약에 따른 품질 검사에
불합격되어 공급회사인 백산측에 공급 중지를 요청하였다하니
동건 관련 경위를 지급 조사하여 91.10.25한 동 경위서를 제출
하여 주시기 바랍니다. 　끝.

외 무 부 장

중동아프리카국장 　전결

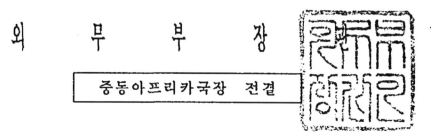

0144

경 위 서

1991. 10. 22

제 목 : JORDAN P.P BAG 관련

1. 당사는 상기건과 관련하여 1991년 8월 2일자로 귀부와 대행 계약을
   체결하고 현재 1,095,000PCS, (U$438,000.-)을 선적 하였습니다.

2. 그러나 지난 8월 12일 동물품의 수하인인 요르단 국영비료회사(JPMCO)가
   메이커(백산 프라스틱)측에 연락하여, 동일 SPEC의 물건을 터어키로부터
   이미 받아 사용해 본 결과 자신들이 결정한 SPEC 자체가 너무 약해서
   수출용 포장에 부적합 하다면서 SPEC의 변경을 요청 하였습니다.
   (TLX COPY 유첨)

3. 하지만 당시에는 선적대기 및 생산중인 반제품이 상당량이 있었고 본
   건이 단순한 COMMERCIAL BASE의 수출이 아니고 정부 대 정부의 계약에
   의한 사업이므로 SPEC 및 가격의 수정 절차가 복잡하리라 예상하여
   당사는 백산에게 현재로서는 SPEC 변경이 곤란하다고 통보하는 것이
   좋겠다고 하였으며, 백산은 당사의 제언에 따라 일단 JORDAN 측에게
   JPMCO에서 결정한 SPEC에 맞춰 공급하는 물건이니 새롭게 SPEC을 변경하는
   것은 어렵다고 통보 하였습니다.

4. 그러나 JPMCO 측에서는 가격을 올려줄테니 앞으로는 새로운 SPEC으로
   선적해 달라고 백산에게 재차 요청하여 왔으며 백산측에서는 굳이 새로운
   SPEC의 제품을 희망한다면 아국 공관을 통해 외무부 본부로 연락이 되게끔
   하는 것이 좋겠다고 JPMCO에 통보했다 합니다.

0145

5. 이에 따라서 JORDAN 측이 백산으로 10월 21일자에 보낸 전문에 의하면, JPMCO는 가격을 바꿔서 새로운 SPEC의 제품을 공급 받기로 결정하였으며 한국 정부가 이를 승인하도록 해 달라고 한국 대사관과 요르단 기획성에 편지를 보냈다고 합니다. (TLX COPY 유첨)

6. 그러나 당사가 귀부로부터 통보 받은 내용을 검토해 보면, JPMCO 측에서 요구한 내용이 공관에 전달되는 과정에서 오해가 있었던 것 같으며 당사는 일단 JORDAN 내 AGENT를 통해 아국 공관에서 본 건에 대한 정확한 내용을 이해할 수 있도록 공관 담당자에게 상기 내용을 보다 상세히 설명하고 한국 정부에 대한 요청 사항이 있으면 그 내용을 구체적으로 제시하도록 요청 하여 놓았습니다.

7. 당사는 상기건을 JORDAN 측의 요청 사항과 국내 MAKER측의 생산 현황을 고려하여 양쪽이 모두 피해가 적은 방향으로 처리될 수 있기를 희망하며 현 상황의 원만한 해결을 위하여 귀부의 협조를 부탁드립니다.

8. 참고로 현재 생산완료분은 660,000PCS, ($264,000.-) 이며 JORDAN측에서 변경 요청한 SPEC 및 가격은 다음과 같습니다.

1,000 DENIER	⇒ 1,200 DENIER	(OUTER BAG)
0.1 MM	⇒ 0.12 MM	(INNER BAG THICKNESS)
양면인쇄	⇒ 1면 인쇄	
U$ 0.40/PC	⇒ U$ 0.445/PC	

(주) 고 려 무 역 해 외 사 업 팀

0146

TO : M/S BAIKSAN
ATT: MR. OII
RE : BAGS/JORDAN

OUR REF.: 4266

HAD A MEETING TODAY WITH MR. OKLA (PURCHASING DIRECTOR)
JPMCO. FOLLOWING TO NOTE :

1- THEY HAD CLAIMS FROM IRAN ON THE BAGS THAT THEY
SENT PREVIOUSLY. THE BAGS STAYED 2 MONTHS ON
VESSEL AND BY UNLOADING THERE WERE DAMAGES. THEY
ARE STUDYING CHANGING SPECS OR CONTINUE WITH THE
SPECS THEY ORDERED WITH YOU. ANYHOW THE DECISION
WILL BE TAKEN TOMORROW, THE NEW SPECS ARE THOSE
WHICH WE SENT YOU BY OUR FAX NO. 4213 OF 7/8/91 -
JPMCO 1NQUIRY NO. CD 91/814 FOR 1 MILL BAGS.
ACCORDINGLY I NEED FROM YOU BY TOMORROW MORNING
THE ANSWERS TO THE FOLLOWING:

- DO YOU SEE ANY PROBLEM IF THEY CHANGE THE
SPECS WITH THE KOREAN AUTHORITIES. THEY
UNDERSTAND THAT THE NEW SPECS WILL CHANGE THE
PRICE AND THEY UNDERSTAND THAT YOU WILL SHIP
WHATEVER YOU ALREADY FABRICATED.

- WHAT IS YOUR NEW PRICE FOR THE BAGS WITH THE
NEW SPECS. YOU SHOULD HAVE SENT THAT ALREADY
TO US AS ANSWER TO OUR A.M. FAX.

0147

RO291 22:13

BSPLAST K22365
TLX NO.1/393 DATE: 3/9/91

FRM : ALGHANEM TRDNG + CNTRCTNG CO.
TO : M/S ZAIK SAN-
ATT : MR. OH
SENT U TODAY FAX NO. 4492 : IF NOT RCV WELL PLSE SEND YR ANSWERS
TO THE FLLWNG QUESTIONS BEFORE 8:00 HRS TOMORROW OUR TIME SINCE
WE HVE A MEETING WITH JPMCC TOMORROW :
- HOW MANY BAGS DID U PRDUC IN TOTAL WITH THE PRSNT SPECS.
- R U WILLING TO CHANGE SPECS (WITH NEW PRCES
OF COURSE)? NEW PRODUCTION PERIOD AND DELIVERY WILL BE
DISCUSSED WITH THEM AND CONVEYED TO YOU.

E.RGRDS.

ALGHANEM TRDNG + CNTRCTNG CO.

BSPLAST K22365.....

R0049 20:21

BSPLAST K22365
TLX NO. 521 DATE : 21/10/91
TO : M/S BAIK SAN
ATT : MR. OH
SUB : JPMCO BAGS NEW SPEC ORDR

LTR SNT BY JPMCO TO KOREAN EMBASSY AND JORDAN MIN OF PLANNING
ON 14/10/91 MENTIONING THEIR DECISION TO CHANGE SPECS AT NEW
PRICES AND ASKING AGREEMENT OF KOREAN AUTHORITIES.

B.RGRDS.

ALGHANEM TRDNG + CNTRCTNG CO.
BSPLAST K22365....

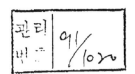

분류기호 문서번호	중동이20005- 2614	기 안 용 지 (720-3869)		시 행 상 특별취급	
보존기간	영구·준영구 10. 5. 3. 1	장 관			
수 신 처 보존기간		ん6レ			
시행일자	1991.10.29.				
보조기관	국 장 / 전 결 심의관 과 장	협 조 기 관		문 서 통 제 접 수 1991. 10. 00 공 지 관	
기안책임자	김 은 석			발 송 인	
경 유 수 신 참 조	주요르단 대사	발신명의			
제 목	비료포장백				

　

　대 : JOW - 0746

　연 : WJO - 0629

　

연호관련, 고려무역측이 제출한 경위서를 별첨과 같이

송부하니 참고하시기 바랍니다.

　

　첨 부 : 동경위서 1부. 끝.

0150

주식회사 고려무역

해 외 제91- 70 호   737-0860   1991. 10. 25

수 신 : 외무부 장관

참 조 : 중동 2과장

제 목 : 요르단 무상원조

1. 귀부의 협조에 감사드립니다.

2. 대호 중동이20005-52138 관련 件 입니다.

3. 귀부에서 요청하신 JORDAN P.P BAG 관련 경위서를 제출하오니
참고하시기 바랍니다. 끝.

주 식 회 사 고 려 무 역 사

0151

경 위 서

제 목 : JORDAN P.P BAG 선적 관련

1. 본건은 귀부와 1991년 8월 2일자에 대행 계약을 체결하고 현재
   1,095,000PCS U$438,00.-을 선적 하였습니다.

2. 그런데 첫 선적을 위하여 735,000PCS의 선적 물품이 통관을 마친뒤
   부산항에서 선적 대기중에 동TENDER 참여시 백산의 PARTNER 였던
   현지 AGENT로부터 JPMCO측이 새로운 가격에 새로운 SPEC의 제품이
   공급 가능한지 그 여부를 묻는 연락이 왔습니다.

3. 이에 당사는 메이커와 협의하여 새로운 SPEC에 대한 새가격(U$0.445/PC)을
   AGENT측에 통보하였으며, 본건의 계약 변경에 관해서는 본건을 계약
   하게된 절차가, JPMCO측이 요르단 기획성을 경유하여 요구 사항을 공관에
   접수하고, 공관은 이를 외무부 본부에 보고하여 외무부에서는 당사에
   업체및 가격등을 지정 통보해서 당사가 메이커와 공급 계약을 체결하게된
   것이므로, 외무부와의 대행 계약을 수정(가격, DELIVERY및 SPEC등) 하려면
   현지 AGENT에서 메이커에 보내온 비공식적인 전문보다는 ① JPMCO측이
   요르단 기획성을 통해 공식적으로 아국 공관에 계약 변경을 요청 하고
   ② 아국 공관이 외무부 본부에 변경코자 하는 내용을 알려 ③ 외무부가
   당사에게 계약 수정 요청을 하고 ④ 외무부와 당사가 계약을 변경하므로서
   ⑤ 당사가 메이커에게 수정 발주를 하는 것이 일의 순서라 당사는 판단하고,
   백산의 현지 AGENT를 통해 위에서 언급한 순서를 밟을 것을 제언하게
   되었습니다.

0152

4. 현지 AGENT는 당사의 제언을 받아 들여 JPMCO측에 위의 내용을 전달하고, JPMCO로부터 요청을 받은 요르단 기획성은 현지 공관에게 새로운 가격에 새로운 SPEC으로 공급해 주기를 희망한다는 내용의 공문을 보냈다 합니다. (TLX COPY 참조)

5. 그러나 당사가 귀부로부터 받은 공문에 의하면 이제까지 언급이 없었던 품질 검사에 불합격되어 공급 중지를 요청한다는 내용으로 되어 있어 이해하기 어려우며, 이는 JORDAN측에서 자신들의 SPEC 결정이 잘못된 점을 은폐하고, 공관의 보다 적극적인 협조를 받기 위해서 이거나, 아니면 상기 내용이 공관 담당자에게 전달되는 과정에서 오해가 있었던 것으로 사료됩니다.

6. 본건은, 국내 업체의 잘못이 아니고 오다 발주처인 JPMCO측의 SPEC 변경 요구로 인해 기인된 것이며 이로 인해 생산업체가 본의 아닌 손해를 보지 않도록 보호해 주시기를 부탁 드립니다. 향후에는 품질에 대한 오해의 소지를 없애기 위해 귀부 요청시 공인 검사 기관의 검사 성적서를 선적서류와 함께 동시 제출할 예정이며 참고로, 현재 선적현황 및 재고 현황은 아래와 같습니다.

기 계약분	3,400,000 PCS	U$ 1,360,000.-
기 선적분	1,095,000 PCS	U$ 438,000.-
재고량	660,000 PCS :	U$ 264,000.- (완제품)
	200,000 PCS :	U$ 80,000.- (반제품)

유 첨 : TLX 사본 1부. 끝.

0153

RO049. 20:21
BSPLAST K22345
TLX NO. 521 DATE : 21/10/91
TO : M/S BAIK SAN
ATT : MR. OH
SUB : JPMCO BASE NEW SPEC ORDR

LTR SNT BY JPMCO TO KOREAN EMBASSY AND JORDAN MIN OF PLANNING
ON 14/10/91 MENTIONING THEIR DECISION TO CHANGE SPECS AT NEW
PRICES AND ASKING AGREEMENT OF KOREAN AUTHORITIES.

B.RGRDS.

ALGHANEM TRDNG + CNTRCTNG CO.
BSPLAST K22345....
BSPLAST K22345....

	분류번호	보존기간

발 신 전 보

번 호 : WJO-0664   911104 1637   BE종별 :

수 신 : 주 요르단   대사. 총영사

발 신 : 장 관   (중동이)

제 목 : 무상원조

연 : 1)WJO - 0629, 2)중동이 20005 - 2614

대 : JOW - 0746

1. 연호 Water tank 관련 사항 지급 보고바람.

2. 대호 비료포장백에 대해서는 연호2 10.30발송 파편으로 고려무역측이 제출한 경위서를 송부하였으니, 동접수후 가능한 조속 이에 대한 귀견및 요르단측 해결 희망안을 보고바람. 끝.

(중동아국장 이 해 순)

(본부판단으로는 요르단측이 귀책사유가
있다고 보는 바 요르단측이 연호2방안을 받아들이도록
적극 교섭바람.)

(기생산분 135번 5천개는 요르단측 접수)

		보 안 통 제	호

앙고재	91년 11월 4일	기안자 성명		과 장	국 장	차 관	장 관	외신과통제
		통문 과 김[서명]		호[서명] 0N	전결		[서명]	

외 무 부

종 별 :

번 호 : JOW-0705

수 신 : 장 관(중동이)

발 신 : 주 요르단 대사

제 목 : 걸프사태 무상원조

일 시 : 99 1106 1330

대:WJO-0561

대호관련, 주재국 기획성에서는 디젤용 ROCK STAR 짚을 희망하고 있음
(대사 이한춘-국장)

예고:91.12.31 까지

중아국

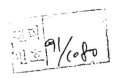

발 신 전 보

	분류번호	보존기간

번   호 :   WJO-0678   911118 1359   BE 종별 : _____

수   신 :   주 요르단   대사. 총영사///

발   신 :   장 관   (중동이)

제   목 :   무상원조

연 : WJO - 064

1. 연호사항 조속 보고바람.

2. 연호 2항 관련회사인 백산 관계자가 귀지 출장, 발주처와 협의결과
변경된 Spec 제품 50만개를 년내 송부토록 하였다하는바 상세 파악 보고바람.끝.

(중동아국장 이 해 순)

			보 안 통 제	호

앙고재	91년 11월 16일	중동 2과	기안자 성명		과 장	심의관	국 장		차 관	장 관	
			기3b5		호	0n	전결			1a	

		외신과통제

0157

외 무 부

종   별 :

번   호 : JOW-0833   일   시 : 91 1119 1400

수   신 : 장 관(중동일,중동이)

발   신 : 주 요르단 대사

제   목 : 무상원조

대:WJO-0664,678

1. 대호 WATER TANK 는 12 CUBIC METER 의 방화수를 공급할수 있는 급수차량으로 소방용 이라고함(주재국 기획성은 또한 아국 생산 업체의 공급가능 차량 카타로그 제시시 선택해 주겠다함)

2. 비료포장백 관계

- 당지 JPMC 구매국장과 백산의 AGENT 가 주장하고있는 본건 현황은 다음과같음

가. 백산과 JPMC 는 비료 포장백 3,400,000 장의 공급계약을 체결함. JPMC 는 백산이 선적한 1,095,000 장의 비료 포장백중 당지에 도착한 765,000 장에 대해 자체 품질검사를 실시하고 동제품이 계약 사양(1,000 DENIER, 12X12 MESH/SQ.INCH FOR OUTER BAG AND 100 MICRON THICKNESS FOR INNER LINING)에 미달한다고 주장, 백산및 당지 AGENT 에 동사양의 비료 포장백 생산및선적 중단을 통보함

나. 그러나 이는 JPMC 가 백산과의 거래와는 별도로 이란에 대해 비료를 조기에 공급하기 위해 이집트, 터키로 부터 상기와 동일한 사양의 비료 포장백을 구입, 공급하였으나 동비료 포장백에 문제가 발생, 이란측으로부터 신규사양(1,200 DENIER, 12X12 MESH/SQ. INCH FOR OUTER BAG AND 120-130 MICRON THICKNESS FOR INNER LINING)의 비료 포장백 사용을 주문 받게되어 구사양 비료 포장백의 필요성이 없어 졌기 때문에 백산측에 품질미달을 이유를 들어 구사양의 비료 포장백 생산및 선적 중단을 요청하고 신규사양의 비료 포장백 공급을 요청하게된것으로 보임

다.JPMC 가 백산의 구사양 비료 포장백에 대한 검사결과, 계약사양에 미달하는 것으로 판정하였으나(INNER LINING 의 THICKNESS 가 80-90 MICRON 이라고 주장), 백산측은 AQABA 현장 방문시 검사기계에 이상이 있음을 이유로 JPMC 의 검사결과를 인정치 않고 있으며, 이에 JPMC 는 새로히 비료 포장백 10 장을 샘플로 선정, 요르단

중아국   중아국

왕립과학원에 품질 검사를 의뢰 하였으나 금 11.19. 현재까지 결과가 나오지 않고 있음

라. 당지 백산 AGENT 와 JPMC 는 금 11.19 현재까지 수령한 구사양의 1,095,000 장과 백산이 재고로 보유하고 있는 66 만장의 문제해결은 일단 보류한채, 신사양 비료포장백 50 만장을 금년말까지 AQABA 항에 도착시키는 조건으로 공급하는데 합의했다함. 동 50 만장의 비료 포장백 가격은 24 만불 상당이며 백산은 이미 생산에 착수 11.24. 동제품을 선적할 계획이며 JPMC 는 동제품에 대한 제 3 의 품질 검사기관을 지정하였다고함

마. 구사양의 JPMC 수령분및 백산 재고품은 양사간 AGENT 를 통해 직접 해결토록 하되, JPMC 와 백산간에 일단 합의한 신사양의 50 만장은 조속 선적토록 하고 잔여액은 타 품목으로 전환 지원함이 좋을것임

(대사 이한춘-국장)

예고:91.12.31 까지

발 신 전 보

분류번호	보존기간

번 호 : WJO-0686   911122 1613 ED 종별 :

수 신 : 주 요르단   대사. ~~총영사~~

발 신 : 장 관   (중동이)

제 목 : 무상원조

대 : JOW - 0833

연 : WJO - 0664

1. 대호관련 신사양의 50만장 합의대로 선적토록 조치하였음.

2. 구사양의 포장백 기생산분 175만 5천개는 율단측이 전량 인수하도록 JPMC와 연호감안 적극협의 바라며, 상기 1항의 물품 선적시 구사양 기생산분중 미선적된 66만장도 함께 선적할 것임을 통보하고 결과 보고바람. 끝.

(중동아국장 이 해 순)

보안통제	~~초~~

앙고재	91년11월22일	중2과	기안자성명		과장	신대균	국장		차관	장관	
			김ㅇㅇ		초						

외신과통제

0160

외 무 부

110-760 서울 종로구 세종로 77번지 / (02)720-3869 / (02)720-3870

58979

문서번호 중동이 20005-

시행일자 1991.11.25. ( )

취급		차 관	장 관
보존			
국 장	전결		
심의관	5ひ		
과 장	초		
담당	김 정 수		협조

수신 (주)고려무역대표이사부사장

참조

제목 대요르단 비닐포장백 지원 계약건

　　　　1. 걸프사태 주변국 경제지원 관련 우리부와 귀사간의 1990.12.21 수출대행
업체 지정계약에 의거한 귀사의 성실한 수출대행업무 추진에 사의를 표하는 바입니다.

　　　　2. 이와관련 귀사는 1991.8.2 대요르단 비닐포장백($1,360,000 상당) 수출계약에
의거 그간 비닐포장백 109만장을 기선적 하였고, 66만장이 선적 대기중임을 우리부에
통보하여 왔습니다.

　　　　3. 그러나 동 포장백의 접수처인 요르단 JPMC 측은 기수령한 비닐포장백이
계약사양에 미달함을 주장, 추가생산 및 선적 중단을 요청한바 있어 우리부에서는
귀사가 제출한 경위서 (91.10.25)와 귀측 의견을 감안 주요르단대사로 하여금 JPMC
측에 기생산분 전량 인수를 강력 교섭토록 하였읍니다. 그러나 주요르단대사의 별첨
보고에 의하면 JPMC측은 제3기관 검사결과에 의거, 기수령한 109만장의 배상문제 제기
여부 및 선적대기중인 66만장 수령여부를 결정하겠다는 입장을 표명하였는바 동
요르단측 주장이 부당하다면 이를 입증할수 있는 근거와 동건 해결방안에 관한 귀견을
알려주시기 바랍니다.

첨부: JCW-0843 사본 1부.

0161

외 무 부

종 별 :

번 호 : JOW-0843

수 신 : 장 관(중동이)

발 신 : 주 요르단 대사

제 목 : 무상원조

일 시 : 91 1125 1300

대: WJO-0686

1. 금 11.25. 김참사관은 JPMC 의 OKLA 구매국장을 방문, 대호 미선적분 66 만장도 인수할것을 강력히 종용한바, 동국장은 66 만장의 품질에 대한 제 3 기관의 검사실시후 적격 판정이날경우 JPMC 가 요청하는 시기에 선적해줄것을 제의함(JPMC 의 동의없이 66 만장 선적, AQABA 항 도착시 동접수 거부의사를 비침)

2. 또한 동국장은 왕립 과학원에 의뢰한 백산의 포장백에 대한 검사결과에 의거, 기수령한 109 만장의 배상문제와 함께 66 만장의 해결방안(예:원가의 절반정도)도 모색할것이라함

3. 본직은 외국 출장중인 동사 AZAR 시장이 11 월말경 귀국하면 재협의 예정임

(대사 이한춘-국장)

예고:91.12.31 까지

중아국

분류번호	보존기간

발 신 전 보

번 호 : WJO-0703   911129 1630 DW   종별 : _____

수 신 : 주요르단   대사./총영사/

발 신 : 장 관   (중동이)

제 목 : 무상원조

대 : JOW - 746, 833

　　대호 주재국에서 요청한 Water Tank 2대 및 Pick-up(Double Cabin)
5대 지원관련 아래 차종으로 결정코져하니 귀견 보고바람.

　　　1. Water Tank : 쌍용차 12C/M

　　　　(동모델차량 88-90년에 5대 기지원한바 있음)

　　　2. Pick-up : 기아차, 1ton, Double Cabin.

　　　　(동일차량 금년에 51대 기지원한바 있음).　　끝.

　　　　　　　　　　　　　　　　　　　(중동아국장 이 해 순)

예 고 : 92.6.30.일반

보안통제	호

앙고재	91년 11월 4일	능2과	기안자성명		과장	신대순	국장		차관	장관		외신과통제

0163

원 본

외 무 부

종 별 :

번 호 : JOW-0864   일 시 : 91 1130 1300

수 신 : 장관(중동이)

발 신 : 주 요르단대사

제 목 : 무상원조

대 WJO-703

1. 주재국 기획성측은 WATER TANK 와관련, 아국이 그간 지원한바 있는 급수차량들이 현지 에이전트의 부재로 스페어 파트 및 차량정비에 어려움을 겪고있음을 지적, 기아등 현지에 에이전트가 있는 회사 생산의 동일차종(12 C/M)의 급수차량으로 공급해줄것을 요청하고 있는바, 이점 고려바람.

2. WATER TANK 의 정확한 가격 통보바람. 끝

(대사 이한춘-국장)

예고: 92.6.30

중아국

주식회사 고 려 무 역

해 사 제91-73호   737-0860   1991. 11. 30.

수 신 : 외무부장관

참 조 : 중동2과장

제 목 : 대 JORDAN P.P. BAG 무상 원조의 건

1. 국가발전을 위해 노력하시는 귀부의 노고에 감사 드립니다.

2. 대호 중동이 20005-58979 관련 회신입니다.

3. 당사는 JORDAN P.P. BAG 무상지원과 관련하여 현재 문제가 되고 있는 재고분 660,000PCS (U$264,000)의 선적 중지 요청 및 기 선적분 1,095,000PCS (U$438,000)의 품질 문제 제기에 대하여 현 상황 및 향후대책에 대하여 당사의 의견을 알려 드립니다.

4. 현재상황

　　가. MAKER(백산프라스틱)측 대표가 현지를 방문하여 실수요자인 JPMC 측과 협의를 하였음.

　　　　장　소　: JPMC 회의실

　　　　일　시　: 1991. 11. 12.

　　　　참석자　: 박 웅 철 (주JORDAN 대사관 직원)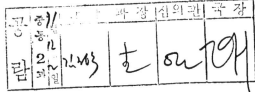
　　　　　　　　　MR. OKLA (JPMC. SUPPLIES MANAGER)
　　　　　　　　　MR. AL-GHANEM (백산프라스틱 현지 AGENT)
　　　　　　　　　오 용 균 (백산프라스틱 대표)

　　나. JPMC 입장

　　　. 한국과 TURKEY에 동시 주문한 동일한 SPEC (DENIER:1,000D, THICKNESS : 0.1mm)의 제품을 TURKEY에서 먼저 받아 수출용으로 사용해 보니 일부 BAG이 운송중 파손되어 수출용으로 사용하기에 부적합 하다고 판단됨.

　　　. 보다 강한 제품의 조달을 위하여 SPEC 및 가격을 아래와 같이 변경하여 새로운 제품의 생산을 요청하였음.

```
┌ DENIER    : 1,000D → 1,200D
├ THICKNESS : 0.1mm  → 0.12mm
└ PRICE     : @$0.40→ @$0.445
```

0165

. 旧 SPEC에 맞추어 생산된 MAKER의 완제품 재고분 (660,000PCS,
U$264,000)의 인수 여부에 대해서는 추후 통보 예정

(그후 선적중지 및 인수 거절의사를 밝힘.)

다. MAKER측 입장

. JPMC에서 요구한 SPEC에 맞추어 생산된 제품에 대해 BUYER측
사정으로 일방적인 선적중지 및 인수거절 의사를 밝히는 것은
정상적인 상거래에서 받아 들이기 어려운 경우이며,

. 기 생산된 제품중 반제품은 타 거래선으로 처리가 가능하나,
LOGO인쇄 까지 끝난 완제품은 처리가 불가능하며 이로 인해
현재 상당한 자금압박을 받고 있어 조속한 선적을 할 수 있기를
강력히 희망함.

. 기 선적한 3차분 (360,000PCS, U$144,000)은 국제 공인 검정
기관인 ASSOCIATED SURVEYOR CORP.에서 검사 합격서를 받은후
선적 하였음.

. 새로운 SPEC(1,200D, 0.12mm)의 제품 500,000PCS도 선적 완료후
선적서류 제출시 검사 합격서 유첨 예정임.

5. 당사의견

가. JPMC측에서 기존의 SPEC과 가격을 동시에 변경하여 새로운
제품의 공급을 요청한 사실은, 본 문제가 제기된 근본적인
원인이 아국측에서 기존SPEC에 미달된 제품을 공급해서가
아니고, JPMC측에서 처음에 SPEC을 잘못 통보했다는 사실에
있음을 알 수 있으며,

나. 이러한 사실의 증명을 위해 당사에서는 3차 선적시 부터 국제
공인검정기관의 검사를 받은 후 선적에 임하고 있습니다.
(검사 성적서 유첨)

다. 당사는 이러한 BUYER측의 발주 잘못으로 인한 피해를 선의의
공급자나 MAKER가 받게 되는것은 합당치 않다고 사료되며,

라. JPMC측의 요구대로 현 재고분의 가격을 원가의 절반 정도로
DISCOUNT하는 것에 동의한다면 旧 SPEC으로 선적된 모든제품의

0166

가격도 같은 논리로 DISCOUNT해야 되는 문제로 발전될 수 있고
이는 기 공급된 모든 제품이 JPMC측에서 제시한 SPEC에 미달
된다는 것을 스스로 인정하는 결과가 된다고 봅니다.

마. 또한 JPMC측이 기 선적분에 대해서 현지의 왕립과학원에 검사를
의뢰 한다는것은 이제까지 거론되지 않았던 내용이었으며, 이는
현 재고분의 처리에 대해 JPMC측에서 유리한 결론을 얻어 내기
위한 의도로 해석되며 당사가 조사해본 바에 의하면, 검사기관인
왕립과학원이 국제공인검정기관이 아님을 알려 드립니다.

6. 향후대책

현 재고분에 대해서 국제공인 검정기관의 검사 합격통지를 받아 일단
선적을 이행하고 본건의 원만한 해결을 위해 당사는 현지를 직접 방문
하여 본물품의 수하인인 JORDAN 기획성과 JPMC 최고 책임자등 관계자
들을 만나 본건에 대한 이해를 강구하고 현재 제기되고 있는 문제들이
순리적으로 해결될 수 있도록 조치하고자 하오니 귀부의 협조를 부탁
드립니다.

유 첨 : 검사성적서. 끝.

주 식 회 사 고 려 무 역 사

0167

JORDAN 국 지원 관련 검토 의견서

1991. 11. 23

1. 검토 경위

JORDAN국에서 지원 요청한 품목인 12,000L WATER TANK LORRY와 1TON PICK-UP
TRUCK(DOUBLE CABIN)에 대해, 이들 제품의 생산 및 수출이 가능한 쌍용자동차와
기아자동차를 통해 공급가능 여부 및 기 공급 현황등을 검토 하였음.

2. 검토 내용

A. 12,000L WATER TANK LORRY

WATER TANK LORRY는 특수 차량의 일종이며 현재 아국에서 특수 차량을 전문적으로
생산하여 수출중인 제조 업체는 쌍용자동차임.
또한 동 제조업체는 동일 MODEL의 차량(5대)을 '88년 - '90년에 걸쳐 JORDAN 국
으로 무상원조로 공급한 바 있어 현재 JORDAN국내에서 동일 MODEL의 차량이 사용
되고 있을 것으로 추정됨.

B. 1 TON PICK-UP TRUCK(D/C)

국내에서 1TON PICK-UP TRUCK을 DOUBLE CABIN 형태로 제작하여 수출이 가능한 업체는
기아자동차 뿐임.
이 MODEL의 차량은 당사를 통하여 '91년에 JORDAN국으로 이미 51대가 공급 되었으며
수혜국에서도 동종 차량의 공급을 희망하고 있을 것으로 사료됨.

3. 결론

· 차량은 A/S를 더욱 고려해야 하는 품목이기 때문에 수혜국 입장에서도 같은 MAKER의
  제품을 지속적으로 공급해 주는 것이 바람직 하다고 보며,
· 위와 같은 측면에서 볼때 JORDAN 공급 차량은 쌍용자동차의 WATER TANK LORRY와
  기아자동차의 PICK-UP TRUCK(D/C)을 공급하는 것이 타당하다고 검토됨.

(주) 고 려 무 역 해 외 사 업 팀

0168

SSANGYONG TANK LORRY

MODEL 2,000L TANK LORRY
3,000L TANK LORRY•4,000L TANK LORRY
5,000L TANK LORRY•8,000L TANK LORRY
10,000L TANK LORRY
12,000L TANK LORRY
16,000L TANK LORRY
10TON LPG TANK LORRY

16,000L TANK LORRY

10,000L TANK LORRY

0169

10TON LPG TANK LORRY

SSANGYONG

Spec \ Item		2,500ℓ/3,000ℓ Tank Lorry/Tank Lorry	4,000ℓ/5,000ℓ Tank Lorry/Tank Lorry	8,000ℓ/10,000ℓ Tank Lorry/Tank Lorry	12,000ℓ/16,000ℓ Tank Lorry/Tank Lorry	10TON LPG Tank Lorry
Model		WLK025L0/OLK030L0	WLK040L0/DA-TL5BS	WLK080L0/OLK100L2	WLW120L0/OLW160L4	LPW100L0
Usage		Water/Petroleum Fuel	Water/Petroleum Fuel	Water/Petroleum Fuel	Water/Petroleum Fuel	LPG
Wheel Arrangement		4×2	4×2	4×2	6×4	6×4
Overall Length (mm)		4,580/4,830	6,280/6,510	7,550/7,680	10,315/9,585	10,085
Overall Width (mm)		1,975/1,980	2,140	2,500	2,500	2,500
Overall Height (mm)		2,045/2,055	2,270	2,820/2,830	2,870/3,050	3,370
Wheel Base (mm)		2,495	3,535	4,400	5,235	5,235
Curb Weight (Kg)		2,950/2,985	3,980/4,340	7,640/8,100	10,280/11,360	13,205
Max. Payload (Kg)		2,500/2,400	4,000	8,000/7,500	12,000	10,000
Gross Vehicle Weight (Kg)		5,615/5,550	8,145/8,505	15,805/15,765	22,445/23,525	23,370
ENG.	Model	SL	ZB	D1146	D2366T	D2366T
	Type	Diesel, 4 Cycle	Diesel, 4 Cycle	Diesel, 4 Cycle	Diesel, 4 Cycle	Diesel, 4 Cycle
	No of Cylinders	4	4	6	6	6
	Displacement (CC)	3,455	4,052	8,071	11,051	11,051
	Max. Output (Ps/rpm)	105/3,400	115/3,600	187/2,500	305/2,200	305/2,200
	Max. Torque (Kg. m/rpm)	25/2,000	28/2,000	58.5/1,600	108/1,400	108/1,400
T/M (Forward/Reverse)		5/1	5/1	6/1	6/1	6/1
Tire	Front	7.00×16×10	7.50×16×14	11.00×20×16/ 10.00×20×16	10.00×20×14/ 11.00×20×16	10.00×20×14/ 11.00×20×16
	Rear	7.00×16×10	7.50×16×14	11.00×20×16/ 10.00×20×16	10.00×20×14/ 11.00×20×16	10.00×20×14/ 11.00×20×16
Fuel Tank (ℓ)		90	75	200	200	200
Electrical Equipment (AMP/V)		70/24	70/24	150/24	150/24	150/24
Frame		Ladder Type of Channel Section with Side Member				
CAB		Forward Control, All Steel Welding Structure, Tilting Type				
PTO		Transmission Power-Take-Off				
Tank	Capacity (ℓ)	2,500/3,000	4,000/5,000	8,000/10,000	12,000/16,000	23,500
	Shape	Elliptical Type				Pound Type
	Material	SS41 3.2t	SS41 3.2t	SS41 4.5t	SS41 4.5t	SPV 50.9t SPV 50.10t
	Compartment	0/1	0/1	0/2	0/4	0
	Inner Coating	Sand Blasting, Epoxy Coating				N/A
Pump	Type	Gear Pump	Water: Centrifugal Pump, Fuel: Gear Pump			N/A
	Capacity (ℓ/Min. rpm)	300/600	600/1,750/300/600	600/1,750/600/600	600/1,750/1,000/600	N/A
Acessory		Manhole: 1 Set Per Compartment Fire Extinguisher: 3Kg of Haron, 2Ea Only for Fuel Tank Lorry				

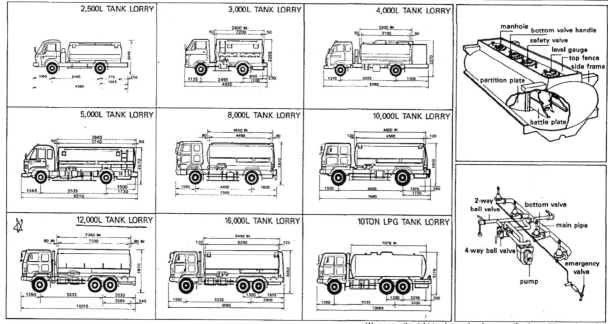

We reserve the right to change the above specifications without prior notice.

SsangYong Motor Company
24-1, 2-ka, Jeo-dong, Jung-ku, Seoul, Korea/C.P.O. Box 2123 Seoul, Korea
Tel: (02) 273-4181/Telex: SSYMC K27596/Fax: (02) 274-5062

0170

SSYMC 891031

외 무 부

110-760 서울 종로구 세종로 77번지 / (02)720-3869 / (02)720-3870

문서번호 중동이 20005-58979

시행일자 1991.11.30. ( )

취급		차 관	장 관
보존			
국 장			
심의관			
과 장			
담당	김 정 수		협조

수신 (주)고려무역대표이사부사장

참조

제목 대요르단 비닐포장백 지원 계약건

　　　1. 걸프사태 주변국 경제지원 관련 우리부와 귀사간의 1990.12.21수출 대행
업체 지정계약에 의거한 귀사의 성실한 수출 대행업무 추진에 사의를 표하는 바입니다.

　　　2. 이와관련 귀사는 1991.8.2 대요르단 비닐포장백($1,360,000상당)수출
계약에 의거 그간 비닐포장백 109만장을 기선적 하였고, 66만장이 선적 대기중임을
우리부에 통보하여 왔습니다.

　　　3. 그러나 동 포장백의 접수처인 요르단 JPMC측은 기수령한 비닐포장백이
계약사양에 미달함을 주장, 추가생산 및 선적 중단을 요청한바 있어 우리부에서는
귀사가 제출한 경위서(91.10.25)와 귀측 의견을 감안 주요르단 대사로 하여금 JPMC
측에 기생산분 전량 인수를 강력 교섭토록 하였습니다. 그러나 주요르단 대사의
보고에 의하면 JPMC측은 제3기관 검사결과에 의거, 기수령한 109만장의 배상문제
제기여부 및 선적대기중인 66만장 수령여부를 결정하겠다는 입장을 표명하였는바 동
요르단측 주장이 부당하다면 이를 입증할 수 있는 근거와 동건 해결방안에 관한
귀견을 알려주시기 바랍니다. 끝.

0171

분류번호	보존기간

발 신 전 보

번 호 : WJO-0706   911202 1810 ED   종별 : _____

수 신 : 주요르단   대사. 총영사

발 신 : 장 관   (중동이)

제 목 : 무상원조

대 : JOW - 864

연 : WJO - 703

1. 대호, (주)기아에서는 WATER TANK 수출품목이 없다하는바, 연호 차종으로 결정여부 회신바람.

2. (주)쌍용에 문의한바 전에는 부품송부를 하지 않아 문제가 일어 났던 것으로 여기고 있는바, 금번에는 차량금액의 10% 상당 부품송부 예정임을 참고바라며, 연호 차종가격은 (CIF) 아래와 같음.

WATER TANK $~~94,123~~ 74,123 X 2대 = $148,246

PICK UP $8,885 ~~60~~ X 5대 = $44,428

부품 대금 (10% 상당) $19,493

계 : $212,167

3. 상기물품 송부후에도 잔액이 45만불인바 동예산 조속 집행하여야 함을 감안 연호 차종으로 45만불 상당액을 더추가하도록 교섭하고 결과보고바람. 끝.

(중동아국장 이 해 순)

보 안 통 제	초

	안고재		기안자 성명		과 장		국 장		차 관	장 관	

0172

외   무   부

110-760 서울 종로구 세종로 77번지   / (02)720-3869   / (02)720-3870

문서번호 중동이 20005- **45123**

시행일자 1991. 12. 3. (   )

취급		차 관	장 관
보존			
국 장	전경		
심의관			
과 장	호		
담당	김 정 수		협조

수신   주 요르단 대사

참조

제목   무상원조

대 : JOW - 833

연 : WJO - 686

1. 대호로 요청한 신사양의 비닐포장백 50만매 선적에 따른 선적서류를 별첨
송부합니다.

2. 동물품은 국제검정 공인기관인 INTECO의 검사를 필하였음을 참고하시기
바랍니다.

첨 부 : 1. 선적서류 2부. 끝.

    2. 상기 INTECO 검사서 사본 1부. 끝.

KOTI

KOREA TRADING INTERNATIONAL INC.

PHONE:(02)551-3114
FAX :(02)551-3100
TELEX:KOTII K27434
CABLE:KOTII SEOUL

11TH FLOOR, TRADE TOWER,
159, SAMSUNG-DONG, KANGNAM-KU,
SEOUL, KOREA
TRADE CENTER P.O.BOX23, 24

DATE:NOV. 20, 1991
YOUR REF:
OUR REF:KOOBS-20023

OFFER SHEET

To: THE MINISTRY OF FOREIGN AFFAIRS

Dear Sirs,

We have the pleasure in offering you as follows:

Delivery	: NOV. 30, 1991	Packing	: EXPORT STANDARD PACKING
Origin	: R. O. K.	Inspection	: MAKER'S INSPECTION TO BE FINAL
Port of Shipment	: KOREAN PORT	Validity	: DEC. 10, 1991
Destination	: AQABA JORDAN	Remarks	:
Payment	: C. A. D.		

Description	Quantity	Unit Price	Amount	Remarks
			C.N.F. AQABA	
OUTER BAG	500,000PCS	@$0.445	U$222,500.-	
WOVEN POLYPROPYLENE, OPEN MOUTH, WHITE NATURAL COLOR, TUBULAR, 55x95CM 1200 DENIER, 12x12/SQ. INCH, TOP HEAT CUT DOUBLE FOLDED AT BOTTOM SEWN.				
INNTER LINER BAG				
0.12MM THICKNESS SIZE : 57x102CM BOTH WPP AND PE BAGS ARE SEWN TOGETHER AT MOUTH.				
////	////		////	

0174

Accepted by

Very truly yours,

Korea Trading International Inc.

S.Y. KIM/DIRECTOR

원 가 계 산 서

REF : KOOBS-20023

단위 : U.S. DOLLAR

품 명	업체명	F.O.B.	CBM	F 단가	F 송료	M (FOB X 1.5%)	C.I.F.
P. P BAG	백산프라스틱	0.40188 x 500,000PCS = 200,940.-	20'x8.43CONT'S	2200/20'	18,546.-	3,014	222.500

0175

BAIK SAN PLASTICS CO.

44-13, YOIDO-DONG
YEUNG DEUNG PO-GU,
SEOUL KOREA

O F F E R

TELEX : K22365
PHONE : (02) 780-4271/2
TELEFAX : (02) 785-3770

BAIK SAN PLASTIC CO., LTD, as Seller, hereby confirms having sold you (your company), following goods on the date and on the terms and conditions hereinafter set forth;

MESSRS: KOREA TRADING INTERNATIONAL INC.		DATE: NOV. 21, 1991	NO: NV/K/21
COMMODITY DESCRIPTION	BUYER'S REFERENCE NO:		

COMMODITY DESCRIPTION	QUANTITY	UNIT PRICE	AMOUNT
OUTER BAG WOVEN POLYPROPYLENE, OPEN MOUTH, WHITE NATURAL COLOR, TUBULAR, 55X95CM 1200 DENIER, 12x12/SQ.INCH, TOP HEAT CUT DOUBLE FOLDED AT BOTTOM SEWN. U.V. STABILIZED **INNER LINER BAG** 0.12MM THICKNESS SIZE : 57x102CM BOTH WPP AND PE BAGS ARE SEWN TOGETHER AT MOUTH.	500,000 PCS	F.O.B. CNF USD.4076/PC 0.239	U$203,800. 9.500
TOTAL			

SHIPMENT Time of Shipment: NOT LATER THAN NOV. 31, 1991	Port of Discharging: AQABA, JORDAN Transhipment:permitted/not xxxxxxx X Partial shipment:permitted/not xxxxxxx
	PAYMENT:
PORT OF LOADING BUSAN, KOREA	INSPECTION:
PACKING: 500 PCS IN ONE BALE WRAPPED WITH P.P. WOVEN CLOTH	INSURANCE: X X X X X
OTHER TERMS AND CONDITIONS:	

Refer to General Terms and Conditions on the reverse side hereof which are incorporated herein and make a part of this

BAIK SAN PLASTICS CO.

Accept by
(Buyer)

(Signature)

(Name & Title)

Date   , 19

(Seller)

(Signature)

(Name & Title) Y. K. OH / PRESIDENT

Date   NOV   21   , 19 91

서울特別市 永登浦區 汝矣島洞 44-13

白山프라스

代 : 口 :

0176

KOTI

KOREA TRADING INTERNATIONAL INC.

PHONE:(02)551—3114
FAX :(02)551—3100
TELEX:KOTII K27434
CABLE:KOTII SEOUL

11TH FLOOR, TRADE TOWER,
159, SAMSUNG-DONG, KANGNAM-KU,
SEOUL, KOREA
TRADE CENTER P.O.BOX23, 24

DATE: NOV. 23, 1991
YOUR REF:
OUR REF: KOOBS-20024

OFFER SHEET

To: THE MINISTRY OF FOREIGN AFFAIRS IN R.O.K.

Dear Sirs,

We have the pleasure in offering you as follows:

Delivery	.WITHIN 4 MONTHS AFTER SIGNING CONTRACT	Packing	:	EXPORT STANDARD PACKING
Origin	:R. O. K.	Inspection	:	MAKER'S INSPECTION TO BE FINAL
Port of Shipment	:KOREAN PORT	Validity	:	DEC. 22, 1991
Destination	:AQABA JORDAN	Remarks	:	
Payment	:C. A. D.			

Description	Quantity	Unit Price	Amount	Remarks
- 12,000L WATER TANK LORRY (MODEL : WLW120LO)	2UNITS	@$74,123.-	U$148,246.-	
RECOMMENDED SPARE PARTS (10%)	2 SETS	@$7,412.-	U$14,824.-	
- K2400 D/C TRUCK	5UNITS	@$8,885.60	U$44,428.-	
RECOMMENDED SPARE PARTS (10%)	5 SETS	@$933.80	U$4,669.-	
TOTAL :	7UNITS & 7 SETS		U$212,167.-	

///   ///   ///

0177

Accepted by

Very truly yours,

Korea Trading International Inc.

S. Y. KIM/DIRECTOR

원 가 계 산 서 (사 전 원 가)

REF : KOOBS-20024
단위 : U.S. DOLLAR

품 명	업 체 명	F.O.B.	CBM	단가	송료	기준가 (CIFx1)	요율 (%)	보험료	M (FOB X 2%)	C.I.F.
1. WATER TANK LORRY	쌍용자동차	69,707 x 2 = 139,414	30 x 2 = 60	90	5,400	163,071	0.395	644	2,738	148,246
S/PART (10%)	"	13,941	3 x 2 = 6	90	540	16,306	"	64	279	14,824
2. K2400 D/C TRUCK	기아자동차	7,350 x 5 = 36,750	15 x 5 = 75	90	6,750	48,871	"	193	735	44,428
S/PART (10%)	동서오토	3,675	2 x 5 = 10	90	900	5,135	"	20	74	4,669
TOTAL		193,780			13,590			921	3,876	212,167

0178

SsangYong Motor Company

Ssangyong Building, 24-1, 2-ka, Jeo-dong
Chung-gu, Seoul, Korea 100-748
C.P.O. Box 2123
Phone: (02) 273-4181
Telex : SSYMC K27596
Cable : SSYMC SEOUL
Fax : (02) 274-5062

Ref.No. SYMC911121-A

Date: NOV. 21, 1991

Messrs. KOREA TRADING INTERNATIONAL INC.

Dear sirs,

We are pleased to offer/quote you the undermentioned goods subject to

Delivery	: WITHIN FOUR(4) MONTHS AFTER RECEIPT OF YOUR L/C
Payment	: BY AN IRREVOCABLE LOCAL L/C AT SIGHT IN OUR FAVOR
Packing	: UNBOXED BARE CONDITION
Insurance	: TO BE COVERED BY BUYER
Inspection	: MAKER'S INSPECTION TO BE FINAL
Validity	: UNTIL THE END OF DEC. 1991
Remarks	: FINAL DESTINATION : JORDAN ONLY

H.S.No.	Item No.	Description	Quantity	Unit price	Amount
8704.22.9020		12,000L WATER TANK LORRY	FOB KOREA		
		(MODEL: WLW120L0)	2UNITS @$69,707.-		U$139,414.-
		RECOMMENDED SPARE PARTS(10%)			13,941.-
		TOTAL : FOB KOREA	2UNITS		U$153,355.-

Accepted by :

Yours faithfully,
SSANGYONG MOTOR COMPANY

J.G.HWANG/GENERAL MANAGER
OVERSEAS BUSINESS DEPT. 1

0179

Kia Motors Corporation
15 Yo do-dong, Youngdeungpo-ku,
Seoul, Korea
Tel. (02)784-1501
Fax. (02)784-0746
Telex K27321 KIACO

OFFER SHEET

MCT Reg. NO

To KOREA TRADING INTERNATION INC.
    SEOUL, KOREA

Our Ref.: _____

Date : NOV. 25, 1991

Gentlemen:

We have the pleasure to submit you our offer as follows on the terms and conditions set forth as hereunder

Description	Quantity	Unit Price	Amount
KIA VEHICLES =============		FOB KOREAN PORT IN US$ ======================	
K2400 D/C WITH AM/FM STEREO CASSETTE, HEATER AND STANDARD EQUIPMENT	5UNITS	07,350	US$36,750

Origin   : REPUBLIC OF KOREA
Shipment   : WITHIN FOUR (4) MONTH AFTER RECEIPT OF YOUR CASH
Destination : ANY KOREAN PORT
Packing   : EXPORT STANDARD PACKING (BARE)
Payment   : BY CASH

Validity   : DEC. 31, 1991
Remarks   : - OTHER TERMS AND CONDITIONS NOT STIPULATED HEREIN SHALL BE DISCUSSED LATER ON AND SUBJECT TO OUR FINAL WRITTEN CONFIRMATION.
            - MANUFACTURER'S INSPECTION BEFORE SHIPMENT TO BE FINAL, IF ADDITIONAL INSPECTION IS REQUIRED SUCH CHARGE SHALL BE BORNE BY BUYER.
            - THE OFFERED VEHICLES ARE BASED ON OUR STANDARD SPECIFICATIONS AND FEATURES.

KIA MOTORS CORPORATION   Very truly yours,

Accepted by: Kia Motors Corporation

                LEE, BUM CHANG
                President

0180

EAST WEST ENTERPRISES LTD.

PHONE : 215-2212/4   322-1 KUN JA-DONG MIRABO BLDG.,   TELEX : K24692 HANSEN
FAX : 215 2215   SUNG DONG-KU, SEOUL, KOREA.   K.P.O.BOX : 1797

OFFER SHEET

YOUR REF.   OUR REF. EW-91-1125 .
TO. KOREA TRADING INT'L INC.,   DATE.   NOV 23, 1991 .
   (JORDAN)

Gentlemen :

    In compliance with your request/solicitation, we are pleased to make an offer
for sale to you upon the terms and conditions set forth hereunder and in the
attached page here of :

Commodity : SPARE PARTS FOR K2400 D/C   (U$ 735.00 X 5 UNITS)
            (Specifications and descriptions, as per described in the attached page of
             this offer)

Quantity :   TOTAL 19 ITEMS

Amount. (Total) :   F.O.B PRICE US$ 3,675.00

Payment   :   BY A KOREAN CURRENCIES

Shipment :
        Partial Shipments : NOT ALLOWED   Transhipment : NOT ALLOWED

Packing   :   EXPORT STANDARD PACKING

Shipping Port :   KOREAN PORT

Discharging Port :

Inspection :   MAKER'S INSPECTION AT PLANT TO BE FINAL

Country of Origin : REPUBLIC OF KOREA

Validity :   DEC 15, 1991

Remarks :

Agreed and accepted by :   Yours faithfully,

(Name) _____   (Name) H. S. LEE
(Title)_____   (Title) MANAGING DIRECTOR   .

0181

SPARE PARTS FOR K2400 D/C

L/I	PART NO.	PART NAME	Q'TY	U/PRICE	AMOUNT
1.	K756-26-310	RR BRAKE SHOE	9	7.61	68.49
2.	K756-26-610	RR WHEEL CYL	4	10.70	42.80
3.	K591-13-840	SEDIMNTER	5	19.72	98.60
4.	K591-13-850	FUEL FILTER (E-2200)	20	23.66	473.20
5.	FE50-16-410B	C. COVER	5	38.03	190.15
6.	FE50-16-460	CLUTCH DISC	5	70.42	352.10
7.	K629-18-300B	ALTERNATOR	3	217.40	652.20
8.	K586-18-701	CONTROL UNIT	7	21.97	153.79
9.	K592-23-603A	AIR ELEMENT	23	8.73	200.79
10.	K589-41-920	CLUTCH R/C	4	14.93	59.72
11.	K590-50-050B	FR BUMPER PROTECTOR	5	10.70	53.50
12.	K590-50-060B	FR BUMPER PROTECTOR	5	10.70	53.50
13.	K592-50-710	RADIATOR GRILL	5	13.52	67.60
14.	K586-51-030	HEAD LAMP (RH)	5	43.66	218.30
15.	K586-51-040	HEAD LAMP (LH)	5	43.66	218.30
16.	K586-51-150	RR COMB LAMP (RH)	6	15.77	94.62
17.	K586-51-160	RR COMB LAMP (LH)	5	15.49	77.45
18.	K596-69-110	BACK MIRROR (RH)	10	32.39	323.90
19.	K596-69-170	BACK MIRROR (LH)	10	27.61	276.10

TOTAL   F.O.B. PRICE .... USD 3,675.00

0182

HAE DONG TRADING CO., LTD.

952-6 DAB SIMRI-DONG, DONG DAE MUN-KU, SEOUL, KOREA

PHONE : (02) 213-9642　　　　FAX : (02) 244-6728

OFFER SHEET

MESSERS : KOREA TRADING INTERNATIONAL INC.,

DATE　　 : NOV 23, 1991
YOUR REF :
OUR REF : 911123-171

Gentlemen :

WE ARE VERY PLEASED TO OFFER YOU AS FOLLOWS ;

Shipping port : BUSAN, KOREA　　　　　　　Destination　 : JORDAN

Packing　　 : EXPORT STANDARD　　　　　Origine　　　 :

Validity　　 : DEC 15, 1991

Shipment　　 :

Payment　　 : KOREA CORRENCIERS　　　　　Very turly yours,

Remarks　　 :　　　　　　　　　　　　HAE DONG TRADING CO., LTD

Accepted by　 :

ITEM NO.	DESCRIPTION	Q'TY	U/PRICE	AMOUNT
	" DETAILS AS PER ATTACHED SHEET "			

0183

걸프사태 : 주변국 지원, 1990-92. 전12권 (V.7 요르단 II: 1991.4-12월) 339

SPARE PARTS FOR K2400 D/C

L/I	PART NO.	PART NAME	Q'TY	U/PRICE	AMOUNT
1.	K756-26-310	RR BRAKE SHOE	8	8.31	66.48
2.	K756-26-610	RR WHEEL CYL	5	10.51	52.55
3.	K591-13-840	SEDIMNTER	5	23.15	115.75
4.	K591-13-850	FUEL FILTER (E-2200)	10	35.43	354.30
5.	FE50-16-410B	C. COVER	5	43.15	215.75
6.	FE50-16-460	CLUTCH DISC	5	88.31	441.55
7.	K629-18-300B	ALTERNATOR	3	274.67	824.01
8.	K586-18-701	CONTROL UNIT	6	20.78	124.68
9.	K592-23-603A	AIR ELEMENT	20	13.25	265.00
10.	K589-41-920	CLUTCH R/C	5	21.69	108.45
11.	K590-50-050B	FR BUMPER PROTECTOR	6	15.15	90.90
12.	K590-50-060B	FR BUMPER PROTECTOR	6	15.15	90.90
13.	K592-50-710	RADIATOR GRILL	7	12.92	90.44
14.	K586-51-150	RR COMB LAMP (RH)	5	16.92	84.60
15.	K586-51-160	RR COMB LAMP (LH)	4	16.92	67.68
16.	K596-69-110	BACK MIRROR (RH)	10	41.15	411.50
17.	K596-69-170	BACK MIRROR (LH)	10	27.04	270.40

TOTAL   F.O.B. PRICE .... USD 3,675.00
==

0184

외 무 부

110-760 서울 종로구 세종로 77번지 / (02)720-3869 / (02)720-3870

문서번호 중동이 20005-159
시행일자 1991.12. 3. ( )

취급			장 관
보존			예
국 장	전결		
심의관	6u		
과 장	출		
담당	김 정 수		협조

수신 총무과장 (외환계)
참조

제목 걸프사태 지원 사업경비지불

걸프사태 관련 대요르단 지원물자인 비닐포장백 50만매 선적에 따른 경비를
아래와 같이 지불하여 주시기 바랍니다.

- 아 래 -

1. 지 불 액 : $222,500
2. 지 불 처 : (주) 고려무역
   o 지불은행 : 제주은행 서울지점
   o 구좌번호 : 963-THR 109-01-0
3. 산출근거 : 걸프사태 관련 대요르단 지원물자중 일부를 선적기일까지
   선적함에 따른 경비지불(91.11.20 계약체결)
4. 예산항목 : 정무활동, 해외경상이전 (걸프사태 주변국 지원)

첨 부 : 1. 재가공문 사본 1부.
2. 계약서 사본 1부.
3. 고려무역 청구서 1부. 끝.
4. 선적서류 사본 1부.

0185

株 式 會 社 高 麗 貿 易

電 話 : (02) 737-0860
F A X : (02) 739-7011
TELEX : KOTII K34311

서울 特別市 江南區 三成洞 159番地
貿易會館 빌딩 11層
TRADE CENTER P.O. BOX 23,24.

수 신 : 외무부 중동 2 과장
제 목 : 걸프만 사태 관련 지원물대 송금 신청

    폐사는 귀부와의 계약에 의거하여 아래와 같이 걸프만 사태 관련 지원물품을 기 선적하였 아오니 송금조치 하여 주시기 바랍니다.

- 아   래 -

1. 선적물품 내역

품 목	수 량	금 액	선적일	도 착 예정일	선 명	선적항	도착항
P.P. BAG	500,000 PCS	U$222,500	11/25 11/27	12/31 "	MAJAPAHIT HAI GUANG	BUSAN	AQABA

2. 비 고

    걸프만 사태 관련 JORDAN 지원 계약분 ('91. 11.20) 중 선적분임.

3. 송 금 처 : 제주은행 서울지점
     구좌번호 : 963-THR 109-01-0
     예 금 주 : (주)고려무역. 끝.

1 9 9 1 年 12 月 2 日
鍾 路 貿 易 本 部 海 外 事 業 팀

0186

분류번호	보존기간

발 신 전 보

번 호 : WJO-0708   911203 1622 BE   종별 : _____

수 신 : 주요르단   대사. 총영사

발 신 : 장 관   (중동이)

제 목 : 무상원조

대 :(1) JOW - 843, (2) JOW - 848

연 : WJO - 686

1. 대호사항 고려무역에 통보한바, 아래와 같이 요르단측이 전량 인수해야
한다는 입장인바 JPMC측과 협의후 결과 보고바람.

　　가. 기선적분은 계약사양대로 제조되었음. 3차선적분(36만장)은 수출품
　　　　국제 공인 검정기관의 검사를 받았으며 교섭시 사용할 수 있도록
　　　　동검사서를 파편 송부 예정임.(1,2차 선적분은 문제발생을 사전에 전혀 예상치않아
　　　　　　　　　　　　　　　　　　　　국제공인검사서를 받지않았음)

　　나. 요르단 왕립 과학원은 국제공인 검정기관이 아니므로 동기관의
　　　　검사결과를 인정할 수 없음.

　　다. 미선적분(66만장)에 대해서도 국제공인 검정기관의 검사를 받은후
　　　　선적할 예정이며 동검사서도 추후 송부하겠음.

　　라. 대호(1)건 해결을 위해 필요할 경우에는 현지 출장할 것임.

2. 금후 선적분은 문제발생 방지를 위해 국제 공인 검정기관의 검사를
받은후 선적 예정이라 함을 참고하시고, 대호(2)EDCF 차관관련 기획성 방문시
가능하면 자연스럽게 비닐포장백건도 거론 전량 인수토록 교섭바람. 끝.

　　　　　　　　　　　　　　　　　　　(중동아국장 이 해 순)

예 고 : 92.6.30.일반

보안통제

앙고재	91년 월 일 과	기안자 성명		과 장	국 장		차 관	장 관	외신과통제

0187

외 무 부

원 본

종 별 :

번 호 : JOW-0877

수 신 : 장관(중동이)

발 신 : 주 요르단대사

제 목 : 무상원조

일 시 : 91 1203 1300

대: WJO-0706, 0703

1. 기획성측은 대호 WATER TANK(주)쌍용제품에 동의함

2. 잔액에 대해서는 대호 차종등 HARDWARE 로 결정토록 수상실에 건의, 동 결과를 가까운 시일내에 통보해 주겠다함. 끝

(대사 이한춘-국장)

예고:92.6.30

중아국

외 무 부

관리
번호 ·1/1187

종 별 :

번 호 : JOW-0884   일 시 : 91 1207 1400

수 신 : 장 관(중동이)

발 신 : 주 요르단 대사

제 목 : 무상원조

대:WJO-0708

1. 본직은 12.7. AZAR JPMC 사장을 방문, 대호 비닐포장백 문제를 협의한바,동사장은 아국 관계자의 당지 출장시 양측의 제반사정을 파악한후 동문제를 가능하면 우호적으로 해결토록 노력하겠다고 하였음

2. 그간 당관으로서도 동문제해결을 위해 계속 노력할것이나 직접 관계자의당지 출장이 요망되는바 조치 건의함

3. 본직은 12.11. ENSOUR 상공장관(전외상), BILBEISI 외무차관, TOUKAN 기획차관및 동사장부부등 주재국 고위인사들을 관저 만찬에 초대하였음을 참고바람

(대사 이한춘-국장)

예고:91.12.31 까지

중아국

발 신 전 보

번   호 :   WJO-0721   911210 1531 ED   종별 : 암호송신

수   신 :   주 요르단   대사. 총영사/ (김균참사관)

발   신 :   장 관   (중동2과장 정진호)

제   목 :   업 연

1. 무상지원 품목인 비닐백건 관계로 심려드려 송구합니다.

2. 당초 동비닐백은 무상원조 정신에 부합되지 않아 본부에서 상당히 망설였으나 기획성측의 요청에 따른 전임박태진 대사의 강력한 건의로 부득이 지원 결정을 하였던 것임.

3. 동비닐백 품질에 관하여 현재 백산과 JMPC측이 서로 상반된 주장을 하고 있어 문제가 되고 있으나 본부 판단으로는 JMPC측이 당초 주문규격을 제대로 주지 않아 문제가 발생한 것으로 보이는바, 동건은 기획성측과 접촉, 지원결정 경위를 설명하고 기생산분 전량 인수토록 협의하여 주시기 바람.

4. 동건관련 대사님께도 따로 서신 올리겠으며 고려무역과 백산측에서도 동건 해결차 출장 고려중임을 참고하시기 바람.

5. 지난번 최사무관편에 보내주신것 배수하였습니다. 건승기원. 끝.

0190

분류번호	보존기간

발 신 전 보

번 호 : WJO-0723   911210 1730 ED   종별 : _____

수 신 : 주요르단   대사. 총영사

발 신 : 장 관   (중동이)

제 목 : 무상원조

연 : 중동이 20005 - 45123

대 : JOW - 884, 843

1. 연호 송부한 신사양 50만매에 관하여 JPMC측에 송부된 검사결과서
내용에 착오가 발견되어 (주) 백산이 검정기관에 의뢰 사정조치 하였음을 참고
바람. (동내용 귀관에 기 FAX 송부함)

2. 대호 구사양 비닐백 해결 관련, 금후에는 동물품 기증처인 기획성을
접촉(기획성 요청품목임), 동건 무상원조품인 점을 감안, 기생산분 전량 175만매를
인수토록 교섭바람. 끝.

(중동아국장 이 해 순)

			보 안 통 제	초

앙 고 재	91 년 12 월 10 일	기안자 성명	과 장	요의안	국 장	차 관	장 관	외신과통제

0191

一般豫算檢討意見書

199 /. /2. /2.　　　　중동 2　課

事 業 名	걸프사태반면, 요르단 5차 융자지원		
支辨科目	細 項	目	金 額
	1211	341	$212,167.-

檢　討　意　見	
主 務 者	정무환동, 해외경상이전 에서 집행
擔 當 官	〃
審 議 官	〃

0192

외 무 부

110-760 서울 종로구 세종로 77번지 / (02)720-3869 / (02)720-3870

문서번호 중동이 20005-

시행일자 1991.12.10. (   )

취급		차 관	장 관
보존		전결	
국 장			
심의관		기획관리실장	
과 장		총무과장	
담당	김정수	기획운영담당관	협조

수신   건   의

참조

제목   걸프사태 관련 물자지원 (요르단 - 5)

1. 우리정부는 걸프사태 피해국인 요르단에 대하여 500만불 상당의 물자를
지원키로 하고 지금까지 4차에 걸쳐 US$ 4,323,829 30 상당의 물자를 지원하였으며 잔여
US$676,170 70 중 요르단 정부에서 요청한 하기품목을 5차분으로 아래와 같이 지원
코자 하니 재가하여 주시기 바랍니다.

- 아   래 -

가. 지원내역

품 목	수 량	단 가(CIF)	금 액
Water tank Lorry	2 대	$74,123	$148,246
Pick up (K2400)	5 대	$ 8,885 60	$ 44,428
부품대금	10%상당		$ 19,493

총 계 : $212,167

나. 선적일정

   ○ 전품목을 92.4.6까지 일괄 선적예정

다. 지출근거

   ○ 정무활동, 해외경상이전, 걸프사태 주변피해국 지원 (요르단)

2. 금번 5차분 집행이후 잔액($464,003 70)은 적정물품을 지원코자 요르단
정부와 협의중에 있습니다.

첨 부 : 1. (주) 고려무역 견적서 및 수출계약서

       2. 관련전문   끝.

0193

輸 出 契 約 書

"甲" 外　　務　　部
　　　中東 2 課長　鄭 鎭 鎬

"乙"　株式會社　高 麗 貿 易
　　　代表理事　副社長 高 一 男

上記 "甲" "乙" 兩者間에 다음과 같이 輸出契約을 締結한다.

第 1 條 : 輸出物品의 表示
　　　　　　別　　添

第 2 條 : "甲"은 上記 第1條의 物品代金을 船積書類 受取後 "乙"에게 支給한다.

第 3 條 : "乙"은 上記 第1條의 物品을 1992. 4. 6. 까지　KOREAN PORT 港
　　　　　또는 (空港)에서　AQABA, JORDAN 行 船舶(또는 航空機)에 船積하여야
　　　　　한다.　但, 불가피한 事由로 船積이 遲延될 境遇에는 1990. 12. 21.
　　　　　外務部長官과 "乙"間에 締結된 輸出代行業體 指定 契約書 第4條 規定에
　　　　　依하여 "乙"은 "甲"에게 船積 遲延事由書를 提出하고 "甲"은 同 遲滯
　　　　　賠償金 免除 與否를 決定한다.

第 4 條 : "乙"은 船積完了後 7日 以內에 "甲"이 船積物品 通關에 必要한 諸般
　　　　　船積書類를 "甲" 또는 "甲"의 代理人에게 提出 또는 現地公館에 送付
　　　　　하여야 한다.

- 1 -

0194

第 5 條 : 上記 船積物品의 品質保證 期間은 船積後 1 年間으로 하며, 이 期間中 正常的인 使用에도 不拘하고 製造不良이나 材質 또는 조립상의 하자가 發生할 境遇 "乙"의 責任下에 解決한다.

本 契約에 明示되지 않은 事由에 對하여는 걸프만 事態 供與品 輸出 代行 契約書에 따른다.

1991 年 12月 6 日

"甲" 外 務 部   "乙" 株式會社 高麗貿易

                                서울特別市 江南區 二成洞

中東 2 課長 鄭 鎭 鎬   代表理事 副社長 高 一

- 2 -

DESCRIPTION	Q'TY	UNIT PRICE	AMOUNT
12,000L WATER TANK LORRY (MODEL : WLW120L0)	2UNITS	ⓐ$74,123.	U$148,246.-
RECOMMENDED SPARE PARTS (10%)	2 SETS	ⓐ$7,412.	U$14,824.
K2400 D/C TRUCK	5UNITS	ⓐ$8,885.60	U$44,428.-
RECOMMENDED SPARE PARTS (10%)	5 SETS	ⓐ$933.80	U$4,669.
T O T A L :	7UNITS & 7 SETS		U$212,167.-

0196

誓 約 書

受　信 : 外務部長官

題　目 : 對外協力 供與用 物品供給

　　弊社는 貴部가 主管하는 對外協力 事業이 受援國과의 友好·協力關係

增進을 爲한 國家的 事業임을 認識하고, 今般　　JORDAN　　國에 供與하는

12,000L WATER TANK LORRY,ETC. 物品을 供給契約 締結함에 있어 아래 事項을

遵守할 것을 誓約하는 바입니다.

1. 物品供給 契約時 品質 價格面에서 一般 輸出契約과 最小限 同等한 또는

　　보다 有利한 條件을 適用한다.

1. 供給된 契約은 보다 誠實하고 協調的인 姿勢로 履行한다.

1. 同 契約 內容은 業務上 目的 以外에는 公開하지 않는다.

　　　　　　　　　　　19 91 年 12 月 6 日

會　社　名 :

代　表　者 :　　서울特別市 鐘路區 堅志洞 65-1

（署名 및 捺印）　　株式會社 高麗貿易
　　　　　　　　　代表理事 高 一 男

0197

BSP 白山프라스틱

서울·영등포구 여의도동 44 - 13
충무빌딩 903호

FACSIMILE
전 화 : (02) 780 — 4271 / 2
팩 스 : (02) 785 — 3770
텔렉스 : K22365

會 社 :	요르단 대사관	日字 : 91 年 12 月 09 日 발송번호 : DC/요/9
貨 下 :	김 균 참사관님	
件 名 :	새로운 사양의 P.P. BAG 500,000매건 (JPMCO)	

1. 주야로 국사에 다망하신중에, 본건과 관련 소소한 문제로 심려 끼쳐드려 죄송합니다.

2. 혹 JPMC의 실무자 MR. OKLA씨로부터 11월 28일자, 새로운 사양의 500,000매
   선적과 관련, 귀 대사관에 보내진 검사보고서 FAX와 관련, 검사기관의 보고서가
   큰 착오가 밝혀졌기에 즉시 JPMCO및 본부에 규명 TLX 보내고, 동 사실을 참사관님께
   보고하오니, 추호도 품질에 대한 의심은 하지말아주시기 요망합니다.

3. 내 용 :

11) 프랑스 "SOCOTEC" 검사회사의 한국 AGENT인 "INTECO" 에서 선적전 P.E. LINER
    부게 검사결과 122 - 139GR 이었으며, 동 사실을 프랑스 "SOCOTEC"에 그대로
    REPORT 하였으나

22) "SOCOTEC"에서 JPMCO에 다시 작성하여 재 REPORT 하는 과정에서 112-130GR으로
    잘못 TLX 발송 되었음. (타이핑 MISTAKE)
    따라서, 오늘 INTECO에서 프랑스 SOCOTEC에 상기 정정 요청보고서를 JPMCO에
    보내도록 TLX 발송하였음.

33) 따라서, JPMCO에서 가급 설명을 쓰는 부분에 (JPMCO 주문서는 APPROX 125GR 이었음)
    대해 완벽함을 알려드립니다.

_. 마지막 마무리 봉제공정 과정은, 납기위해 여력군데 차질을 주게 되므로 MR. OKLA씨의
   " 백산 " 이 TRADER 운운 부분은 의미가 없습니다.

   참고로 폐사가 JPMCO에 동건에 대한 해명 FAX 발송한 COPY 보내드립니다.

서울特別市 永登浦區 汝矣島洞 44-13

白山프라스틱
代 表 吳 庸 均

0198

EXPORTERS & MANUFACTURERS
BAIK SAN PLASTICS CO.
44-13, Yoido-Dong, Yeungdeungpo-Ku
SEOUL, KOREA

FACSIMILE
OUR FAX NO. (02) 785-3770
PHONE NO. (02) 780-4271/2
TLX NO. : K22365

TO : JORDAN PHOSPHATE MINES	DATE : 9 / 12 / '91	REF NO. : DC/J/9
ATTN :ENG SH OKLA, SUPPLIES MANAGER		

SUBJECT: YR FAX NO. 6661 (NEW SPECIFICATION)

CC: MR. ADNAN SAHAWNEH

AFTER RECEIPTS OF YR FAX COPY OF SOCOTEC INSPECTOR REPORT, WE FOUND
WORNGLY PASSED RESULTS FROM SOCOTEC TO YOU.

11.- WE ASKED THE INSPECTION AGENT OF SOCOTEC HERE IN KOREA TO CLARIFY
THE INSPECTION RESULTS OF WEIGHT OF P.E. LINER
YOUR ORDERED SPEC WAS "APPROX 125GRS" AND SOCOTEC REPORT FOR YOU WAS
112-130GRS, WHILE WE WERE ADVISED THE RESULTS FM AGENT AS 122-139GRS.

22.- AS WE CHECK THE AGENT OF SOCOTEC HERE, THEY SURELY REPORTED TO
SOCOTEC AS 122-139GRS.
IT SEEMS THAT IN THE PROCESS OF RE-TYPE WRITING REPORT FOR YOU,
SOCOTEC-FRANCE MISTYPED AND WRONGLY TRANSFERRED YOU.
PLS INQUIRE THIS POINT TO SOCOTEC.

33.- EVEN WE MAKE FABRIC AND FILM, THE SEWING PROCESS TO BE DISTRIBUTED
TO SEWING FACTORIES.

B.RGDS OH

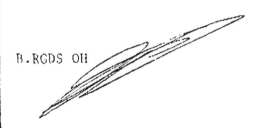

0199

TOTAL P.02

발 신 전 보

번 호 : WJO-0729   911212 1612 ED종별 :

수 신 : 주 요르단   대사 . 총영사///

발 신 : 장 관   (중동이)

제 목 : 무상원조

　　　　　　대 : JOW - 884

　　　　　　연 : WJO - 708

　　　연호 통보한 비닐백건 해결을 위한 관계자가 아래와 같이 귀지 출장
예정이라 하니, JPMC 및 기획성등의 관계자 면담 주선등 필요 조치 바라며,
동방문시 연호건 해결될 수 있도록 귀관이 적극개입 바람.
　　　　　1. 출장자 인적사항
　　　　　　　Jang Ji-Young (고려무역 직원)
　　　　　　　OH Young-Kyun (백산사장)
　　　　　2. 일정
　　　　　　　12.15(일) 09:55 　　　 암만도착 (RJ-603)
　　　　　　　　18(수) 22:00 　　　 출발 (RJ-184). 끝.

　　　　　　　　　　　　　　　　　　(중동아국장 이 해 순)

예 고 : 92.3.31.까지

보 안 통 제	立

앙고재	91년 12월 12일 22과	기안자 성명 김문영		과 장 심의관 立	국 장 04 전결		차 관 장 관 에	외신과통제

0200

관리
번호

외 무 부

종 별 :

번 호 : JOW-0907   일 시 : 91 1217 1400

수 신 : 장 관(중동이)

발 신 : 주 요르단 대사

제 목 : 무상원조

연: 요르단(정)700-108

1. 12.17. 주재국 기획성은 대주재국 무상원조 잔액 $464,209.-를 연호로 요청한바있는 타이어(금호및 한국타이어) $128,668.-(F.O.B. $113,668.-, 선임 $15,000.-) 상당을 지원해 주기를 요청함. 당지 출장중인 고려무역 직원에게 동세부 품목 명세서를 전달할것이며 한국타이어 및 금호에서는 공급이 가능한 품목이라함

2. 잔여분 $335,541.- 에 대해서는 당관이 요청한 급수차나 PICK UP 등 HARDWARE 로 추진, 가능한 빠른 시일내에 구체적인 품목을 결정, 각의의 승인을 득하도록 노력할 것이나, 만약의 경우에 대비 최소한 92.1.31. 까지의 유예해 줄것을 당부하여왔음

(대사 이한춘-국장)

예고:92.6.30. 까지

중아국   경제국

┌──────────┐
│ 원 본 │
└──────────┘

외 무 부

종 별 :

번 호 : JOW-0908

일 시 : 91 1217 1400

수 신 : 장 관(중동이)

발 신 : 주 요르단 대사

제 목 : 대주재국 원조

1. 금 12.17. 주재국의 GHOUL 민방위청장이 본직을 방문, 주재국의 화재, 재난, 긴급사고등에 대한 민방위청의 전국적인 역할과 실정을 상세 설명하고 인도적인 견지에서 소방차, 구명정, (PICK UP,) 의료장비, 소화기기등 동관련 장비의지원을 요청하여 왔음(동상세품목 금주 파판 송부)

2. 주재국은 걸프사태로 극심한 경제난을 겪는외에도 약 30 만명의 난민들이 입국, 예전에 비해 각종사고가 빈번하게 발생하고 있으나 주재국의 예산 사정상 도저히 긴급사태등에 대응치 못하고 있어 당관에 여사한 요청을 하게된것으로판단되는바, 가능하면 대주재국 지원차원에서 20-30 만불 정도선에서 지원해 줄것을 건의하오니 회시바람

(대사 이한춘-국장)

예고:92.6.30 까지

중아국   차관   2차보   경제국

관리
번호 91/142

외 무 부

종 별 :

번 호 : JOW-0909
일 시 : 91 1217 1400

수 신 : 장 관(중동이)

발 신 : 주 요르단 대사

제 목 : 무상원조

대:WJO-0729

1. 12.17. 대호 비닐백 관련, JPMC 와 다음과 같이 합의, 해결함

가. 동비닐백 공급 총계약액 136 만불중 연말까지 집행이 어려운 $435,500.-을
92.4. 까지 신규 사양의 백을 공급토록 함

나. 백산재고 구사양의 66 만장은 JPMC 가 지정하는 국제공인 검사기관의
품질검사를 거쳐 선적하되, 동백 선적시 구사양 109 만장에 대한 규격 불일치에 대한
보상의 의미에서 구사양 백 150 만장에 인쇄된 문자를 지우기 위한 제거액(SOLVENT)을
백산측의 부담으로 같이 선적함

다. 백산측은 JPMC 측에 대한 우호의 표시로 요르단측이 부담할 백 인쇄문자 제거
노임중 $6,000.- 을 부담키로 함

2. 당관 김참사관은 JPMC AZAR 사장, OKLA 구매담당간 MINUTES OF MEETING에
서명한바, 동 MOM 파편 송부 위계임

(대사 이한춘-국장)

예고:92.6.30 까지

중아국   경제국

PAGE 1

발 신 전 보

번 호 : WJO-0737   911218 1700   FL 종별 : _____

수 신 : 주 요르단   대사 . 총영사///

발 신 : 장 관   (중동이)

제 목 : 무상원조

대 : JOW - 0907, 0908

1. 대호 무상원조 잔액(₩464,209)중 일부는 귀주재국 기획성측 요청대로 타이어(₩128,668 상당)를 지원할 방침이나 잔여분은 예산회계법상 금년내 본부와 대행업체(고려무역)간의 공급계약이 체결되지 않으면 불용액으로 국고반납 조치하여야 하므로 92.1.31까지 유예는 절대 불가함.

2. 따라서 잔여분($335,541)은 동 예산집행 시한이 급박함을 감안, 귀주재국 민방위청이 지원요청한 품목중 PICK-UP 및 동부품을 지원 ~~키로 결정~~ 코자 ~~하였으니~~ 기획성측에 통보하고 이해를 구하기 바람.

3. 상기 타이어 의 ~~및 PICK-UP의~~ 희망규격 및 사양등 지급 보고바람. 끝.

픽컴은 기리원(일톤)된 것라 기능 벗으로 할것임.

(중동아국장 이 해 순)

0204

발 신 전 보

	분류번호	보존기간

번 호 : WJO-0738   911218 1702   FL   종별 : _____

수 신 : 주 요르단   대사. 총영사/// (친전)

발 신 : 장 관   (중동아국장)

제 목 : 업 연

연 : WJO - 0737

연호 이쪽 사정을 이해해 주시기 바랍니다. 축건승

	보 안 통 제	호

앙고재	91년 12월 18일	2과	기안자 성명		과 장		국 장		차 관	장 관	외신과통제

0205

주 요 르 단 대 사 관

요르단(정) 700-726   1991. 12. 18.

수 신 : 장 관

참 조 : 중동아프리카국장

제 목 : 무상원조

          연: JOW-0909

연호 비닐빽 관련, JPMC 와 합의한 MINUTES OF MEETING 사본을 별첨과 같이 송부합니다.

첨 부 : 동 MOM 사본 1부.   끝.

주   요   르   단   대

0206

JORDAN PHOSPHATE MINES CO., LTD.
Amman – The Hashemite Kingdom of Jordan

Our Ref. : ....

Date : Dec. 17, 1991

Tel. : 660141 - 660147
Telex : 21223 . 22475 FOSFAT JO
P. O. Box : 30 AMMAN
Cable : PHOSPHATE - AMMAN

Minutes of Meeting

Subject : JPMC inquiry number CD91/527F P.P. Bags from Korea
(Baiksan Plastic Co.)

Participants of the meeting:
1. Jordanian side:
   - Eng. Shukri Okla , Supply Manager
   - Mr. Suheil Musleh, Deputy Marketing Manager
   - Eng. Walid Qassi , Deputy Supply Manager
   - Eng. Adnan Sahawneh, Head of study Section
2. Korean Side:
   - Mr. Yong-Kyun Oh, President of BaikSan Plastic Co.
   - Mr. Ji-Young Chang, Manager of Korea Trading Int'l Inc.
   - Mr. Kewn Kim   , Representative of the Korean Embassy

Above participants had met on Dec. 16, 1991 at JPMC headoffice
to discuss the problems related to the above mentioned order and had
finally agreed to the following as the final solution to the matter.

1. Postpone the usage of the remaining amount of US$ 435,500.00 from the
   original total amount (US$ 1,360,000.00) for the supply of P.P. bags
   from Korea, It was previously agreed that the whole quantity of P.P.
   bags must have been shipped until the end of 1991 but the Korean side
   has agreed to delay the usage pf the above mentioned balance amount
   until the end of April 1992.

2. JPMC has agreed to ship the 660,000 bags which was produced in accordance
   with old specification and which are stocked currently at Baiksan Co.
   under the following conditions; These bags were manufactured before
   Baiksan had been informed to change the specifivation. Out of 660,000
   P.P. Bags, 560,000 bags are printed on both sides and 100,000 bags are
   printed on one side only.
   a. JPMC should appoint an independent inspector by Dec, 25, 1991 for
       the shipment before Dec. 31, 1991.
   b. Baiksan will provide JPMC with chemicals to remove the Iranian markings
       from the P.P. Bags free of charge. The quantity of the chemicals must
       be enough to erase the Iranian markings on 1,500,000 P.P. bags.
   c. Baiksan will transfer the amount of US$6,000.00 to JPMC to cover
       the part of labour cost needed to rase the Iranian markings from
       the P.P. bags in Jordan.

.../

0207

JORDAN PHOSPHATE MINES CO., LTD.

Amman – The Hashemite Kingdom of Jordan

Our Ref. : ....

Date : ....

Tel. : 660141 - 660147

Telex : 21223 , 22475 FOSFAT JO

P. O. Box : 30 AMMAN

Cable : PHOSPHATE - AMMAN

---

3. It has been informed to JPMC that there is a remaining amount of US$ 464,000.00 from the original US$ 5 million grant from the Korean govenment to the Jordanian Government. JPMC will write to the Ministry of Planning in order to benefit from the above mentioned amount and Korean side will cooperate fully in this matter. However, the approval of using the above mentioned amount by JPMC to receive buses and fork lifts should be obtained by Dec. 31, 1991 from the Jordanian Government. The actual shipment of goods is to be during the first half of 1992.

JORDANIAN SIDE

ENG. ADNAN SAHAWNEH
HEAD OF STUDY SECTION

ENG. WALID QAISSI
DEPUTY SUPPLY MANAGER

ENG. SUHEIL MUSLEH
DEPUTY MARKETING MANAGER

ENG. SHUKRI OKLA
SUPPLY MANAGER

KOREAN SIDE

MR. Y. K. OH
PRESIDENT OF BAIKSAN P. CO.

MR. J. Y. CJANG
MANAGER OF KOREA TRADING.

MR. K. KIM
REPRESENTATIVE OF
THE KOREAN EMBASSY

WASEF AZAR

MANAGING DIRECTOR

0208

2.140.

JORDAN PHOSPHATE MINES CO., LTD.

Amman - Jordan

FACSIMILE TRANSMITTAL

F. Ser. No. : 6661

Date : 28-11-1991

No. of Pages : ....   Country: JORDAN   Fax No. 696560

To : MIS. AL-GHANEM Co.

From : SUPPLY DEPT.

Attention : 1-CC His EXCELLENCy the Minister of Planning   (64-9341

Copy : 2-CC. His EXcelency, the Ambassador of the Reupelic of

Subject: our order no CD91/527F   (662/5

Pls find Attached a copy of SocoTEC inspector Report. The inspector company which inspected the shipment of 500,000 Bag with the new specifications which is supposed to be shipped today.

After we read the inspector report we realized the following :-

1. The specifications seem are different than what we have asked for.

2. The Bags were manufactured in two factories or more.

3. The sewin of Bags were made in (11) different factories. That means Bairsan is not a factory but it's a trade house even though in OH the President of Bairsan company inform us that our Bags are 100 made by Bairsan factory. (

0209

```
SOCOTEC INTERNATIONAL INSPECTION (S.2.I.)
1 AVENUE DU PARC-78180-MONTIGNY LE BRETONNEUX-FRANCE
TEL : (33).1.30.64.61.88
FAX : (33).1.30.57.28.84
TLX : 699.165 SOCI F
```

```
TO : J.P.M.C.                 ATTN. MR SH OKLA
                              SUPPLIES MANAGER
```

NBRE PAGES:02
DATE: Mercredi 27 Novembre 1991 à 16h35

****
SUBJECT : YOUR PURCHASE ORDER NO 91-627 / 5 88 888 BAGS
SOLD BY BAIK SAN PLASTICS CO
****

A/ THE COMPLETE BAGS WERE STOCKED AT TWO PLACES AS FOLLOWS AND THEY WERE
PRESENTED FOR OUR INSPECTION WHICH WE INSPECTED ON 22 AND 23.11.91
* FACTORY AT TOWN CALLED "ANSAN"/...... 400 000 BAGS
* FACTORY AT TOWN CALLED "MADO"/....... 100 000 BAGS

B/ 400 000 BAGS AT ANSAN WERE REPORTEDLY SEWN AT 11 DIFFERENTS FACTORIES
BUT THE BAGS FOR EACH DIFFERENT FACTORY WAS NOT STOCKED SEPARATELY AND
THEREFORE IT WAS NOT POSSIBLE TO IDENTIFY WHICH BAGS WERE SEWN AT WHICH
FACTORY
100 000 BAGS AT MADO WERE REPORTEDLY SEWN AT ONLY ONE FACTORY.

C/ IT WAS NOT POSSIBLE TO INSPECT THE BAGS AT THE TIME OF STUFFING
OPERATIONS INTO THE CONTAINERS BECAUSE NOT ONLY THE SCHEDULE FOR THE
CONTAINERIZATION WAS NOT EXACTLY KNOWN BUT ALSO THE BUNDLES COULD NOT BE
BURST OPEN TO TAKE THE SAMPLES AT THE TIME OF STUFFING OPERATIONS.
THEREFORE FOR THE PRACTICAL PURPOSE WE INSPECTED THE BAGS AT 2 DIFFERENT
LOCATIONS BEFORE THE CONTAINERIZATION WITH OUR FINDINGS AS FOLLOWS:

		SPECS	RESULTS
P.P. BAGS:	WIDTH	55 CM	55.4 - 57.0 CM
	LENGTH	95 CM	95.0 - 98.0 CM
	WEIGHT APPROX	141 GR	130 - 134 GR 30 PCT
			135 - 142 GR 70 PCT
P.E. LINER:	WIDTH	57 CM	56.5 - 58.0 CM
	LENGTH	102 CM	102.5 - 103.6 CM
	WEIGHT APPROX	125 GR	112 - 130 GR
	THICKNESS	0.12 - 0.13 MM	0.11 - 0.14 MM

0210

DENIER OF PP BAGS:
UPON CHECKING THE DENIER AT THE MANUFACTURE'S FACTORY ON THE YARN
REPORTEDLY REMAINING IT WAS 11MM - 12MM AGAINST THE SPECIFICATIONS BUT
THERE WAS NOT WAY OF CONFIRMING IF THE YARN PRESENTED TO US WAS WHAT WAS
ACTUALLY REMAING FROM THE PRODUCTION.THEREFORE WE SENT 18 BAGS (8 BAGS
FROM FROM ANSAN AND 2 BAGS FROM MADO FACTORY)IN A LOCAL LAB FOR DENIER
OF PP BAGS AND THICKNESS OF P.E. LINERS AND THE TEST RESULTS WILL BE
AVAILABLE ON 29.11.91

IN THE SPECIFICATIONS IT WAS STATED "PP BAGS.... BOTTOM IS DOUBLE FOLDED
WITH LINER AND SEWN" BUT AS A RESULT OF OUR INSPECTION SOME BAGS WITH
THE PP BAGS AND LINER SEWN TOGETHER BUT SOME LINERS WERE NOT SEWN
TOGETHER WITH THE PP BAG.THEREFORE UPON CHECKING WITH THE MANUFACTURER
28 BAB BAGS SEWN AT ONE PARTICULAR SUB-CONTRACTOR/FACTORY WERE WITH THE
PP BAGS AND P.E. LINERS SEPARATE I.E.: THEY WERE NOT SEWN TOGETHER AT
THE BOTTOM (WHICH WE COULD NOT CONFIRM BECAUSE SUCH 28 BAB BAGS LOT NOT
SEPARATELY STOCKED)

IN ADDITION TO THE ABOVE MAJOR DEVIATION THERE WERE SOME MINOR
WEAVING/SEWING DEFECTS (RUN IN WEAVING AND JUMPING IN SEWING WHICH
HOWEVER WOULD NOT AFFECT THE USE OF BAGS) ABOUT 1.3 PCT OF BAGS WERE
INSPECTED.

PACKING AND MARKING: CORRECTS.

THE 5BB BAB BAGS WERE REPORTEDLY STUFFED INTO TEN 20'CONTAINERS TO BE
SHIPPED VIA VESSEL "MAJAPAHIT WITH ETD PUSAN ON 28.11.91

BEST REGARDS
J.M. MALLARET

0211

株 式 會 社 高 麗 貿 易

電　話　: (02) 737-0860
F A X　: (02) 739-7011
TELEX　: KOTII K34311

서울 特別市 江南區 三成洞 159番地
貿易會館 빌딩 11層
TRADE CENTER P.O. BOX 23,24.

수　신　: 외무부 중동 2 과장

제　목　: 걸프만 사태 관련 지원물대 송금 신청

　　페사는 귀부와의 계약에 의거하여 아래와 같이 걸프만 사태 관련 지원물품을 기 선적하였아오니 송금조치 하여 주시기 바랍니다.

- 아　　　　　　래 -

1. 선적물품 내역

품　목	수　량	금　액	선적일	도 착 예정일	선　명	선적항	도착항
1. BESTA 4X4 AMBULANCE	2 UNITS	U$31,935	12/24 '91	2/10 '92	NOSAC CLIPPER V-F12	INCHON	AQABA
· S/PARTS	2 SETS	U$3,009	"	"	BOKA V-01A18	BUSAN	"
2. K2400 D/C	2 UNITS	U$17,461	"	"	NOSAC CLIPPER V-F12	INCHON	"
· S/PARTS	2 SETS	U$1,585.40	"	"	BOKA V-01A18	BUSAN	"
3. AM102 ROCSTA	25 UNITS	U$269,859	"	"	NOSAC CLIPPER V-F12	INCHON	"
- S/PARTS	25 SETS	U$25,239	"	"	BOKA V-01A18	BUSAN	"
TOTAL		U$349,088.40					

2. 비 고

　　걸프만 사태 관련 JORDAN 지원 계약분 ('91. 10.14) 중　선적분임.

3. 송 급 처 : 제주은행 서울지점

　　　구좌번호　: 963-THR 109-01-0

　　　예금주　: (주)고려무역.　끝.

1 9 9 1 年 12 月　26 日
鍾 路 貿 易 本 部　海 外 事 業 팀

0212

株 式 會 社 高 麗 貿 易

電 話 : (02) 737-0860

F A X : (02) 739-7011

TELEX : KOTII K34311

서울 特別市 江南區 三成洞 159番地

貿易會館 빌딩 11層

TRADE CENTER P.O. BOX 23,24.

수 신 : 외무부 중동 2 과장

제 목 : 걸프만 사태 관련 지원물대 송금 신청

폐사는 귀부와의 계약에 의거하여 아래와 같이 걸프만 사태 관련 지원물품을 기 선적하였 아오니 송금조치 하여 주시기 바랍니다.

- 아   래 -

1. 선적물품 내역

품 목	수 량	금 액	선적일	도 착 예정일	선 명	선적항	도착항
P.P. BAGS	660,000 BAGS	U$264,000.	12/27 '91	2/10 '92	CONCORD ASKA	BUSAN	AQABA

2. 비 고

걸프만 사태 관련 JORDAN 지원 계약분 ('91. 8. 2) 중 일부 선적분임.

3. 송 금 처 : 제주은행 서울지점

구좌번호 : 963-THR 109-01-0

예 금 주 : (주)고려무역. 끝.

1991年 12月 30日

鍾 路 貿 易 本 部 海 外 事 業 팀

0213

요르단(정) 700-2기   1991. 12. 18.

수 신 : 장 관

참 조 : 중동아프리카국장

제 목 : 대주재국 원조

　　　연: JOW-0908

연호 주재국 민방위청이 지원 요청한 장비 내역을 별첨과 같이 송부합니다.

첨 부 : 동 내역 1부.　끝.

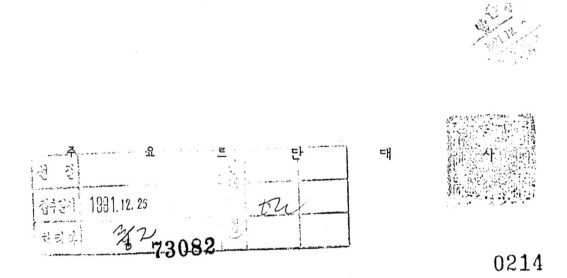

0214

EQUIPMENTS REQUIRED BY JORDANIAN CIVIL DEFENCE

ITEMS	QTY.
- Rescue Boats (Hovercraft).	4
- Rescue Boats from shallow or rocky waters inflatable.	4
- First aid kit fully equiped.	300
- Hydraulic equipment(rescue tools).	25
- Hydraulic spreader.	25
- Portable pumps, single stage with automatic primer.	
1100 L/M at 8 Bar 3M-Suction lift.	25
800 L/M at 10 Bar 3M- Suction lift.	25
- Full range accessories to prepare ambulanc vehicle.	50

Suction Units.
Portable first aid kits.
Strechers.
Medical cabint.

- Pulling and lifting equipment(Winches)including:-	50

Universal pulling device.
Wire rope 30m. long.
Swivel hook.
Wire rope pulley.
Tool box.

- Extension ladder operational length 13.5m height.	60
- Extension ladder operational length 8 m.	60
- Turbo jet nozzles B.S.S (instantaneous)2.5" diameter.	100
- Foam branch pipes BSS 2.5" diameter.	100
-Antivibration strechers for spicial cases.	50
- Full range of rescue ropes including safety belts.	50
- Special firefighting trucks for forest and industries purposes.	15
- Nurse tender 16 m^3	5
- Double cabien pickup (vehicle).	15

- Training :-
  1. For rescue from high rise building.
  2. Rescue from open water, lakes,dams and muddy water.
- Visit and exhibitions.

0215

EQUIPMENTS REQUIRED BY JORDANIAN CIVIL DEFENCE

ITEMS	QTY.
- Rescue Boats (Hovercraft).	4
- Rescue Boats from shallow or rocky waters inflatable.	4
- First aid kit fully equiped.	300
- Hydraulic equipment(rescue tools).	25
- Hydraulic spreader.	25
- Portable pumps, single stage with automatic primer.	
1100 L/M at 8 Bar 3M-Suction lift.	25
800 L/M at 10 Bar 3M- Suction lift.	25
- Full range accessories to prepare ambulanc vehicle.	50
Suction Units.	
Portable first aid kits.	
Strechers.	
Medical cabint.	
- Pulling and lifting equipment(Winches)including:-	50
Universal pulling device.	
Wire rope 30m. long.	
Swivel hook.	
Wire rope pulley.	
Tool box.	
- Extension ladder operational length 13.5m height.	60
- Extension ladder operational length 8 m.	60
- Turbo jet nozzles B.S.S (instantaneous)2.5" diameter.	100
- Foam branch pipes BSS 2.5" diameter.	100
-Antivibration strechers for spicial cases.	50
- Full range of rescue ropes including safety belts.	50
- Special firefighting trucks for forest and industries purposes.	15
- Nurse tender 16 m^3	5
- Double cabien pickup (vehicle).	15

- Training :-
  1. For rescue from high rise building.
  2. Rescue from open water, lakes, dams and muddy water.
- Visit and exhibitions.

0216

관리
번호 91/1241

외 무 부

종 별 : 지 급

번 호 : JOW-0916

일 시 : 91 1219 1130

수 신 : 장 관(중동이)

발 신 : 주 요르단 대사

제 목 : 무상원조

대:WJO-0737

연:JOW-0707

대호관련, 주재국 기획성측과 긴급협의한바, 총잔액 $464,209.-(타이어 취소)
상당분에 대한 50 인승 대형 버스(잠정) 도입을 위해 최선을 다하고 있는중이며 이를
12.21(토) 각의에 상정, 내각의 승인을 득하여 늦어도 12.24. 까지는 통보해 주도록
하겠다함

(대사 이한춘-국장)

예고:92.6.30 까지

중아국

PAGE 1

주 요 르 단 대 사 관

요르단(정) 700- 	1991. 12. 20.

수 신 : 장 관

참 조 : 중동아프리카국장

제 목 : 대주재국 원조

연 : JOW-0908

연호 주재국 민방위청장이 요청한 지원품목 LIST 를 별첨과 같이 송부합니다.

첨 부 : 동 LIST 1부. 끝.

주   요   르   단   대

0218

EQUIPMENTS REQUIRED BY JORDANIAN CIVIL DEFENCE

ITEMS	QTY.
- Rescue Boats (Hovercraft).	4
- Rescue Boats from shallow or rocky waters inflatable.	4
- First aid kit fully equiped.	300
- Hydraulic equipment(rescue tools).	25
- Hydraulic spreader.	25
- Portable pumps, single stage with automatic primer.	
1100 L/M at 8 Bar 3M-Suction lift.	25
800 L/M at 10 Bar 3M- Suction lift.	25
- Full range accessories to prepare ambulanc vehicle.	50
Suction Units.	
Portable first aid kits.	
Strechers.	
Medical cabint.	
- Pulling and lifting equipment(Winches)including:-	50
Universal pulling device.	
Wire rope 30m. long.	
Swivel hook.	
Wire rope pulley.	
Tool box.	
- Extension ladder operational length 13.5m height.	60
- Extension ladder operational length 8 m.	60
- Turbo jet nozzles B.S.S (instantaneous)2.5" diameter.	100
- Foam branch pipes BSS 2.5" diameter.	100
-Antivibration strechers for spicial cases.	50
- Full range of rescue ropes including safety belts.	50
- Special firefighting trucks for forest and industries purposes.	15
- Nurse tender 16 m^3	5
- Double cabien pickup (vehicle).	15
- Training :-	
1. For rescue from high rise building.	
2. Rescue from open water, lakes,dams and muddy water.	
- Visit and exhibitions.	

0219

분류번호	보존기간

발 신 전 보

번   호 : WJO-0744   911220 1453 WG 종별 : _____

수   신 : 주 요르단   대사. 총영사///

발   신 : 장 관   (중동이)

제   목 : 무상원조

대 : JOW - 0916

　　　　서울시간

대호, 91.12.26 까지 품목결정 보고가 없을시에는 총잔액(₩464,209)에
해당하는 50인승 버스를 지원코자 하니 동 버스색깔 및 에어폰 장착여부등 관련
희망사항 지급 보고바람.　　끝.

　　　　　　　　　　　　　　　　　　　　　　(중동아국장 이 해 순)

보안통제	초

안고재	년월일	과	기안자성명	과장 신니라 초	국장 전결	차관	장관

외신과통제

주 요 르 단 대 사 관

요르단(정)700-<del>23</del>

1991. 12. 20.

수 신 : 장 관

참 조 : 중동아국장

제 목 : 무상원조

연: JOW-0920

연호 버스 또는 덤프 트럭 지원을 요청한 주재국 기획성 공한을 별첨과 같이 송부합니다.

첨 부 : 동 공한 1부.   끝.

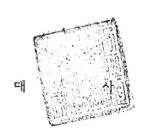

주   요   르   단   대

0221

THE HASHEMITE KINGDOM OF JORDAN

MINISTRY OF PLANNING

AMMAN

Ref. 5/2/48/5833

Date 22/12/1991

المملكة الاردنية الهاشمية

وزارة التخطيط

عـــان

الرقم ....

التاريخ ....

الموافق ....

His Excellency
The Ambassador
Embassy of the Republic of Korea
Amman

I refer to the grant provided from the Government of Korea in the amount of US $ 5 million.

I would like to inform Your Excellency that the Jordanian Government wishes to utilize the remaining balance of the above mentioned grant (US$ 464,000) for the purchases of the Jordan Phosphate Mines Co.which are either 8 buses of 45-50 seats with 20% spare parts, or dump trucks with a capacity of 20-35 tons each including spare parts.

I would appreciate it if Your Excellency would take the necessary action with the Korean authorities concerned to finance the above mentioned vehicles under the grant referred to above.

Your Excellency's continued support and understanding are highly appreciated.

Accept, Excellency, the assurances of my highest consideration.

Sincerely yours

Dr. Ziad Fariz
Minister of Planning

0222

صندوق بريد ٥٥٥ العنوان البرقي : NPC تلكس ٢١٣١٩ NPC جوفاكسمبلي ٢٤٢٥٨٨ MINP جوفاكسمبلي : ٦٤٩٣٤١ تلفون: ٦٤٤٤٦٦/٧٠-٦٤٤٣٨١/٨٥

P. O. Box 555 Cable : NPC Telex : 21319 NPC JO, 24258 MINP Jo Telfax : 649341 Tel : 644466/70 - 644381/85

발 신 전 보

번   호 : _____   종별 : ___~~지급~~___

수   신 : 주 요르단   대사. 총영사///

발   신 : 장 관   (중동이)

제   목 : 주재국 원조

대 : JOW - 908

대호 민방위청 요청건 걸프지원 예산으로 긍정검토 예정인바, 년말까지
시일 촉박함을 감안 요청내역중 여타 소모품성 장비지원은 불가하며 PICK UP 또는
소방차중에서 지원코저 하니 단일품목을 지정, 희망 OPTION과 함께 지급 보고바람.   끝.

(중동아국장 이 해 순)

앙고재	91년 12월 2일 22과	기안자 성명 김광정		과장 신의균 호 이	국장 211명		차관	장관	

0223

원 본

외 무 부

종 별 :

번 호 : JOW-0920   일 시 : 91 1222 1430

수 신 : 장 관(중동이)

발 신 : 주 요르단 대사

제 목 : 무상원조

대:WJO-0744

1. 금 12.22. 주재국 기획성은 공관을 통해 최종적으로 45 내지 50 인승 버스 8
대(20% 부품 포함)또는 총잔액 $464,209 에 해당하는 덤프트럭(20-35 톤)과부품
지원을 요청함

2. 버스의 경우 색깔은 BRIGHT COLOUR 로, 에어컨은 없이 버스의 문은 주재국의
도로 법규상 2 DOOR 이어야 한다함

3. 주재국측은 미니버스 지원시등의 경우 KOTI 측에서 항상 많은 마진을
남긴것으로 보고있어, 금번에는 특별배려가 있기를 바라고 최소한 부품이라도
가능하면 해당 생산사측과 직접 접촉, 구입할수 있기를 기대하고 있음

(대사 이한춘-국장)

예고:92.6.30 까지

중아국

발 신 전 보

번 호 : WJO-0751   911226 1746   ED 종별 : 2급

수 신 : 주 요르단   대사. 총영사////

발 신 : 장 관   (중동이)

제 목 : 무상원조

대 : JOW - 920

대호 요청건 ~~BUS로 결정하고~~ 고려무역과 (주)대우에 ~~가스를~~ 문의한바 아래와 같이 요르단측
요청에 부합하고, 운임이 대당 $6,833이 싼 대우차를 결정 송부코져하니 귀견 보고바람.
연내 계약 체결하여야 하고 파편 일정상 카타로그 송부가 불가하니 귀지 진출 대우지사
에서 구득 참고바람.

가. (주)대우

　　1) 모델명 : BS 105 (대우자동차)

　　2) 용 도 : Inter City Bus

　　3) 문 : 2 Door (Mannual)

　　4) 좌석수 : 45 + 1

　　5) 에어콘 : 없음

　　6) 의자팔걸이 : 없음

　　7) 가격(CIF) : $46,350 (운임1대당 $4,087포함)

　　8) 기타 : 부품 20% 포함가능 ($74,160상당)

나. 고려무역

　　1) 모델명 : AM 937 (아시아자동차)

　　2) 용 도 : Inter City Bus

　　3) 문 : 1 Door (Auto) (2 Door 불가능)

　　4) 좌석수 : 45 + 2　　　　/ 계 속..../

보 안 통 제	

앙 고 재	91 년 12 월 26 일	중 2 과	기안자 성명 김병영	과 장	신의관	국 장 전결	차 관	장 관	외신과통제

0225

5∅ 에어콘 : 없음

6∅ 의자팔걸이 : 부착됨

7∅ 가격(CIF) ∨대당$53,180 (운임1대당 $10,920포함)

8∅ 기 타 : 부품 10% 포함가능 ($37,960상당). 끝.

(중동아국장 이 해 순)

예 고 : 92.6.30.까지

0226

관리
번호 91/235

외 무 부

종 별 :

번 호 : JOW-0936   일 시 : 91 1226 1400

수 신 : 장 관(중동이)

발 신 : 주 요르단 대사

제 목 : 무상원조

대:WJO-0751

대호 주재국 기획성 및 END USER 인 JPMC 측에서는 대우차 송부에 대해 이의 없다함

(대사 이한춘-국장)

예고:92.6.30 까지

중아국   2차보   협력단

PAGE 1

一般豫算檢討意見書

199 *1. 12 . 27.*　　　　중동 2 課

事 業 名	걸프사태 관련 물자 지원		
支辨科目	細 項	目	金 額
	1211	341	$444,960.-

檢　討　意　見	
主 務 者	정무활동 해외경상이전에서 집행
擔 當 官	〃
審 議 官	〃

0228

외 무 부

110-760 서울 종로구 세종로 77번지 / (02)720-3869 / (02)720-3870

문서번호 중동이 20005-
시행일자 1991.12.27. ( )

수신 건 의
참조

취급		차 관	장 관
보존		전결	
국 장			
심의관		기획관리실장	
과 장		총무과장	
담당	김정수	기획운영담당관	협조

제목 걸프사태 관련 물자지원 (요르단 - 6)

1. 우리정부는 걸프사태 피해국인 요르단에 대하여 500만불 상당의 물자를 지원
키로 하고 지금까지 5차에 걸쳐 4,535,996 30 상당의 물자를 지원하였으며 잔여분
$464,003 70 은 요르단 정부에서 요청한 하기품목을 6차분으로 지원코저 하오니 재가
하여 주시기 바랍니다.

2. 동 6차분 지원으로 대요르단 걸프지원은 500만불 전액 집행완료됨을 첨언
합니다.

- 아 래 -

가. 지원내역

품 목	수 량	단가(CIF)	금 액
버스(대우 BS 105)	8대	$46,350	$370,800
부품(20% 상당)			$74,160

총 계 : $444,960

나. 선적일정
ㅇ 계약일로 부터 3개월이내 선적

다. 지출근거 : 정무활동, 해외경상이전, 걸프사태 주변국 피해지원 (요르단)

첨부 : 1. (주)대우견적서 및 수출계약서
2. 관련전문. 끝.

0229

걸프사태 : 주변국 지원, 1990-92. 전12권 (V.7 요르단 II: 1991.4-12월) 385

JORDAN 대형 BUS 지원 검토 의견서

1991. 12. 24.

1. 검 토 경 위

   JORDAN 國에서 지원 요청한 8대의 대형버스 (45인승 이상) 및 사용 가능 예산인
   U$464,209을 감안하여 국내 메이커에서 생산중인 차종을 검토하였음.

2. 검 토 내 용

   국내 대형 BUS 전문 메이커인 아시아자동차와 쌍용자동차를 비교 검토 하였으며,
   현재 아시아 자동차애서는 3개 모델이 생산되고 있으나 그중 제일 적합한 모델을
   선정하여 쌍용자동차와 비교 검토하였음. (타 모델은 가격 및 좌석수가 적합치 않음)

	아시아 자동차	쌍 용 자 동 차
M O D E L 명	AM 937	SB 33A
용 도	INTER CITY BUS	EXPRESS BUS
좌 석 수	45 + 2 = 47	45 + 2 = 47
ENGINE OUTPUT	225PS/2,700rpm	240PS/2,200rpm
D O O R 數	1	1
연 료	DIESEL	DIESEL
가 격	FOB U$41,280.- (10% 부품 별도)	FOB U$88,226.- (10% 부품 별도)

   JORDAN에서는 2 DOOR 형태의 BUS를 희망하고 있으나, 현재 우리나라에서 생산중인
   BUS중 2 DOOR 형태의 BUS는 좌석수가 21개인 CITY BUS(영업용 시내버스) 뿐이어서
   JORDAN 측에서 요구하는 좌석수(45개 이상)에 크게 부족하며, 1 DOOR 형태의 BUS를
   2 DOOR로 개조 하기 위해서는 설계 변경을 해야 하나 8대의 수량으로 설계변경이
   불가능하다고 함.

3. 결 론

   잔여예산 U$464,209 범위내에서 희망수량인 8대를 공급하기 위해서는 아시아 자동차의
   INTER-CITY BUS가 예산에 적합하며, 또한 同社는 JORDAN내에 AGENT를 갖고 있어 A/S
   차원에서도 보다 유리한 조건임.

   따라서 對 JORDAN 지원에 적합한 MODEL은 아시아 자동차의 AM937 INTER CITY BUS로
   검토됨.

   (주) 고 려 무 역 해 외 사 업 팀

EAST WEST ENTERPRISES LTD.

PHONE : 215-2212/4   322-1 KUN JA-DONG   TELEX : K24692 HANSEN
FAX   : 215-2215   SUNG DONG-KU,SEOUL, KOREA. K.P.O.BOX : 1797

OFFER SHEET

YOUR REF,_____   OUR REF. EW-91-1228   .

TO. KOREA TRADING INT'L INC.   DATE.   DEC 28, 1991   .

Gentlemen :

In compliance with your request/solicitation, we are pleased to make an offer for sale to you upon the terms and conditions set forth hereunder and in the attached page here of :

Commodity :   SPARE PARTS FOR K2400 D/C (U$ 735.00 X 15 UNITS)
(Specifications and descriptions, as per described in the attached page of this offer)

Quantity :   TOTAL 33 ITEMS

Amount (Total) :   F.O.B   PRICE US$ 11,025.00

Payment :   BY A KOREAN CURRENCIES

S'hipment :
Partial Shipments : NOT ALLOWED   Transhipment : NOT ALLOWED

Packing :   EXPORT STANDARD PACKING

Shipping Port :   KOREAN PORT

Discharging Port :

Inspection :   MAKER'S INSPECTION AT PLANT TO BE FINAL

Country of Origin :   REPUBLIC OF KOREA

Validity :   UNTIL THE END OF JAN 30, 1992.

Remarks :

Agreed and accepted by :   Yours faithfully,

_____   _____
(Name)   (Name) H. S. LEE
(Title)_____   (Title) MANAGING DIRECTOR   .

0231

SPARE PARTS FOR K2400 D/C
============================

L/I	PART NO.	PART NAME	Q'TY	U/PRICE	AMOUNT
1	K756-25-310	RR BRAKE SHOE SET	9	30.44	273.96
2	K756-26-610	RR WHEEL. CYL	4	10.70	42.80
3	K591-13-840	SEDIMNTER	5	19.72	98.60
4	K591-13-850	FUEL FILTER (E-2200)	20	23.66	473.20
5	FE50-16-410B	C. COVER	5	38.03	190.15
6	FE50-16-460	CLUTCH DISC	5	70.42	352.10
7	K629-18-300B	ALTERNATOR	3	217.40	652.20
8	K586-18-701	CONTROL UNIT	7	21.97	153.79
9	K592-23-603A	AIR ELEMENT	23	8.73	200.79
10	K589-41-920	CLUTCH R/C	4	14.93	59.72
11	K590-50-050B	FR BUMPER PROTEVTOR	5	10.70	53.50
12	K590-50-060B	FR BUMPER PROTECTOR	5	10.70	53.50
13	K592-50-710	RADIATOR GRILLRADIATOR	5	13.52	67.60
14	K586-51-030	HEAD LAMP (RH)	5	43.66	218.30
15	K586-51-040	HEAD LAMP (LH)	5	43.66	218.30
16	K586-51-150	RR COMB LAMP (RH)	6	15.77	94.62
17	K586-51-160	RR COMB LAMP (LH)	5	15.49	77.45
18	K596-69-110	BACK MIRROR (RH)	10	32.39	323.90
19	K596-69-170	BACK MITTOR (LH)	10	27.61	276.10
20	K756-10-100	CYLINDER HEAD	3	495.78	1487.34
21	K756-11-102C	PISTON SET	4	151.42	605.68
22	K592-13-300	AIR CLEANER ASSY	2	65.53	131.06
23	K590-15-010	WATER PUMP	4	61.98	247.92
24	K756-23-206	PISTON RING SET	4	112.68	450.72
25	8262-43-400	BRAKE MASTER CYL.	11	52.40	576.40
26	K756-18-400	STARTER	5	225.36	1126.80
27	1391-28-700A	RR DAMPER	15	16.34	245.10
28	1391-34-700A	FRT DAMPER	15	16.34	245.10
29	1391-34-510A	UPPER BALL	12	12.68	152.16
30	1391-34-540A	LOWER BALL	12	14.09	169.08
31	8850-64-500A	ASTRAY	5	3.38	16.90
32	K620-66-240A	LIGHTER	5	6.76	33.80
33	K620-27-100	DIFFERENTIONAL	3	552.12	1656.36

tal ***

| | | | 241 | | 11025.00 |

0232

SEOIL AUTOPARTS CO., LTD.

C.P.O BOX 1642 SEOUL, KOREA
TELEX : K35774 SEOIL

TEL : 82-2-214-2544
FAX : 82-2-246-7978

PROFORMA INVOICE

TO   : KOREA TRADING INTERNATIONAL INC.,

PAGE   : 3
DATE   : DEC 30, 1991
OUR REF : SA1230-1

Gentlemen :
        WE ARE VERY PLEASED TO OFFER YOU AS FOLLOWS ;

Shipping port : BUSAN, KOREA

Destination   :

Validity   : JAN 30, 1992

Remarks   :

Accepted by   :

Very turly yours,

SEOIL AUTOPARTS CO., LTD.

NO.	PART NO.	PART NAME	MODEL	Q'TY	U/PRICE	AMOUNT

"DE AILS AS PER ATTACHED SHEETS"

TOTAL :   US$ 11,025.00

0233

L/I	PART NO.	PART NAME	Q'TY	U/PRICE	AMOUNT
1	K756-25-310	RR BRAKE SHOE SET	8	33.24	265.92
2	K756-26-610	RR WHEEL CYL	5	10.51	52.55
3	K591-13-840	SEDIMNTER	5	23.15	115.75
4	K591-13-850	FUEL FILTER (E-2200)	10	35.43	354.30
5	FE50-16-410B	C. COVER	5	43.15	215.75
6	FE50-16-460	CLUTCH DISC	5	88.31	441.55
7	K629-18-300B	ALTERNATOR	3	274.67	824.01
8	K586-18-701	CONTROL UNIT	6	20.78	124.68
9	K592-23-603A	AIR ELEMENT	20	13.25	265.00
10	K589-41-920	CLUTCH R/C	5	21.69	108.45
11	K590-50-050B	FR BUMPER PROTEVTOR	6	15.15	90.90
12	K590-50-060B	FR BUMPER PROTECTOR	6	15.15	90.90
13	K592-50-710	RADIATOR GRILLRADIATOR	7	12.92	90.44
14	K586-51-150	RR COMB LAMP (RH)	5	16.92	84.60
15	K586-51-160	RR COMB LAMP (LH)	4	16.92	67.68
16	K596-69-110	BACK MIRROR (RH)	10	41.15	411.50
17	K596-69-170	BACK MITTOR (LH)	10	27.04	270.40
18	K756-10-100	CYLINDER HEAD	4	582.69	2330.76
19	K756-11-102C	PISTON SET	4	190.44	761.76
20	K592-13-300	AIR CLEANER ASSY	2	83.91	167.82
21	K590-15-010	WATER PUMP	4	66.14	264.56
22	K756-23-206	PISTON RING SET	4	151.00	604.00
23	8262-43-400	BRAKE MASTER CYL.	11	55.32	608.52
24	K756-18-400	STARTER	5	259.00	1295.00
25	1391-28-700A	RR DAMPER	15	17.35	260.25
26	1391-34-700A	FRT DAMPER	15	17.35	260.25
27	1391-34-510A	UPPER BALL	12	15.73	188.76
28	1391-34-540A	LOWER BALL	12	14.62	175.44
29	K620-27-100	DIFFERENTIONAL	3	77.83	233.49

Total ***

| | | | 211 | | 11024.99 |

0234

KOTI

KOREA TRADING INTERNATIONAL INC.

PHONE: (02)551-3114
FAX : (02)551-3100
TELEX: KOTII K27434
CABLE: KOTII SEOUL

11TH FLOOR, TRADE TOWER,
159, SAMSUNG-DONG, KANGNAM-KU,
SEOUL, KOREA
TRADE CENTER P.O.BOX23, 24

DATE: DEC. 30, 1991
YOUR REF:
OUR REF: KOOBS-20028

OFFER SHEET

To: THE MINISTRY OF FOREIGN AFFAIRS IN R.O.K.

Dear Sirs,

We have the pleasure in offering you as follows:

Delivery : WITHIN 3 MONTHS
AFTER SIGNING CONSTRACT

Origin : R. O. K.

Port of
Shipment : KOREAN PORT

Destination : AQABA JORDAN

Payment : C.A.D.

Packing : STANDARD EXPORT PACKING

Inspection : SELLER'S TO BE FINAL

Validity : JAN. 30, 1992

Remarks :

Description	Quantity	Unit Price	Amount	Remarks
		C.I.F. AQABA		
. K2400 D/C TRUCK WITH AM/FM STEREO CASSETTE HEATER & STANDARD EQUIPMENT	15 UNITS	@$8,885.60	U$133,284.-	
. RECOMMENDED S/PARTS FOR K2400 D/C TRUCK	15 SETS	@$933.80	U$14,007.-	
TOTAL :	15UNITS & 15 SETS		U$147,291.-	

///   ///   ///

0235

Accepted by

Very truly yours,

Korea Trading International Inc.

S Y   M'DIRECTOR

원 가 계 산 서 (자 전 원 가)

REF : K00BS-20028
단위 : U.S. DOLLAR

품명	업체명	F.O.B.	CBM	단가	송료	기준가 (CIFx1.1)	요율(%)	보험료	M (FOB x 2%)	C.I.F.
				F			**I**			
K2400 D/C TRUCK	기아자동차	7,350 x 15 = 110,250	15 x 15 = 225	90	20,250	146,612.40	0.395	579	2,205	133,284
S/PARTS (10%)	동서오토	11,025	2 x 15 = 30	90	2,700	15,407.70	0.395	61	221	14,007
TOTAL		121,275			22,950			640	2,426	147,291

0236

외 무 부

종   별 : 초긴급

번   호 : JOW-0947   일   시 : 91 1230 1030

수   신 : 장 관(중동이)

발   신 : 주 요르단 대사

제   목 : 무상원조

연:JOW-70920,0936

1. 대호 버스관련, 12.29. 동버스의 END USER 인 주재국 JPMC 측에서는 가능하면 버스 8 대 대신 9 대로 해주고 잔여분에 대해서는 부품으로 충당해줄것으로 요청해왔는바, 긴급조치 건의함

2. 동요청 서한 파편 송부 위계임

(대사 이한춘-국장)

예고:92.6.30 까지

중아국

一般豫算檢討意見書

199 1 . 12 . 30 .　　　　중동 2 　課

事 業 名	걸프사태 관련 요르단 지원		
支辦科目	細 項	目	金 額
	1211	341	$147,291.-

檢 討 意 見	
主 務 者	정무활동 해외경상 이란에서 집행
擔 當 官	"
審 議 官	"

0238

외 무 부

110-760 서울 종로구 세종로 77번지   / (02)720-3869   / (02)720-3870

문서번호 중동이 20005-
시행일자 1991.12.30. (   )

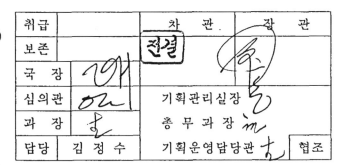

수신   건   의
참조

제목   걸프사태 관련 요르단 지원

　　　　1. 요르단 정부는 걸프사태로 극심한 경제난을 겪고 있으며 또한 동사태로 인한
30여만명의 난민입국등으로 각종사고가 빈번하게 발생하여, 요르단 민방위청은 긴급
사고에 대비한 별첨 장비지원을 20-30만 정도선에서 추가지원을 요청하여 왔습니다.

　　　　2. 대요르단 500만불 상당 물자지원을 하였으나, 주재국의 예산부족으로 긴급
사태에 대응하지 못하고 있는점을 감안, 인도적인 견지에서 아래와 같이 추가 지원코져
건의하오니 재가하여 주시기 바랍니다.

　　　　　　　　　　　- 아　　　　　　　　　래 -

　　가. 지원대상국 : 요르단
　　나. 추가지원품목 : Double Cabin pick up 15대 (기아 K-2400)
　　다. 금　　　액 : $147,291
　　　　　　　　　　- pick up 차 15대, $133,284 = 15대 X $8,850.60
　　　　　　　　　　- 부품 (10%상당), $ 14,007
　　라. 예산항목 : 정무활동, 해외경상이전 (걸프주변국지원, 예비비)　　끝.

첨 부 : 관련공문, 고려무역 견적서　　끝.

0239

AJK8-11220-1

1991.12.20.
자동차부

PRICE BREAKDOWN

품 명 및 규 격	수 량	단 가	금 액
DAEWOO BUS			
o MODEL : BS 105			
o OPTION : MIDDLE DOOR			
o STEERING : LEFT HAND DRIVE (LHD)			
o EX-FAC	8 UNITS	U$ 41,300	U$ 330,400
DAEWOO M/UP (2%)		U$ 826	U$ 6,608
FOB	8 UNITS	U$ 42,126	U$ 337,008
OCEAN FREIGHT		U$ 4,087	U$ 32,696
INSURANCE		U$ 137	U$ 1,096
TOTAL : CIF AQABA, JORDAN	8 UNITS	U$46,350	U$370,800
RECOMMENDED SPARE PARTS			U$ 74,160
GRAND TOTAL : CIF AQABA, JORDAN	8 UNITS & S/PARTS		U$444,960

0240

396 걸프 사태 주변국 지원 3: 요르단

541, 5-GA, NAMDAEMUNNO, CHUNG-GU, SEOUL, KOREA
C.P.O.BOX 2810,8269,SEOUL, KOREA/TELEX:DAEWOO K23341~2, K24444, K24295/CABLE:"DAEWOO"SEOUL/TEL:759-2114/FAX:753-9489

AJK8-11224-1

Messrs. Ministry of Foreign Affairs

Offer no. : HDA-JS11224.1
Date : Dec. 24, 1991

PROFORMA INVOICE

We are pleased to offer the under-mentioning article(s) as per conditions and details described as follows.

1. ORIGIN   : The Republic of Korea.
2. MANUFACTURER : Daewoo Motor Co., Ltd., Korea
3. PACKING   : Export standard packing.
4. SHIPMENT   : Within 3 months after receipt of L/C
5. INSPECTION   : Manufacturer's inspection before shipment to be final.
6. PAYMENT   : By irrevocable and confirmed Letter of Credit at sight in favor of Daewoo Corporation, C.P.O.Box 2810, Seoul, Korea.
7. DESTINATION   : Aqaba, Jordan
8. MODEL   : Daewoo Bus, BS 105, Basic Specification, Middle Door
9. UNIT PRICE   : U$46,350 CIF Aqaba, Jordan
10. QUANTITY   : 8 Units
11. AMOUNT   : U$370,800 CIF Aqaba, Jordan
12. VALIDITY   : Upto 28th February 1992.
13. REMARKS   : 1) The specification & the appearance of the buses are as attached, and are subject to change without prior notice due to technical improvement.
                         2) Import licence and homologation approval to be provided by purchaser.
                         3) If any additional inspection is required, such charges shall be borne by purchaser.
                         4) We recommend you to further buy our recommended spare parts of which value is equivalent to approx. 20 (twenty) percent of the total value of the contract amount and the list of spare parts shall be submitted to you after receipt of your L/C.
                         5) After Service of the buses shall be provided by purchaser.

Looking forward to your valued order for the above offer, we are.

Yours faithfully,
DAEWOO CORPORATION

Jae-Chan, Park / General Manager of
Motor Vehicles Dept. (HDM)

Enc. : 1. Technical Specification
         2. Bus catalogue

0241

Daewoo BS105 Rear Engine Bus

SPECIFICATIONS

Description	Item	Unit	Specification
Dimensions	Overall length	mm	10,430
	width	mm	2,500
	height	mm	3,135
	Wheelbase	mm	5,200
	Tread FRT/RR	mm	2,075/1,853
	Min. ground clearance	mm	260
Weight	Curb weight	kg	8,590
	Gross vehicle weight	kg	11,175
Performance	Max speed	km/h	84(108)
	Gradeability	Tanφ	0.306
	Seating capacity		45+1

0242

Standard Specifications
Daewoo BS 105 BUS

1. GENERAL
   - Overall Length : 10,430 mm
   - Overall width : 2,500 mm
   - Overall Height : 3,135 mm
   - Wheel Base : 5,200 mm
   - Tread Front : 2,075 mm
   - Tread Rear : 1,853 mm
   - Min. Ground Clearance : 260 mm
   - Front Overhang : 2,120 mm
   - Rear Overhang : 3,110 mm
   - Curb Weight : 8,590 kgs
   - Gross Vehicle Weight : 11,175 kgs
   - Max. Speed : 84(108) km/h
   - Gradeability : 0.306 (Tan ϑ)
2. SEATING CAPACITY
   - Standard: 45+1 (Passengers+Driver)
   - Average Seat Pitch: 750~760 mm
3. SEAT
   - Model: SB501
   - Fixed type seat without arm rest
4. ENGINE
   - Model: D1146
   - Diesel Engine, 6 Cylinder, 4 Stroke Cycle, O.H.V.
   - Displacement: 8,071 cc
   - Max. Output: 187 ps/2,500 rpm (SAE)
   - Max. Torque: 58.5 kg.m/1,600 rpm (SAE)
   - Location of Engine: Rear
   - Starter: 24V/4.5Kw
5. TRANSMISSION
   - Model: T-400
   - Manual 5 speed forward direct drive one reverse. (5 DD)
     1st-6.92, 2nd-3.89, 3rd-2.25,
     4th-1.48, 5th-1.00, Rev.6.92
   - Alternative: Manual 5 speed over drive and one reverse (5 OD.)
     1st-5.83, 2nd-3.27, 3rd-1.80,
     4th-1.00, 5th-0.79, Rev.5.83
6. AXLE
   - Front Axle: Reverse elliot "I" section beam, capacity 6,000 kgs.
   - Rear Axle: Banjo, Full floating, Capacity 10,500 kgs.
   - Final Gear Ratio: 5.571, Spiral bevel gear.
7. BRAKE
   - Service Brake: Air assisted hydraulic, Single circuit
   - Parking Brake: Internal expanding type acting on transmission output shaft.
   - Auxiliary Brake: Exhaust brake
8. SUSPENSION (FRONT & REAR)
   - Semi elliptical alloy steel leaf spring
   - Shock Absorber: Hydraulic, Double acting telescopic
9. ALTERNATOR
   - 60A/24V
10. FRAME
    - Monocoque type
11. TIRES
    - 10.00-20-14 PR (Tube), 7 Tires (Front single, Rear double and one spare tire).
12. WHEELS
    - 7.00T×20: Tube, 7 Disc wheels
13. AIR CLEANER
    - Paper element with cyclone device, dry type
14. CLUTCH
    - Dry single plate with coil spring dampers
    - Hydraulic circuit incorporates clutch mini-pack
15. STEERING
    - Left hand drive
    - Recirculated ball with integral power assisted
    - Steering Wheel: 2 spokes with horn button, Dia 500mm
    - Gear Ratio: 22.4:1
    - Steering Column: Solid shaft
16. RADIATOR
    - Tube and fin type
    - Heavy duty radiator
    - Radiator surge tank
17. FUEL TANK
    - Capacity: 200 Litres (one tank)
18. BATTERY
    - Two units in series, 12V/150AH×2
19. WINDSHIELD WIPER
    - Steel wiper arm, Two speed
20. SWITCHES
    - Turn signal and dimmer
    - Head lamp
    - Fog & parking
    - Starter
    - Exhaust brake
    - Battery
    - Hazard lamp
    - Room lamp
21. METER & GAUGES
    - Speedometer with odometor
    - Air pressure gauge
    - Fuel gauge
    - Water temperature gauge
    - Engine oil pressure gauge
    - Voltmeter
22. WARNING LAMP & BUZZER IN DASHBOARD
    - Oil pressure warning lamp & buzzer
    - Battery charging pilot lamp
    - High beam indicator lamp
    - Turn signal pilot lamp
    - Air pressure warning lamp & buzzer
    - Hazard warning lamp
    - Parking brake pilot lamp & buzzer
    - Exhaust brake pilot lamp
    - Cooling water warning lamp & buzzer
    - Overrun warning lamp & buzzer
23. LAMP AND OTHERS
    - Head Lamp: Sealed beam type
    - Mark Lamp:FR/RR
    - Front Combination Lamp: Clearance, Parking, Turn
    - Rear Combination Lamp: Tail, Stop, Parking, Turn
    - Fog lamp
    - Back up lamp
    - Number plate lamp
    - Reflector

0243

24. TOOLS
- Hydraulic jack, Wheel wrench, General hand tool kit etc.

25. BODY
- Front, Rear & Side Body: Steel panel riveted and welded.

26. ENTRANCE DOOR
- Folding type manual door at front right side.
- Door Width: 900 mm

27. FLOOR
- Flat floor

28. BUMPER
- Steel bumpers at front and rear

29. LUGGAGE BOX (UNDERFLOOR)
- Location: Middle
- With side luggage doors

30. SIDE WINDOWS
- Sliding type side window

31. WINDOW GLASS
- Tempered glass, Clear

32. INTERIOR PANEL (SIDE WALL & CEILING)
- P.E. (Polyester) hard board panel

33. DRIVER & ENTRANCE SEPARATOR
- P.V.C. cooated steel pipe

34. FLOOR MAT
- Plywood plate covered with P.V.C. floor mat

35. ENTRANCE HANDLE
- P.V.C. coated steel pipe

36. AUDIO SYSTEM
- AM radio with 3 speakers
- Antenna (side)

37. SUNVISOR
- Curtain type sunvisor at driver's side (LH)

Optional Equipments Daewoo BS105 Bus

1. BRAKE
- Service Brake: Dual circuit, Air assisted hydraulic

2. ALTERNATOR
- 100A/24V (With direct drive type airconditioner package)

3. TIRE (7 TIRES)
- 3-1. 10.00-20-16PR (Tube)

4. STEERING
- Right hand drive (RHD)

5. FUEL TANK
- Auxiliary tank

6. BATTERY
- Two units in series, 12V/200AH X 2 (With direct drive type airconditioner package)

7. WIPER MOTOR
- Time delay relay (Three speed)

8. WINDSHIELD WIPER
- Stainless steel wiper arm

9. STABILIZER BAR
- Rear stabilizer bar

10. METER & GAUGES
- 10-1. Tachograph with odometer
- 10-2. Speed indicator lamp

11. WARNING LAMP & BUZZER
- Reversing warning buzzer

12. BODY
- Stainless steel front, Rear & side body panel, Bead

13. ADDITIONAL ENTRANCE DOOR
- 13-1. Middle entrance door, or
- 13-2. Rear entrance door

14. DRIVER'S DOOR (MANUAL FLAP TYPE DOOR) AT DRIVER'S SIDE

15. EMERGENCY DOOR (MANUAL TYPE) AT LEFT, REAR SIDE

16. AUTO DOOR CONTROL
- 16-1. Front entrance door
- 16-2. Mid/Rear entrance door

17. FLOOR
- Stepped floor

18. OUTSIDE ROOF RACK (LUGGAGE CARRIER) ON THE ROOF WITH LADDER

19. VENTILATION
- 19-1. 1 (One) EA auto ventilator
- 19-2. 2 (Two) EA auto ventilator

20. AIR CONDITIONER
- 20-1. Aircon package driven by sub-engine
- 20-2. Direct drive type aircon package with roof-on cooler unit

21. HEATER

22. LUGGAGE RACK (INSIDE)
- P.V.C. coated steel pipe rack

23. SIDE WINDOW TYPE
- 28-1. Fixed type   • 28-2. Half opening type

24. WINDOW GLASS
- 24-1. Coloured, tempered glass
- 24-2. Coloured, laminated glass

25. FRONT WINDSHIELD GLASS
- Upper part tinted front windshield glass

26. DRIVER & ENTRANCE SEPARATOR
- Stainless steel pipe

27. FLOOR MAT
- 27-1. Linoleum floor mat   • 27-2. Luckstrong floor mat

28. ENTRANCE HANDLE
- Stainless steel pipe

29. CEILING HANDLE
- 29-1. P.V.C. coated steel pipe, 2 rows
- 29-2. Stainless steel pipe, 2 rows

30. AUDIO SYSTEM
- 30-1. Stereo package without echo (AM/FM Radio, Cassette, AMP & Microphone)
- 30-2. Stereo package with echo (AM/FM Radio, Cassette, AMP & Microphone)

31. CLOCK
- 31-1. Analog clock   • 31-2. Digital clock

32. SUNVISOR
- Curtain type at right (RH)

33. STAINLESS STEEL WHEEL CAP

34. FIRST AND BOX

35. SAFETY BELT
- 35-1. Driver's seat   • 35-2. Passenger seat

36. ASH TRAY AT REAR OF SEAT

37. WATER COOLER & TANK

*Above specifications and equipments are subject to change without prior notice.

MANUFACTURER
DAEWOO
DAEWOO MOTOR CO., LTD.
541, 5-GA, NAMDAEMUN-NO, CHUNG-GU, SEOUL, KOREA / C.P.O. BOX 6217, SEOUL
TELEX: DWMOTOR K23683
TEL: 776-0448, 776-4031/45

0244

EXPORTER
DAEWOO
DAEWOO CORPORATION
541, 5-GA, NAMDAEMUN-NO, CHUNG-GU, SEOUL, KOREA
C.P.O. BOX 2810, 8269, 6208 SEOUL, KOREA
TELEX: DAEWOO K23341-4, K24295, K24444
CALBE: "DAEWOO" SEOUL / TEL: 759-2114

HDA-905003SA

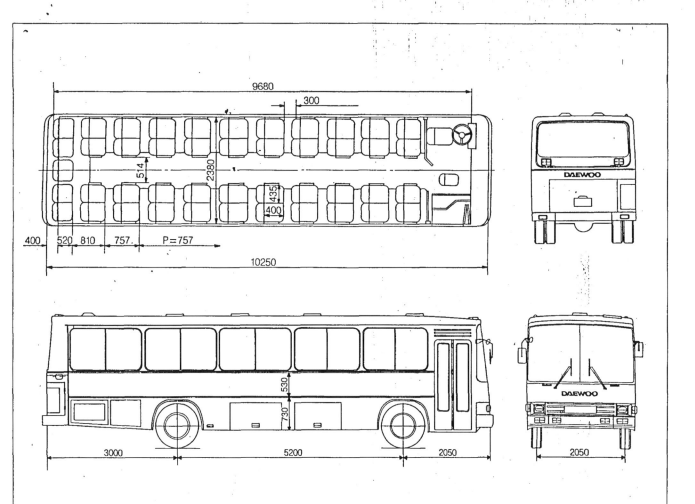

MAX. SEATING CAPACITY

Bus Model	Seat Arrangement	Door	Row	Max. Seating Capa.		Seat Seating Pitch (mm)	Clearance (Approx.) Between Seats (mm)
BS105	1×1	FRT, MID/RR	11	23+64*+1	(88)	725	290
	2×2	FRT ONLY	11	45+1	(46)	755	293
			12	49+1	(50)	679	219
		FRT, MID/RR	11	41+1	(42)	755	295
			12	45+1	(46)	679	219
	2×3	FRT ONLY	11	56+1	(57)	755	295
		FRT, MID/RR	11	52+1	(53)	755	295

Remarks: *   No of standing passengers

0245

FAX NO:	739-7011	**Telefax** FAX NO: 82-02-274-5062	TOTAL _____ PAGES INCLUDING THIS PAGE
TO:	고려무역	DATE:	1991. 12. 23
ATTN:	장지영대리/ 해외사업과	FROM:	김상영과장/ 해외영업부
C.C:		REF NO:	SYI15227

SUBJ: QUOTATION FOR BUS

1. 귀사의 일익번창하심을 앙망하오며, 당사에 대한 협조와 배려에 깊은
   감사를 드립니다.

2. 수재의 건, 유선상으로 요청하신 사항으로 하기와 같이 견적드리오니
   유관업무 참조하시기 바랍니다.

                        - 하   기 -

   1) DESCRIPTION   MODEL   Q'TY   U/PRICE
      -----------   -----   ----   -------
      - SUPER AERO EXPRESS BUS   SB33A   1UNIT   USD88,226
      - SPARE PART(10% OF AMOUNT)   8,823
      _____
        TOTAL FOB KOREA   1UNIT   USD97,049

   2) DELIVERY : WITHIN THREE(3) MONTHS AFTER RECEIPT OF YOUR L/C

   3) PAYMNET : BY AN IRREVOCABLE LOCAL L/C AT SIGHT IN OUR FAVOR

   4) INSURANCE : TO BE COVERED BY BUYER

   5) VALIDITY : UNTIL THE END OF JAN, 1991.

   6) REMARK : - OTHER TERMS AND CONDITIONS ARE SUBJECT TO OUR FINAL
                 CONFIRMATION

3. 참고로 상세한 SPEC. 은 유첨을 참조하시기 바라오며, 추가 요청사항이
   있으시면 연락주시기 바랍니다.

   * 유첨 : 사양서 - 7매
            CATALOGUE - 3부

0246

ASIA MOTORS CO., INC. 15 YOIDO-DONG, YOUNGDEUNG삐삐, SEOUL, KOREA. C.P.O.BOX : 1191
FAX : (02) 785-1483 TELEX : ASIAMCO K24347 CABLE : "ASIAMOTORS" SEOUL TEL : (02) 785-1484, 784-80.7

PROFORMA INVOICE

DATE : DEC.23, 1991
REF.NO.: 91-E-12-649

MESSRS.

KOREA TRADING INTERNATIONAL INC.,

GENTLEMEN :

IN REPLY TO YOUR INQUIRY OF   AM937 INTER-CITY BUS   , WE HAVE THE

PLEASURE OF OFFERING YOU THE FOLLOWING ON THE TERMS AND CONDITIONS SET FORTH HEREUNDER.

PRICE   : F.O.B.KOREAN PORT IN U.S.DOLLAR.
SHIPMENT   : WITHIN 3(THREE) MONTHS AFTER OUR RECEIPT OF YOUR COMPETENT L/C.
PAYMENT   : BY AN IRREVOCABLE L/C TO BE DRAWN 100% AT SIGHT IN FAVOR OF US.
DESTINATION : KOREAN PORT
PACKING   : BARE.
VALIDITY   : BY THE END OF JAN.1992.
REMARKS   : NOTE I.

亞細亞自動車工業株式會社

代表理事   趙   來

ITEM NO.	DESCRIPTIONS	QUANTITY	UNIT PRICE	AMOUNT
1.	AM937 INTER-CITY BUS ,45+2 SEATS WITH STANDARD SPEC. AND FOLLOWING ACCESSORIES -TYRE:10.00 x 20-16PR(TUBED) -AUTO FOLDING MAIN DOOR(STEEL) -TINTED SIDE GLASS -CLOTH COVERED SEAT -HEAD REST -SAFETY BELT -WHEEL CAPS -ARM REST,FOLDING TYPE -SUNVISOR,CURTAIN TYPE	1 UNIT	@$41,280.-	U$41,280.-
	*10% RECOMMENDED SPARE PARTS		$ 4,128.-	U$ 4,128.-
	TOTAL--			U$45,408.-

NOTE I.
======
1.THIS QUOTATION IS BASED ON OUR STANDARD SPECIFICATIONS AND VALID ONLY
  FOR JORDAN.
2.MANUFACTURER'S INSPECTION BEFORE SHIPMENT IS TO BE FINAL. IF ANY
  ADDITIONAL INSPECTION IS REQUIRED, SUCH CHARGE SHALL BE BORNE BY THE
  BUYER.
3.OTHER TERMS AND CONDITIONS NOT STIPULATED HEREIN SHALL BE DISCUSSED
  LATER ON AND SUBJECT TO OUR FINAL WRITTEN CONFIRMATION.
4.PARTIAL SHIPMENT AND TRANSSHIPMENT SHALL BE ALLOWED.
          - E. & O. E. -

0247

KOREA TRADING INTERNATIONAL INC.

PHONE:(02)551-3114
FAX :(02)551-3100
TELEX:KOTII K27434
CABLE:KOTII SEOUL

11TH FLOOR, TRADE TOWER,
159, SAMSUNG-DONG, KANGNAM-KU,
SEOUL, KOREA
TRADE CENTER P.O.BOX23, 24

DATE:DEC. 24, 1991
YOUR REF:
OUR REF:KOOBS-20027

OFFER SHEET

To: THE MINISTRY OF FOREIGN AFFAIRS
    IN R.O.K

Dear Sirs,

We have the pleasure in offering you as follows:

Delivery	WITHIN 3MONTHS AFTER SIGNING CONTRACT.	Packing	: STANDARD EXPORT PACKING
Origin	: R.O.K	Inspection	: MAKER'S INSPECTION TO BE FINAL
Port of Shipment	: KOREAN PORT	Validity	: JAN. 15, 1992
Destination	: AQABA JORDAN	Remarks	:
Payment	: CAD		

Description	Quantity	Unit Price	Amount	Remarks
AM937 INTER-CITY BUS, 45+2 SETS WITH STANDARD SPEC AND FOLLOWING	8UNITS	@$53,188.50	U$425,508.-	
ACC				
TYPE : 10.00 x 20 - 16PR(TUBED) AUTO FOLDING MAIN DOOR(STEEL) TINTED SIDE GLASS CLOTH COVERED SEAT HEAD REST SAFTY BELT WHEEL CAPS ARM REST FOLDING TYPE SUNVISOR, CURTAIN TYPE				
10% RECOMMENDED S/PARTS	8SETS	@$4,745.-	U$37,960.-	

TOTAL :	8UNITS & 8SETS		U$463,468.-	

////// ////// /////

0248

Accepted by

Very truly yours,

Korea Trading International Inc.

S. Y. KIM/DIRECTOR

원 가 계 산 서 (사 전 원 가)

REF : KOOBS-20027

단위 : U.S. DOLLAR

품명	F.O.B.	FREIGHT			보험료			M	C.I.F.
		CBM	단가	AMOUNT	기준가	RATE	AMOUNT		
AM937 INTER-CITY BUS 45+2 SEATS WITH STANDARD SPEC. WITH ACCESSORIES	41,280 X 8 = 330,240	84 X 8 = 672	130	87,360	468,059	0.2785 %	1,304	6,604	425,508
10% S/PARTS	4,128 X 8 = 33,024	4 X 8 = 32	130	4,160	41,756	0.2785 %	116	660	37,960
TOTAL	363,264			91,520			1,420	7,264	463,468

0249

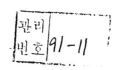

외 무 부

110-760 서울 종로구 세종로 77번지   / (02)720-3869   / (02)720-3870

문서번호 중동이 20005-

시행일자 1991.12.30. (   )

취급		장 관	
보존			
국 장	전 결		
심의관			
과 장			
담 당	김정수		협조

수신 주요르단대사

참조

제목 대요르단 4차 지원품 선적서류 송부

   대 : JOW - 597

   대호 요청에 의거 대요르단 4차 지원품목으로 결정된 아래 품목선적에 따른 동
관련서류를 별첨 송부하오니 주재국 기획성에 적의 전달, 동 품목수령에 착오없으시기
바랍니다.

                    - 아   래 -

   가. 엠브란스 2대
   나. 트럭 (K - 240) 2대
   다. 지프차 25대

   첨 부 : 선적서류 2부.

0250

외 무 부

110-760 서울 종로구 세종로 77번지   / (02)720-3869   / (02)720-3870

문서번호 중동이 20005- 184

시행일자 1991.12.30. (   )

취급		장 관	
보존			
국 장	전 결		
심의관			
과 장			
담당	김 정 수		협조

수신 총무과장 (외환계)

참조

제목 걸프사태 주변국지원 경비지불 요청

걸프사태 관련 대요르단 4차 지원물자 선적에 따른 경비를 아래와 같이 지불
하여 주시기 바랍니다.

- 아   래 -

1. 지불액 : $349,088 40

2. 지불처 : (주) 고려무역

　　ㅇ 지불은행 : 제주은행 서울지점

　　ㅇ 구좌번호 : 963-THR 109-01-0

3. 산출근거 : 걸프사태 관련 대요르단 4차 지원물자 선적기일까지 선적함에
　　　　　　　따른 경비지불

4. 예산항목 : 정무활동, 해외경상이전 (걸프사태 주변국 지원)

첨 부 : 1. 재가공문 사본 1부.

　　　　2. 계약서 사본 1부.

　　　　3. 고려무역 청구서 1부.

　　　　4. 선적서류 1부.   끝.

0251

輸 出 契 約 書

"甲" 外　　　　務　　　　部
　　中東 2 課長　鄭　鎭　鎬

"乙"　株式會社　高　麗　貿　易
　　代表理事　副社長　高　一　男

上記 "甲" "乙" 兩者間에 다음과 같이 輸出契約을 締結한다.

第 1 條　:　輸出物品의 表示
　　　　　　別　　添

第 2 條　:　"甲"은 上記 第1條의 物品貸金을 船積書類 受取後 "乙"에게 支給한다.

第 3 條　:　"乙"은 上記 第1條의 物品을 1992. 3. 30. 까지　KOREAN PORT 港
　　　　　　또는 (空港) 에서 AQABA, JORDAN 行　船舶(또는 航空機) 에 船積하여야
　　　　　　한다.　但, 불가피한 事由로 船積이 遲延될 境遇에는 1990. 12. 21.
　　　　　　外務部長官과 "乙" 間에 締結된 輸出代行業體 指定 契約書 第4條 規定에
　　　　　　依하여 "乙"은 "甲"에게 船積 遲延事由書를 提出하고 "甲"은 同 遲滯
　　　　　　償金 免除 與否를 決定한다.

第 4 條　:　"乙"은 船積完了後 7日 以内에 "甲"이 船積物品 通關에 必要한 諸般
　　　　　　船積書類를 "甲" 또는 "甲"의 代理人에게 提出 또는 現地公館에 送付
　　　　　　하여야 한다.

- 1 -

0252

第 5 條 ： 上記 船積物品의 品質保證 期間은 船積後 1 年間으로 하며, 이 期間中
正常的인 使用에도 不拘하고 製造不良이나 材質 또는 조립상의 하자가
發生할 境遇 "乙"의 責任下에 解決한다.

本 契約에 明示되지 않은 事由에 對하여는 걸프만 事態 供與品 輸出 代行 契約書
에 따른다.

1991 年 12 月 31 日

"甲" 外 務 部   "乙" 株式會社 高麗貿易
                                서울特別市 江南區 三成洞
中東 2 課長 鄭 鎭 鎬   代表理事 副社長 高 一

- 2 -

0253

(別 添)

DESCRIPTION	Q'TY	UNIT PRICE	AMOUNT
		<u>C.I.F. AQABA</u>	
- K2400 D/C TRUCK WITH AM/FM STEREO CASSETTE, HEATER & STANDARD EQUIPMENT	15UNITS	@$8,885.60	U$133,284.-
- RECOMMENDED S/PARTS FOR K2400 D/C TRUCK	15 SETS	@$933.80	U$14,007.-
T O T A L :	15UNITS & 15SETS		U$147,291.-

0254

외 무 부

110-760 서울 종로구 세종로 77번지 / (02)720-3869 / (02)720-3870

문서번호 중동이 20005-
시행일자 1991.12.31. (   )

수신   건 의
참조

취급		장 관	
보존		7예	
국장	전결		
심의관	のu		
과장	호		
담당	김 정 수		협조

제목   대요르단 지원물자 조정

　　　걸프사태 관련 6차 대요르단 물자지원을 버스8대와 동부품 20%상당 지원키로
기결정되었으나, 요르단측은 별첨과 같이 버스9대로 변경 지원을 요청해왔으므로, 동
재가금액 범위내에서 버스를 1대 늘리고 동금액 상당의 부품지원을 줄여서 계약을
체결코저 건의합니다.

첨 부 : 동 지원개가 공문
　　　　 계약서 1부.   끝.

AJK8-11223-2

PRICE BREAKDOWN
===============

품 명 및 규 격	수 량	단 가	금 액
DAEWOO BUS			
o MODEL : BS 105			
o OPTION : MIDDLE DOOR			
o STEERING : LEFT HAND DRIVE (LHD)			
o EX-FAC	9 UNITS	U$ 41,300	U$ 371,700
DAEWOO M/UP (2%)		U$ 826	U$ 7,434
FOB	9 UNITS	U$ 42,126	U$ 379,134
OCEAN FREIGHT		U$ 4,087	U$ 36,783
INSURANCE		U$ 137	U$ 1,233
TOTAL : CIF AQABA, JORDAN	9 UNITS	U$46,350	U$417,150
RECOMMENDED SPARE PARTS			U$ 27,810
GRAND TOTAL : CIF AQABA, JORDAN	9 UNITS & S/PARTS		U$444,960

0256

DAEWOO
DAEWOO CORPORATION

541, 5-GA, NAMDAEMUNNO, CHUNG-GU, SEOUL, KOREA
C.P.O.BOX 2810,8269,SEOUL, KOREA/TELEX: DAEWOO K23341~2, K24444, K24295/CABLE:"DAEWOO"SEOUL/TEL: 759-2114/FAX: 753-9489

AJK8-11227.1

Messrs. Ministry of Foreign Affairs   Offer no. : HDA-JS11227.1
                                             Date : Dec. 27, 1991

PROFORMA INVOICE

We are pleased to offer the under-mentioning article(s) as per conditions
and details described as follows.

```
 1. ORIGIN       : The Republic of Korea.
 2. MANUFACTURER : Daewoo Motor Co., Ltd., Korea
 3. PACKING      : Export standard packing.
 4. SHIPMENT     : Within 3 months after receipt of L/C and subject to vessel
                   schedule.
 5. INSPECTION   : Manufacturer's inspection before shipment to be final.
 6. PAYMENT      : By irrevocable and confirmed Letter of Credit at sight in
                   favor of Daewoo Corporation, C.P.O.Box 2810, Seoul, Korea.
 7. DESTINATION  : Aqaba, Jordan
 8. MODEL        : Daewoo Bus, BS 105, Basic Specification, Middle Door
 9. UNIT PRICE   : U$46,350 CIF Aqaba, Jordan
10. QUANTITY     : 9 Units
11. AMOUNT       : U$370,800 CIF Aqaba, Jordan
12. VALIDITY     : Upto 28th February 1992.
13. REMARKS      : 1) The specification & the appearance of the Buses are as
                      attached, and are subject to change without prior notice
                      due to technical improvement.
                   2) Import licence and homologation approval to be provided
                      by purchaser.
                   3) If any additional inspection is required, such charges
                      shall be borne by purchaser.
                   4) We recommend you to further buy our recommended spare
                      parts of which value is equivalent to approx. 10 (ten)
                      percent of the total value of the contract amount and the
                      list of spare parts shall be submitted to you after
                      receipt of your L/C.
                   5) After Service of the Buses shall be provided by purchaser.
```

Looking forward to your valued order for the above offer, we are.

Yours faithfully,
DAEWOO CORPORATION

Jae-Chan, Park / General Manager of
Motor Vehicles Dept. (HDM)

Enc. : 1. Technical Specification
       2. Bus catalogue

0257

AJK8-11223-3.1

물 품 공 급 계 약 서

"갑"   외 무 부   중동2과장   정 진 호

"을"   주식회사 대우   대 표 이 사   윤 영 석

　 　 위 　"갑"을 　물품 　수령인으로하고 　"을"은 　물품 　공급인으로하여 　다음과 같이

대우차 공급 계약을 한다.

- 다 　 음 -

제 1 조 (공급 물품의 표시)

품 명 및 규 격	수 량	단 가	금 액
o DAEWOO BUS			
. MODEL : BS 105			
. OPTION : MIDDLE DOOR			
. STEERING : LEFT HANDLE			
- FOB	9 UNITS		U$ 379,134
- OCEAN FREIGHT			U$ 36,783
- INSURANCE			U$ 1,233
TOTAL : CIF AQABA, JORDAN	9 UNITS	U$46,350	U$417,150
RECOMMENDED SPARE PARTS			U$ 27,810
GRAND TOTAL : CIF AQABA, JORDAN	9 UNITS & S/PARTS		U$444,960

0258

제 2 조 (대금 결제)

　　제 1조의 물품 대금에 대하여는 선적 서류 제출후 12일 이내 제일은행 남산 지점 을 통하여 (주)대우를 수취인으로하는 미화 표시 전신환 송금 (TELEGRAPHIC TRANSFER) 으로 "을"에게 결제 한다.

단, 해상 운임 및 해상 보험은 선적 서류상의 실제 지급 금액을 결제한다.

계약서에 명기된 금액을 초과할 수 없다.

제 3 조 (선적)

　　"을"은 제 1조의 물품을 계약일로부터 3개월 이내에　JORDAN행 선박에　부산 또는 울산항에서 전량 (환적 가함) 선적 완료한다.

다만, 불가피한 사유로 인하여　전량 선적이 불가할 경우나　지연될 경우에는 "을"은 "갑"에게 문서로써 사유를 제시한후 상호 협의하에 최단 시일내에 선적 완료한다.

제 4 조 (지체 상금)

　　"갑"은　선적 지연의　책임이　"을"에게 있다고 판단하는 경우　지체일수당 물품 대금의 1.5/1,000의 해당하는 금액을 "을"에게 징수할 수 있다.

제 5 조 (불가 항력)

　　선 적 지연의 원인이　을"의 고의, 과실 또는 태만이 아닌 천재지변, 전쟁 내란, 수출금지,　선복수배 불가등을　포함한 불가항력 (FORCE MAJEURE)의　경우　"갑"은 제 4 조의 지체상금을　"을"에게 징수할 수 없다.

제 6 조 (품질검사)

　　품질검사는 "을"의 책임하에 시행하며 "을"은 품질관리에 최선을 다한다.

0259

AJK8-11223-3.3

제 7 조 (선적서류)

"을"은 선적후 10일 이내에 아래와 같은 서류를 "갑"에게 제출해야 한다.

```
1. COMMERCIAL INVOICE    4 COPIES
2. BILL OF LADING        4 COPIES
3. INSURANCE POLICY      4 COPIES
```

제 8 조 (기타)

본 계약에 명시되지 않은 사항에 대해서는 1991.1.14일 체결한 외무부와 대우와의 무상원자 물자 조달에 관한 대행자 계약서에 준한다.

제 9 조 (분쟁 해결)

이 계약으로부터 또는 이 계약과 관련하여 또는 이 계약의 불이행으로 말미암아 당사자 간에 발생하는 모든 분쟁은 먼저 당사자간의 협의에 의하여 해결하고 그 협의가 이루어지지 아니할 때에는 대한 상사 중재원의 중재 판정에 따라 최종적으로 해결한다.

본 계약을 후일에 증하기 위하여 본 계약서 2부를 작성하여 각자 서명 날인한 후 각 1부씩 보관한다.

"갑" 서울 종로구 세종로 77   "을" 서울 중구 남대문로 5가 541

　　　　외　　무　　부　　　　　　　　　　주 식 회 사　　　대　　우

　　중동 2 과장　정 진 호   대 표 이 사　　　윤 영 석

　　　　1991. 12. 31.　　　　　　　　　　　　　1991. 12. 24.

0260

416   걸프 사태 주변국 지원 3: 요르단

정 리 보 존 문 서 목 록

기록물종류	일반공문서철	등록번호	2020110081	등록일자	2020-11-18
분류번호	721.1	국가코드	XF	보존기간	영구
명 칭	걸프사태: 주변국 지원, 1990-92. 전12권				
생 산 과	중동2과/북미1과	생산년도	1990~1992	담당그룹	
권 차 명	V.8 요르단 III: 1992				
내용목차					

0001

외   무   부

110-760 서울 종로구 세종로 77번지   / (02)720-3869   / (02)720-3870

문서번호 중동이 20005- 01
시행일자 1991. 1. 4. (   )

취급		장 관	
보존			
국 장	전 결		
심의관			
과 장	훈		
담 당	김 정 수		협조

수신 총무과장 (외환계)
참조

제목 걸프사태 주변국지원 경비지불 요청

        걸프사태 관련 대요르단 지원물자인 비닐포장백 66만매 선적에 따른 경비를
아래와 같이 지불하여 주시기 바랍니다.

- 아   래 -

1. 지 불 액 : $264,000
2. 지 불 처 : (주) 고려무역
   ○ 지불은행 : 제주은행 서울지점
   ○ 구좌번호 : 963 THR 109-01-0
3. 산출근거 : 대요르단 지원물자중 일부선적에 따른 경비지불
4. 예산항목 : 정무활동, 해외경상이전 (걸프사태 주변국 지원)

첨 부 : 1. 재가공문사본 1부.
        2. 계약서 사본 1부.
        3. 고려무역 청구서 1부.   끝.

중 동 아 프 리 카 국 장

0002

외 무 부

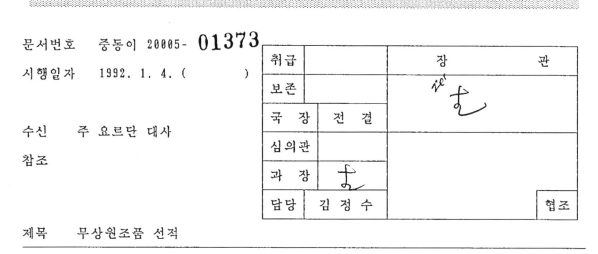

110-760 서울 종로구 세종로 77번지 / (02)720-3869 / (02)720-3870

문서번호 중동이 20005- **01373**

시행일자 1992. 1. 4. (   )

취급		장	관
보존			
국장	전 결		
심의관			
과장			
담당	김 정 수		협조

수신   주 요르단 대사

참조

제목   무상원조품 선적

대 : JOW - 906

　　1. 대호 비닐백 66만장 선적에 따른 동선적서류를 송부하오니 주재국에 적의
전달, 수령에 착오없으시기 바랍니다. 동 비닐백은 요르단측이 지정하는 국제공인 검사
기관이 품질검사를 실시하였음을 첨언합니다.

　　2. 동 비닐백 계약액중 잔액 $435,500이 조속 처리되어야 하니, 동금액 상당의
비닐백에 대한 신규사양을 통보하여 주시기 바랍니다.

첨 부 : 선적서류 2부.

0003

발 신 전 보

분류번호	보존기간

WJO-0003   920106 1609 ED

번   호 : _____   종별 : _____

수   신 : 주 요르단   대사. 총영사////
              (중동아국)

발   신 : 장 관

제   목 : 대요르단 추가지원

대 : JOW - 908

대호 주재국 민방위 요청관련 PICK UP 15대 (DOUBLE CABIN) 및
동부품(10%상당)을 추가지원키로 확정하였음을 참고바람.   끝.

($147.291 상당위며 3개월이내 선적예정)

(중동아국장 이 해 순)

보안통제	초

앙고재	92년 2월 6일	기안자 성명	김재영	과장 신의관	국장 전결		차관	장관

외신과통제

0004

관리
번호 91-9

분류번호	보존기간

발 신 전 보

번 호 : WJO-0004   920106 1609 ED종별 :

수 신 : 주 요르단   대사. 총영사///

발 신 : 장 관   (중동이)

제 목 : 무상원조

대 : JOW - 947

연 : WJO - 751

대호 요청에 따라 연호 (주) 대우 BS 105버스 9대와 동차량 부품 ($27,810 상당)을 지원키로 91.12.31자 계약체결 하였음을 참고바람. 끝.

(3개월이내 정 선적 예령)

(중동아국장 이 해 순)

보 안 통 제	호

앙 고 재	92년 1월 6일	중 2과	기안자 성명		과 장	심의관	국 장		차 관	장 관	외신과통제
			기사형5		호	어	312경			794	

관리 번호	92-17	

외 무 부

종 별 :

번 호 : JOW-0025

일 시 : 92 0111 1400

수 신 : 장 관(중동이,중동일)

발 신 : 주 요르단대사

제 목 : 대요르단 추가지원

대:WJO-0003

대호 민방위청 지원내용을 주재국 기획성및 외무성에 금명간 공한으로 봉보코자하는바 이견여부 회시바람

(대사 이한춘-국장)

예고:92.6.30 까지

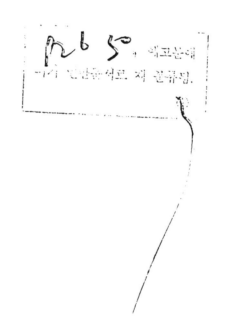

───────────────────────────

중아국   중아국

PAGE 1

주 요 르 단 대 사 관

요르단(정) 700-*19*   1992. 1. 11.

수 신 : 장 관

참 조 : 중동아프리카국장

제 목 : 무상원조

　　　연: JOW-0947

연호 대주재국 무상원조 잔여분중 버스 9대 및 동부품 지원을 요청한 주재국 기획성장관의
공한을 별첨과같이 송부합니다.

첨 부 : 동공한 1부.　끝.

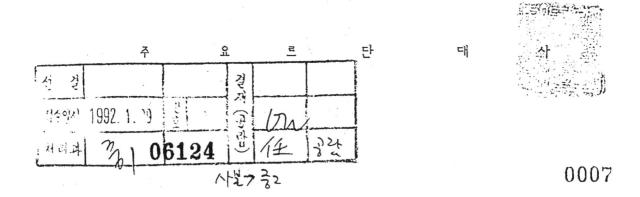

THE HASHEMITE KINGDOM OF JORDAN

MINISTRY OF PLANNING

AMMAN

Ref. 5/2/48/5989

Date 31/12/1991

الرقم

التاريخ

المرافق

المملكة الأردنية الهاشمية

وزارة التخطيط

عمـان

His Excellency
Ambassador
Embassy of the Republic of Korea
Amman

Excellency,

Further to my letter No. 5/2/48/5873 dated 22/12/1991 and reference is made to the offers received by the Jordan Phosphate Mines Company (JPMC) from the Korean Companies through the Korean Embassy in Amman concerning the buses needed by JPMC.

In light of the above mentioned offers, I would like to inform Your Excellency that JPMC is willing to have nine buses from DAEWOO company according to the following specifications and conditions:

- Two right side doors buses (front and back)
- 45 passengers in addition to the driver
- The price (according to the offer received in this respect) is US $ 46,350 CIF Aqaba.
- Two months delivery period

In addition to that, JPMC is in need for spare parts in an amount of US $ 46,850 (which represent the remaining balance of the grant) after receiving the price quotation and according to JPMC needs.

Your Excellency's efforts in this respect will be highly appreciated .

Accept, Excellency, the assurances of my highest consideration .

Sincerely yours ,

Dr. Ziad Fariz
Minister of Planning

cc. JPMC

0008

صندوق بريد ٥٥٥ العنوان البرقي : NPC للتلكس ٢١٣١٩ NPC جو ٢٤٢٥٨ MINP جوفاكسميلي : ٦٤٩٣٤١ تلفون: ٦٤٤٤٦٦/٧٠ـ٦٤٤٣٨١/٨٥

P. O. Box 555 Cable : NPC Telex : 21319 NPC JO, 24258 MINP Jo Telfax : 649341 Tel : 644466/70 - 644381/85

분류번호	보존기간

발 신 전 보

WJO-0018   920113 1546 DU

번 호 : _____   종별 : _____

수 신 : 주 요르단   대사 . 총영사/

발 신 : 장 관   (중동이)

제 목 : 무상원조 추가

대 : JOW - 0025

연 : WJO - 0003

1. 대호 민방위청 지원건 연호대로 통보가함.

2. 동지원은 당초 배정액 이외의 추가 지원임을 참고바람.   끝.

(최초 5백만불, 왕립고아원 15만불, 민방위청 15만불 계 530만불)

(중동아국장 이 해 순)

보 안 통 제	초

앙 고 재	92년 1월 13일	중 2 과	기안자 성 명 김OO	과 장 초 OO	심의관 국 장 전결	차 관	장 관 19/	외신과통제

0009

원 본

외 무 부

종 별 :

번 호 : JOW-0059

일 시 : 92 0123 1400

수 신 : 장 관(중동일,중동이)

발 신 : 주 요르단 대사

제 목 : 무상원조추가

대:WJO-0018

1. 대호 민방위청 픽업 15 대 지원관련 1.15. 주재국 외무장관(사본:기획장관, 민방위청장)앞 본직 서한을 발송한바 있음

2. 1.22. 본직초청 만찬에 참석한 FARIZ 기획장관및 JUMA 수상 비서실장등은 인도적 차원에서의 대주재국 아국지원에 깊은 사의를 표명함

(대사 이한춘-국장)

예고:92.12.31 까지

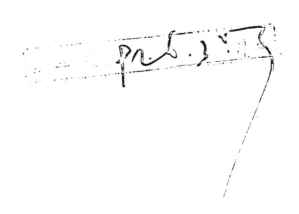

중아국   중아국   경제국

주 요 르 단 대 사 관

1992.1.26.

요르단(정)700-

수 신 : 장 관
참 조 : 중동아프리카국장
제 목 : 무상원조추가

대: WJO - 0018
연: JOW - 0059

　　　대호 민방위청 픽업 15대 지원 관련 1.15. 주재국 외무장관앞으로 발송한
본직의 서한에 대해 ABU JABER 주재국 외무장관이 사의 답서를 보내 왔기에
이를 별첨과 같이 송부 합니다.

첨 부 : 동답서 1부. 끝.

주 요 르 단 대 사

선 결				결재(공람)		
접수일시	1992. 1. 29	번호			ㅇ시	
처리과	종2.림 06129					

0011

بسم الله الرحمن الرحيم

THE HASHEMITE KINGDOM
OF JORDAN

Ministry of Foreign Affairs

المملكة الأردنية الهاشمية
وزارة الخارجية

No. ————————————————

Date ————————————————

الرقـــم ————————————————

التاريخ ————————————————

H.E. Hahn - Choon Lee
Ambassador Extraordinary
of the Republic of Korea.

Your Excellency,

On behalf of the Government of the Hashemite Kingdom of Jordan, I would like to express our deep appreciation to the Government of the Republic of Korea, for donating fifteen units of the double cabin pick- up trucks and necessary spare parts to Jordan Civil Defence Department which reflects the depth of the friendly relations between our two countries.

Please accept, Excellency, the assurances of my highest consideration.

Kamel Abu-Jaber
Minister of Foreign Affairs
of the Hashemite Kingdom of Jordan

0012

주 요 르 단 대 사 관

요르단(정) 700-27

1992. 1. 26.

수 신 : 장 관

참 조 : 중동아프리카국장, 국제경제국장

제 목 : 대주재국 무상원조

1. 주재국 FARIZ 기획장관은 1.16.자 본직앞 별첨 공한을 통해 아국의 대주재국 500만불
   무상원조와 관련, 동 후속조치의 일환으로 기술자 파견 및 기술 연수 지원등을 요청
   하여 왔읍니다.

2. 상기 요청에 대해 효과적인 대주재국 협력 차원에서 이를 긍정적으로 검토함이 좋을
   것으로 사료되어 건의하오니 입장 회보 바랍니다.

첨 부 : 동 서한 및 영문 번역문 1부.   끝.

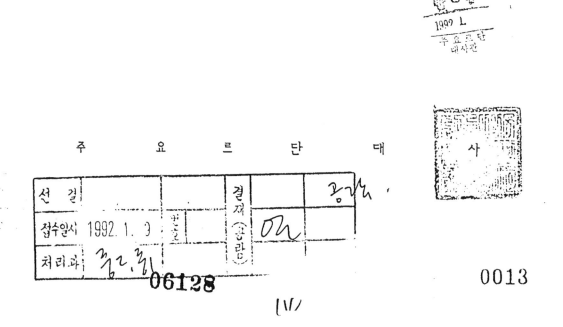

06128

0013

From: Ministry of Planning
Ref: 5/2/237   Jan. 16, 1992

TO:

His Excellency
Ambassador of the Republic of Korea /Amman

        "I refer to the grant that is provided from the
Government of the Republic of Korea the value of
which is (US$5 millions), through which vehicles and
busses were presented to each of the Public Security
Directorate and the Public Transport Corporation.

        I have the honour to inform Your Excellency that,
each of the Public Security Directorate and the Public
Transport Corporation are in need of the following:

-    To train (6 technicians) from the Public Security
     Directorate; (4) of whom for training in the
     mechanic fields and (2) others for training in
     the field of electricity, so as to maintain and
     repair the vehicles being presented accordingly
     with the aforementioned grant.

-    To invite (bring) a specialized technician (expert) from
     the manufacturing company of the busses which were
     presented to the Public Transport Corporation, to
     assist in the works of maintanance and the repair-
     ing of the busses. (duties of the needed expert
     are enclosed herewith)

        I hope Your Excellency would kindly take the nec-
cessary procedures with the Korean concerned sides,
regarding the training of the aforementioned technicians
through a training programme at the site of the manufactur-
ing companies of the vehicles provided to the Public
Security Directorate, and to provide the required expert
for the Public Transport Corporation and further to finance
that from the Korean Technical assistances.

        Please accept, Excellency, the assurances of my highest
consideration."

                                Signed/
                                Dr. Ziad Fariz
                                Minister of Planning
                                /Eng. Mustafa Zahran
                                 Director of the Directorate
                                 of the Primary Projects

                                0014

THE HASHEMITE KINGDOM OF JORDAN

MINISTRY OF PLANNING

AMMAN

Ref. ....

Date ....

بسم الله الرحمن الرحيم

المملكة الاردنية الهاشمية

وزارة التخطيط

عـمـان

الرقم ٥/٨٥٣/١٤٦٢

التاريخ

المرافق ١٩٩١/١١/١٦

سعادة سفير جمهورية كوريا الجنوبية

عمـان

اشير الى المنحة المقدمة من الحكومه الكوريه بقيمة خمسة
ملايين دولار امريكي والتي قدمت بموجبها آليات وباصات لـكل مـن
مديرية الامن العام ومؤسسة النقل العـام .

ارجو ان اعلمَ سعادتكم ان كل من مديرية الامن العام ومؤسسة
النقل بحاجة الى ما يلي :-

- تدريب (٦) فنيين من مديرية الامن العام منهم (٤) للتدريب
  في المجالات الميكانيكيه و (٢) للتدريب في مجال الكهربـاء،
  وذلك لصيانة واصلاح الاليات التي قدمت بموجب الـمنـحـه
  المذكوره .

- استقدام خبير فني متخصص من الشركه الصانعه للباصات التي
  قدمت لمؤسسة النقل العام للمساعده في أعمال صيانة واصلاح
  هذه الباصات (مرفق طيا المهام التي سيقوم بها الخبير
  المطلوب) .

ارجو سعادتكم التكرم باتخاذ الإجراءات اللازمه مع الجهـات
الكوريه المعنيه حول الموافقه على تدريب الفنيين المـذكورين
اعلاه من خلال برنامج تدريبي في مواقع الشركات الصانعه للاليـات
التي تم تزويد الامن العام بها وكذلك توفير الخبير المطلوب
لمؤسسة النقل العام وتمويل ذلك من المساعدات الفنية الكوريه .

وتفضلوا بقبول فائق الاحترام ،،

د.زياد فريز
وزير التخطيط

المهندس مصطفى زهران
مدير مديرية المشاريع الاولى

0015

صندوق بريد ٥٥٥ العنوان البرقي : NPC للتلكس : NPC ٢١٣١٩ جو٢٤٢٥٨ MINP جوفاكسميلي : ٦٤٩٣٤١ للفون : ٦٤٤٤٦٦/٧٠-٦٤٤٣٨١/٨٥
P. O. Box 555 Cable : NPC Telex : 21319 NPC JO, 24258 MINP Jo Telfax : 649341 Tel : 644466/70 - 644381/85

TRANSPORT COROPRATION

AMMAN - JORDAN
_____

REQUIRMENTS AND QUALIFICATION OF
THE TECHNICAL EXPERT .

1 -   TO STAY AT THE PUBLIC TRANSPORT CORPORATION WORKSHOP FOR
       AT LEAST SIX MONTHS .

2 -   CAPABLE OF ASSISTING TE CHNICIANS IN THE NORMAL , PERIODIC
       AND PREVENTIVE MAINTENANCE .

3 -   CAPABLE TO DEAL WITH ANY UNUSUAL TE CHNICAL CASE OR PRBLEM
       ARISES DUE TO THE USAGE OF THE COMBI BUSES IN PUBLIC TRANSPORT.

4 -   CAPABLE TO HOLD SPECIALIST SEMINARS FOR THE TECHNICIANS IN
       THE FIELD OF MAINTAINING THESE BUSES FOR UPGRADING THEIR
       TECHNICAL EFFICIENCY .

5 -   SUPERVISING THE PROCURMENT OF SUPPLIES AND SPARE PARTS FOR
       COMBI BUSES , FROM THE ORIGINAL MANUFACTURERS , DEPENDING
       ON HIS OWN PREVIOUS EXPERIENCE IN THIS FIELD , AMD TO DETER-
       MINE THE QUANTITIES REQUIRED FOR THE VARIOUS COMING PERIODS .

0016

외 무 부

종   별 :

번   호 : JOW-0127

수   신 : 장 관(중동일)

발   신 : 요르단 대사

제   목 : 무상원조

일   시 : 92 0216 1400

연:JOW-0909, 요르단(정)700-226

1. 요르단 인광석 공사(JPMC)와 아국 백산 비료백 생산 업체와의 문제해결 위요 서명된 합의서에 의거, JPMC 는 하기사양의 비료백 공급을 당관에 요청하여 왔는바 조속 조치바람

2. 비료백 사양

가. 품명:BAGS OF 50 NET WOVEN POLYPROPYENE WITH POLYETHYLENE INNER LINER

나.NEW POLYPROPYLENE WOVEN BAG

DENIER=1200

다.UV-STABILITY TEST

MATERIAL MUST HAVE NOT LESS THAN 70% STRENGTH RENTENTION AFTER 200 HOURS IN THE WATHEROMETER(TEST METHOD 5304 U.S. FEDERAL STANDARD 191).

STRENGTH:SUITABLE FOR EXPORT

SIZE:55 X 95CM

COLOR:NATURAL WHITE

WEIGHT:TO BE STATED.

라.NEW POLYETHYLENE INNER BAG:

THICKNESS=120 MM MIN.

SIZE:57 X 102 CM

WIEGHT:TO BE STATED.

마.SEWING METHOD

TOP:PP BAG HEAT CUT MOUTH AND OVERLOCKED WITH LINER BAG(SEWN).

BOTTOM:OUTER BAG DOUBLE FOLDED WITH LINER AND SEWN.

중아국

바.BAG MARKING:

ONE SIDE SELLER'S MARKING AND THE OTHER SIDE BUYERS MARKING, PRINTING COLOUR IS BLACK.

3. 물량:US$ 435,500.-(비료백 공급 계약금중 미집행분)상당

4. 기타

-JPMC 는 비료백 공급 위요 이전과 같은 문제발생을 사전 방지코저 국제검사 기관을 지정할 예정임

-JPMC 가 당관에 보내온 FAX 는 파편 송부위게임

(대사 이한춘-국장)

예고:92.6.30 까지

PAGE 2

주 요 르 단 대 사 관

1992.2.23.

요르단(정)700-6

수 신 : 장관

참 조 : 중동아프리카국장

제 목 : 대요르단 무상원조

　　연 : JOW-0127

　　　연호 관련, 요르단 인광석 공사(JPMC)가 당관에 보내온 FAX를
별첨과 같이 송부 합니다.

　　첨 부 : JPMC의 FAX 1부.끝.

주 　 요 　 르 　 단 　 대

0019

JORDAN PHOSPHATE MINES CO., LTD.
Amman - Jordan
FACSIMILE TRANSMITTAL

URGENT

F. Ser. No. : 571
Data : 12.2.1992
No. of Pages : 2   Country AMMAN   Fax No. 660280

To : H.E. THE EMBASSADOR EMBASSY OF THE REPUBLIC OF
From : JPMC - SUPPLIES DEPT   KOREA - AMMAN
Attention :
Copy :

SUBJECT : INQ No. CD92/528F

JPMC PRESENTS ITS COMPLENTS TO THE
EMBASSY OF THE REPUBLIC OF KOREA IN JORDAN
AND WOULD LIKE TO ASK YOU KINDLY TO
PROVIDE US WITH AN OFFERS FROM THE
CONCERNED KOREAN COMPANIES FOR
P.P. BAGS (AS PER THE ATTACHED SPECS)
SHOWING THE SHORTEST BUT FIXED TIME
OF DELIVERY.

QTY OF BAGS WILL BE DEFINED ON
THE LIGHT OF THE BALANCE OF THE KOREAN
GRANT EXECUTION I.E U.$ 435.500

*. N.B BAGS WILL BE INSPECTED BEFORE
SHIPMENT BY AN INDEPENDENT SURVEYOR
WHOW WILL BY APPOINTED BY JPMC

AWAITING YOUR POSITIVE AND URGENT RESPONSE
AT THE EARLIEST POSSIBLE AND THANKING YOU IN
ANTICIPATION FOR YOUR KIND CO-OPERATION

Telex 21223 - 22475 - 22333 - 21549 - 23915   Fax 962-6-653290   Phone 60341   P.O Box 30   Amman - Jordan

FEB 12 '92 10:16 TO 009626660280   FROM J.P.M.C. JORDAN   T-005 P.01

0020

BAGS SPECIFICATIONS
==============================

* BAGS OF 50 NET . WOVEN POLYPROPYLENE WIT HPOLYETHYLENE INNER
LINER WITH THE FWG SPECS.

1- NEW POLYPROPYLENE WOVEN BAG:
======================================

DENIER = 1200
MESH = 12x12 SQUARE INCH

UV - STABILITY TEST
=======================

MATERIAL MUST HAVE NOT LESS THAN 70% STRENGTH RENTENTION AFTER 200
HOURS IN THE WEATHEROMETER (TEST 5304 U.S FEDERAL STANDARD 191) .
METHOD

STRENGTH : SUITABLE FOR EXPORT

SIZE : 55x95 CM
COLOR = NATURAL WHITE
WEIGHT : TO BE STATED .

2- NEW POLYETHYLENE INNER BAG:
================================

THICKNESS = 120 MM MIN.
SIZE : 57x102 CM
WEIGHT : TO BE STATED

3- SEWIN METHOD :
====================

TOP : PP BAG HEAT CUT MOUTH AND OVERLOCKED WITH LINER BAG (SEWN)

BOTTOM: OUTER BAG DOUBLE FOLDED WITH LINER AND SEWN .

4- BAG MARKING :
==================

ONE SIDE SELLER'S MARKING AND THE OTHER SIDE BUYERS MARKING, PRINTING
COLOR IS BLACK

HM/AH

0021

KOREA TRADING INTERNATIONAL INC.

PHONE:(02)551-3114
FAX :(02)551-3100
TELEX:KOTII K27434
CABLE:KOTII SEOUL

11TH FLOOR, TRADE TOWER,
159, SAMSUNG-DONG, KANGNAM-KU,
SEOUL, KOREA
TRADE CENTER P.O.BOX23, 24

DATE:MAR. 6, 1992
YOUR REF:
OUR REF:K00BS-20029

OFFER SHEET

To: THE MINISTRY OF FOREIGN AFFAIRS IN R.O.K.

Dear Sirs,

We have the pleasure in offering you as follows:

Delivery	: TILL APR.30,1992 SUBJECT TO CONFIRM PRODUCTION UP TO MAX. MAR. 14, 1992	Packing	: EXPORT STANDARD PACKING
Origin	: R. O. K.	Inspection	: MAKER'S INSPECTION TO BE FINAL
Port of Shipment	: BUSAN PORT	Validity	: MAR. 14, 1992
Destination	: AQABA JORDAN	Remarks	: P.P. BAGS WILL BE INSPECTED BEFORE SHIPMENT BY AN INDEPENDENT SURVEYOR WHOM WILL BY APPOINTED BY JPMC.
Payment	: C. A. D.		

Description	Quantity	Unit Price	Amount	Remarks

1. NEW POLYPROPYLENE WOVEN BAG: C.I.F. AQABA
   DENIER : 1200, MESH : 12x12 SQUARE INCH
   UV - STABILITY TEST
   MATERIAL MUST HAVE NOT LESS THAN 70% STRENGTH RENTENTION
   AFTER 200 HOURS IN THE WEATHEROMETER (TEST METHOD 5304
   U.S. FEDERAL STANDARD 191)
   STRENGTH : SUITABLE FOR EXPORT
   SIZE : 55x95CM, COLOR : NATURAL WHITE WEIGHT: TO BE STATED

2. SEWIN METHOD:
   TOP : PP BAG HEAT CUT MOUTH AND OVERLOCKED WITH LINER BAG (SEWN)
   BOTTOM: OUTER BAG DOUBLE FOLDED WITH LINER AND SEWN.

3. NEW POLYETHYLENE INNER BAG:
   THICKNESS : 120MM MIN.
   SIZE : 57x102CM WEIGHT : TO BE STATED

4. BAG MARKING : ONE SIDE SELLER'S MARKING AND THE OTHER SIDE
   BUYERS MARKING, PRINTING COLOR IS BLACK

                874,497PCS   @$0.498   U$435,499.50

        ////   ////   ////

Very truly yours,

Accepted by

0022

Korea Trading International Inc.

Jong Soo Kim

8. S. KIM/DIRECTOR

원 가 계 산 (NYLON P. P. BAG)

품 명 : 나일론플라스틱

(단위 : U.S. DOLLAR)

비 고	F.O.B.	F			M	합 계
		C B M	단 가	송 료	(FOB X 1.5%)	
사 전 원 가	0.448 X 874,497 = 391,774.66	15.14 CONT	2,500	37,850	5,874.84	435,499.50

0023

외 무 부

종 별 :

번 호 : JOW-0191

일 시 : 92 0308 1100

수 신 : 장관(중동일)

발 신 : 주요르단대사대리

제 목 : 대요르단 무상원조

연: JOW-127, 요르단(정)700-6

1. 연호관련, 요르단 인광석 공사는 비료백의 조속한 조달을 재차 요청하여왔는바진전 사항 회보바람

2. 동 공사의 요청 FAX 사본 파편 송부함. 끝

(대사대리 김균-국장)

중아국

PAGE 1

92.03.08   21:08 DW

외신 1과 통제관

주 요 르 단 대 사 관

1992.3.8.

요르단(정)700-*57*

수 신 : 장 관

참 조 : 중동아프리카국장

제 목 : 대요르단 무상원조

  연 : JOW-*191*

  연호관련, 요르단 인광석 공사(JPMC)가 당관에 보내온 FAX사본을
별첨과·같이 송부 합니다.

첨 부 : JPMC의 FAX사본 1부. 끝.

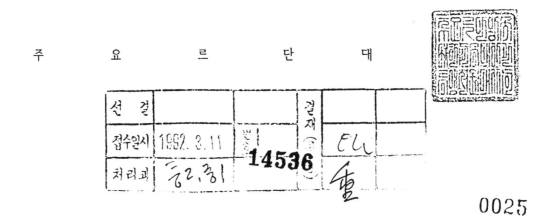

주   요   르   단   대

선 결			결재		
접수일시	1992. 3. 11	**14536**		EU	
처리과	요2.3.11				

0025

BAIK SAN PLASTICS CO.

44-13, YOIDO-DONG
YEUNG DEUNG PO-GU,
SEOUL KOREA

O F F E R

TELEX : K22365
PHONE : (02) 780-4271/2
TELEFAX : (02) 785-3770

BAIK SAN PLASTIC CO., LTD, as Seller, hereby confirms having sold you (your company), following goods on the date and on the terms and conditions hereinafter set forth;

MESSRS:	DATE: MAR. 04, 1992	NO: MA/B/2

COMMODITY DESCRIPTION	BUYER'S REFERENCE NO:

	QUANTITY	· UNIT PRICE	AMOUNT

1. NEW POLYPROPYLENE WOVEN BAG:
   DENIER:1200, MESH:12X12 SQUARE INCH
   UV - STABILITY TEST
   MATERIAL MUST HAVE NOT LESS THAN 70% | 874,497PCS @$0.448/PC
   STRENGTH RENTENTION AFTER 200 HOURS
   IN THE WEATHEROMETER (TEST METHOD
   5304 U.S. FEDERAL STANDARD 191)
   STRENGTH: SUITABLE FOR EXPORT
   SIZE: 55x95CM, COLOR: NATURAL WHITE
   WEIGHT: TO BE STATED
2. SEWIN METHOD:
   TOP: PP BAG HEAT CUT MOUTH AND
        OVERLOCKED WITH LINER BAG (SEWN)
   BOTTOM: OUTER BAG DOUBLE FOLDED WITH
           LINER AND SEWN.

F.O.B. BUSAN

3. NEW POLYETHYLENE INNER BAG :
   THICKNESS: 120MM MIN.
   SIZE: 57x102CM
   WEIGHT: TO BE STATED
4. BAG MARKING : ONE SIDE SELLER'S
   MARKING AND THE OTHER SIDE BUYERS
   MARKING, PRINTING COLOR IS BLACK

TOTAL

SHIPMENT
Time of Shipment: TILL APR. 30, 1992

SUBJECT TO CONFIRM PRODUCTION UP TO
MAX. MAR. 14, 1992

Port of Discharging: AQABA, JORDAN
Transhipment: permitted/not permitted
Partial shipment: permitted/not permitted

PAYMENT:
BY CASH AFTER RCPT B/L

PORT OF LOADING   BUSAN, KOREA

INSPECTION: NOMINATED BY BUYER

PACKING: 500 PCS IN ONE BALE WRAPPED
          WITH P.P. WOVEN CLOTH

INSURANCE: X X X X X

OTHER TERMS AND CONDITIONS:

  * SHIPMENT TO BE EXTENDED AUTOMATICALLY AS PER THE DELAY OF
    PRODUCTION CONFIRMATION.

Refer to General Terms and Conditions on the reverse side hereof which are incorporated herein and make a part of this

Accept by
(Buyer)

(Signature)

(Name & Title)

Date   , 19

BAIK SAN PLASTICS CO.

(Seller)

(Signature)

(Name & Title) Y. K. OH / PRESIDENT

Date   MAR.   04   , 19 92

서울特別市永登浦區汝矣島洞44-13

白山프라스틱

代表吳庸均

0026

Messrs.

Exporter & Manufacturers

Our Ref.

Seoul ....

OFFER SHEET

We are pleased to offer the under-mentioned article(s) as per conditions and details described as follows:

Item No.	Commodity & Description	Unit	Quantity	Unit price	Amount
	1. NEW POLYPROPYLENE WOVEN BAG ------------------------------ DENIER = 1200 MESH = 12X12 SQUARE INCH UV - STABILITY TEST ------------------- MATERIAL MUST HAVE NOT LESS THAN 70% STRENGTH RENTENTION AFTER 200 HOURS IN THE WEATHEROMETER (TEST METHOD 5304 U.S. FEDERAL STANDARD 191) STRENGTH : SUITABLE FOR EXPORT SIZE : 55X95CM COLOR : NATURAL WHITE WEIGHT: TO BE STATED		1,000,000PCS @$0.485/PC FOB BUSAN -------------		
	2. NEW POLYETHYLENE INNER BAG ------------------------------ THICKNESS = 120MM MIN. SIZE = 57X102CM WEIGHT = TO BE STATED		4. BAG MARKING : --------------- ONE SIDE SELLER'S MARKING AND THE OTHER SIDE BUYERS MARKING, PRINTING COLOR IS BLACK		
	3. SEWIN METHOD : -------------- TOP : PP BAG HEAT CUT MOUTH AND OVERLOCKED WITH LINER BAG (SEWN) BOTTOM : OUTER BAG DOUBLE FOLDED WITH LINER AND SEWN				

Origin   :

Packing   :

Shipment   :

Shipping port :

Inspection   :

Destination :

Payment   :

Validity   :

Remarks   :

Looking forward to your valued order for the above offer, we are,

yours faithfully,

星 都 産 業 社

경북 금릉군 지 어 현도 푸리 농공지 구 4B

代 表 都 山

0027

분류번호	보존기간

WJO-0094 발신 920309 1531 FO 전 보

번 호 : ~~WJO-0033   920309 1507 CJ~~   종별 : ____

수 신 : 주 요르단   대사. 총영사/

발 신 : 장 관   (중동이)

제 목 : 무상원조

대 : JOW - 0127

대호 사양의 비닐백 공급 관련 (주) 고려무역은 아래와 같이 견적을 제출하였는바, 관련부서에 적의 설명후 결과 보고바람.

1. 단가 : 0.498불 (C.I.F 가격)

2. 공급가능매수 : 874,497매 ($435,500상당)

3. 검사기관 지정 수락함.   끝.

(중동아국장 최 상 덕)

보안 통제	r

앙 고 재	92 년 월 일 2 2	기안자 성명 2과 김2l3		과장 rc Or	심의관 심의관	국장 전결		차관	장관 리

외신과통제

0028

분류번호	보존기간

발 신 전 보

번 호 : WJO-0112   920318 1700 FO 종별 : _____

수 신 : 주 요르단   대사. 총영사!

발 신 : 장 관   (중동이)

제 목 : 무상원조

연 : WJO - 0094

대 : JOW - 0191

대호 비료백 잔여분 조속 송부에는 연호로 통보한 (주)고려무역의
견적에 대한 주재국측 의견이 필요한 바, 지급 회신바람.   끝.

(중동아국장 최 상 덕)

보안 통제	[서명]

앙 고 재	92 년 월 일 2 2 과	기안자 성 명 [서명]	과 장 [서명]	국 장 [서명]	차 관	장 관 [서명]	외신과통제

0029

관리
번호 P2/243

외　무　부

종　별 :

번　호 : JOW-0236

일　시 : 92 0326 1100

수　신 : 장 관(중동이)

발　신 : 주 요르 단대사

제　목 : 무상원조

대:WJO-0112

대호 견적문제 관련, JPMC 의 실무책임자인 OKLA 구매부장이 공무 국외출장중으로
4.1. 귀임시 의견 확인후 즉시 회보 위계임.끝.

(대사 이한춘-국장)

예고:92.12.31. 까지

중아국

외   무   부

110-760 서울 종로구 세종로 77번지   / (02)720-3869   / (02)720-3870

문서번호   중동이 20005-

시행일자   1992. 3.28. (   )

취급			장 관	
보존				
국 장	전 결			
심의관				
과 장				
담당	김 정 수			협조

수신   총무과장 (외환계)

참조

제목   걸프사태 주변국 지원 경비지불 요청

걸프사태 관련 대요르단 추가 지원물자인 픽업차량 선적에 따른 경비를 아래와
같이 지불하여 주시기 바랍니다.

- 아   래 -

1. 지불액 : $147,291

2. 지불처 : (주) 고려무역

    ㅇ 지불은행 : 제주은행 서울지점

    ㅇ 구좌번호 : 963-THR-109-01-0

3. 산출근거 : 대요르단 지원물자 선적에 따른 경비지불

4. 예산항목 : 정무활동, 해외경상이전 (걸프사태 주변국 지원, 예비비)

첨 부 : 1. 재가공문 사본 1부.

    2. 계약서 사본 1부.

    3. (주)고려무역 청구서 1부.   끝.

중 동 아 프 리 카 국

0031

株式會社 高麗貿易

電 話 : (02)737-0860
F A X : (02)739-7011
TELEX : KOTII K34311

서울特別市 江南區 三成洞 159番地
貿易會館 빌딩 11層
TRADE CENTER P.O. BOX 23, 24

수 신 : 외무부 중동 2과장
제 목 : 걸프만 사태 관련 지원 물대 송금신청

　　　　폐사는 귀부와의 계약에 의거하여 아래와 같이 걸프만 관련 지원물품을 기
선적 하였아오니 송금 조치 하여 주시기 바랍니다.

- 아　　래 -

1. 선적물품 내역

품 목	수 량	금 액	선적일	도착예정일	선 명	선적항	도착항
K2400 D/C TRUCK	15UNITS	U$133,284.-	3/25 '92	4/25 '92	M/V KATORI V-02W	BUSAN	AQABA
- S/PARTS	15 SETS	U$14,007.-	"	"	"	"	"
T O T A L		U$147,291.-					

2. 비 고

걸프만 사태 관련 JORDAN 지원 계약분 ('91. 12. 31.)의 전량 선적건임.

3. 송 금 처 : 제주은행 서울지점

구좌번호 : 963-THR 109-01-0

예 금 주 : (주) 고려무역. 끝.

1992. 3. 25.

鍾路貿易本部 海外事業팀長

0032

KOREA TRADING INTERNATIONAL INC.

PHONE : (02) 551-3114
FAX : (02) 551-3100
TELEX : KOTII K27434
CABLE : KOTII SEOUL

11TH FLOOR, TRADE TOWER,
159, SAMSUNG-DONG, KANGNAM-KU,
SEOUL, KOREA
C. P. O. BOX 3667, 4020

DATE : MAR. 26, 1992
YOUR REF :
OUR REF : D2-91-20020

Messrs. KOREAN EMBASSY IN JORDAN

중요서 보관용

Gentlemen,

Shipping Notice of   K2400 D/C TRUCK &

S/PARTS

      we are pleased to inform you that the captioned goods have been shipped
per   M/V KATORI V-02W

on   MAR. 25, 1992 (E.T.A. : APR. 24, 1992)

and we have negotiated our draft(s) amounting   U$147,291.-

of the Invoice value through

in accordance with the Letter of Credit No.   KOOBS-20028

      For your information, we are enclosing the copies of shipping documents
as follows.

(X) Bill of Lading   :   1 ORIGINAL & 1 COPY
(X) Invoice   :   1 ORIGINAL & 1 COPY
(x) Packing List   :   1 ORIGINAL & 1 COPY
(   ) Certificate of Origin   :
(x) Marine Insurance policy   :   1 ORIGINAL & 1 COPY
(   )   :
(   )   :

      We trust that the goods will arrive at destination in good and sound
condition.

Very truly yours,

KOREA TRADING INTERNATIONAL INC.

J. Y. CHANG/MANAGER

0033

COMMERCIAL INVOICE

① Shipper/Exporter	⑧ No. & date of invoice D2-91-20020	MAR. 20, 1992
KOREA TRADING INTERNATIONAL INC. 11TH FLOOR, TRADE TOWER, 159, SAMSUNG-DONG, KANGNAM-KU, SEOUL, KOREA TRADE CENTER P.O. BOX 23, 24	⑨ No. & date of L/C K00BS-20028	DEC. 30, 1991
	⑩ L/C issuing bank	
② For account & risk of Messrs. THE MINISTRY OF PLANNING THE HASHEMITE KINGDOM OF JORDAN	⑪ Remarks:	
③ Notify party 1) SAME AS ABOVE 2) EMBASSY OF THE REPUBLIC OF KOREA P.O. BOX 3060 AMMAN JORDAN TEL. 660745, 660746		

④ Port of loading PUSAN KOREA	⑤ Final destination AQABA
⑥ Carrier M/V KATORI V-02W	⑦ Sailing on or about MAR. 25, 1992

⑫ Marks and numbers of Package	⑬ Description of goods	⑭ Quantity/unit	⑮ Unit-Price	⑯ Amount
			C.I.F. AQABA	
◇ KOTI ◇ AQABA W/B NO. 1-2 UNIT NO. 1-15 MADE IN KOREA	. K2400 D/C TRUCK WITH AM/FM STEREO CASSETTE HEATER & STANDARD EQUIPMENT	15UNITS	@$8,885.60	U$133,284.-
	. RECOMMENDED S/PARTS FOR K2400 D/C TRUCK	15 SETS	@$933.80	U$14,007.-
	TOTAL :	15UNITS & 15SETS		U$147,291.-

//// /// ///

KOREA TRADING INTERNATIONAL INC.

IL-HAN KOH
VICE PRESIDENT

⑱ Signed by _____

⑰ Phone : 551-3114
Fax : 551-3100
Telex : KOTII K27434
Cable : KOTII SEOUL

0034

(210×297mm)

PACKING LIST

① Shipper/Exporter	⑧ No. & date of invoice
KOREA TRADING INTERNATIONAL INC. 11TH FLOOR, TRADE TOWER, 159, SAMSUNG-DONG, KANGNAM-KU, SEOUL, KOREA TRADE CENTER P. O. BOX 23, 24	D2-91-20020 MAR. 20, 1992

② For account & risk of Messrs.	⑨ Remarks:
THE MINISTRY OF PLANNING THE HASHEMITE KINGDOM OF JORDAN	

③ Notify party
1) SAME AS ABOVE
2) EMBASSY OF THE REPUBLIC OF KOREA
   P.O. BOX 3060 AMMAN JORDAN
   TEL. 660745, 660746

④ Port of loading	⑤ Final destination
PUSAN KOREA	AQABA

⑥ Carrier	⑦ Sailing on or about
M/V KATORI V-02W	MAR. 25, 1992

⑩ Marks and numbers of Package	⑪ Description of goods	⑫ Quantity	⑬ Net-weight	⑭ Gross-weight	⑮ Measurement

KOTI
AQABA
W/B NO. 1-2
UNIT NO. 1-15
MADE IN KOREA
	. K2400 D/C TRUCK WITH
	  AM/FM STEREO CASSETTE
	  HEATER & STANDARD EQUIPMENT
	
	. RECOMMENDED S/PARTS FOR
	  K2400 D/C TRUCK
		15 UNITS
		
		15 SETS			

	TOTAL :	15UNITS & 15SETS		25,950KGS	222CBM

///   ///   ///

KOREA TRADING INTERNATIONAL INC.

IL-NAM KOH
VICE PRESIDENT

⑰ Signed by _____

⑯ Phone : 551-3114
   Fax : 551-3100
   Telex : KOTII K27434
   Cable : KOTII SEOUL

0035

(210×297mm)

Shipper			
KOREA TRADING INTERNATIONAL INC. SEOUL, KOREA		**FBL** No. 2ITS-03009 K **ICC**	

NEGOTIABLE FIATA
COMBINED TRANSPORT
BILL OF LADING
issued subject to ICC Uniform Rules for a
Combined Transport Document (ICC publication 298).

Consigned to order of	
THE MINISTRY OF PLANNING THE HASHEMITE KINGDOM OF JORDAN	**INTERNATIONAL TRANSPORTATION CO., LTD.** SEOUL, KOREA

Notify address	C. P. O. Box 4976 SEOUL
1) SAME AS ABOVE 2) EMBASSY OF THE REPUBLIC OF KOREA P.O.BOX 3060 AMMAN JORDAN TEL. 660745,660746	TEL: 568-9186~7 , 568-4970~1 FAX: (02): 553-8719

Place of Receipt	Ocean vessel	Voy. No.	Flag
PUSAN, KOREA	M/V KATORI	02W	

Place of Delivery	Port of loading	Port of discharge	Final destination (For merchant's reference only)
AQABA, JORDAN	PUSAN, KOREA	AQABA, JORDAN	

Marks and numbers	Number and kind of packages	Description of goods	Gross weight	Measurement
KOTI	15 UNITS & 2 W/B		25,950 KGS	222 CBM

AQABA
W/B NO.1-2
UNIT NO.1-15
MADE IN KOREA

SAID TO BE:

. K2400 D/C TRUCK WITH   : 15 UNITS
. AM/FM STEREO CASSETTE
 HEATER & STANDARD EQUIPMENT

. RECOMMENDED S/PARTS FOR   : 15 SETS
 K2400 D/C TRUCK

L/C NO: KOOBS-20028

" FREIGHT PREPAID "

ON BOARD : 1992.03.25.

SAY : FIFTEEN (15) UNITS AND TOW(2) WOODEN BOXES ONLY.

according to the declaration of the merchant

The goods and instructions are accepted and dealt with subject to the Standard Conditions printed overleaf.

Taken in charge in apparent good order and condition, unless otherwise noted herein, at the place of receipt for transport and delivery as mentioned above. One of these Combined Transport Bills of Lading must be surrendered duly endorsed in exchange for the goods. In Witness whereof the original Combined Transport Bills of Lading all of this tenor and date have been signed in the number stated below, one of which being accomplished the other(s) to be void.

Freight amount "FREIGHT PREPAID AS ARRANGED"	Freight payable at SEOUL, KOREA	Place and date of issue SEOUL, KOREA 1992.03.25.
Cargo Insurance through the undersigned ☐ not covered ☐ Covered according to attached Policy	Number of Original FBL's THREE (3)	Stamp and Authorized signature 0036
For delivery of goods please apply to: AL-JAZY SHIPPING 6 FORWARDING, JABAL AL HOUSSAIN P.O.BOX 921409, AMMAN PHONE: 662111 ATTN : BASSAM AL-JAZY		INTERNATIONAL TRANSPORTATION CO., LTD.

ANKUK FIRE & MARINE INSURANCE CO., LTD.

ANKUK ||_____NCE BUILDING,
87, 1-K_, _____HI-RO, CHUNG-KU,
SEOUL, KOREA

C.P.O.
Cable _____ ANKUK
TELEX : AFMICO K23160

Policy No.

MARINE CARGO INSURANCE POLICY

Assured(s), etc.

KOREA TRADING INTERNATIONAL INC.

Claim, if any, payable at :

SPINNEY'S (1948) LTD., BISHARAT
BUILDING, KING HUSSEIN STREET.

AMMAN, JORDAN.

Claims are payable in the U.S.DOLLARS.

Survey should be approved by :

SPINNEY'S (1948) LTD., BISHARAT
BUILDING, KING HUSSEIN STREET.

AMMAN, JORDAN.

Local Vessel or Conveyance

Ship or Vessel called the

M/V KATORI 02W

Sailing or on about 1992.05.25

at and from PUSAN PORT

transhipped at

arrived at AQABA

thence to

Goods and Merchandises

15 UNITS OF K2400 D/C TRUCK
15 SETS OF RECOMMENDED
S-PARTS FOR K2400
D/C TRUCK

Ref. No. INV NO: 02-92-20020
CONT NO: K0083-20023

Amount insured

U.S.DOLLARS.
CARGO: US$ *********162,020.10
US$ 147291.000 X 110.000

Conditions

ALL RISKS
INLAND TRANSIT EXTENSION
TRANSHIPMENT.
WAR & STRIKES,RIOTS AND CIVIL
TIONS.

Institute Radioactive Contamination Exclusion Clause
Subject to the following Clauses as per back hereof.
Institute Cargo Clauses
Institute War Clauses
Institute Strikes Riots & Civil Commotions Clauses
Special Replacement Clause
On-Deck Clause

Marks and Numbers as per Invoice No. specified above.

Place and Date Signed in. SEOUL, KOREA ON 23RD MAR. 1992

No. of Policies issued. TWO

Be it known that

1. *Warranted free of capture, seizure, arrest restraint or detainment, and the consequences thereof or of any attempt thereat; also from the consequences of hostilities or warlike operations, whether there be a declaration of war or not; but this warranty shall not exclude collision, contact with any fixed or floating object (other then a mine or torpedo), stranding, heavy weather or fire unless caused directly (and independently of the nature of the voyage or service which the vessel concerned or, in the case of a collision, any other vessel involved therein, is performing) by a hostile act by or against a belligerent power; and for the purpose of this warranty "power" includes any authority maintaining naval, military or air forces in association with a power.*

Further warranted free from the consequences of civil war, revolution, rebellion, insurrection, or civil strife arising therefrom, or from, or piracy.

2. *Warranted free of loss or damage*
(a) Caused by strikers, locked-out workmen, or persons taking part in labour disturbances, riots or civil commotions;
(b) resulting from strikes, lock-outs, labour disturbances, riots or civil commotions.

3. *(a) Should the risks excluded by Clause 1 (F.C. & F. Clause) be reinstated in this Policy by deletion of the said Clause, or should the risks or any of them mentioned in that clause or the risks of mines, torpedoes, bombs or other engines of war be insured under this Policy, Clause (b) below shall become operative and anything contained in this contract which is inconsistent with Clause (b) or which affords more extensive protection against the aforesaid risks than that afforded by the Institute War Clauses relevant to the particular form of transit covered by this insurance is null and void.*
(b) This policy is warranted free of any claim based upon loss of, or frustration of, the insured voyage or adventure caused by arrests restraints or detainments of Kings Princes Peoples Usurpers or persons attempting to usurp power.

☞ In the event of loss or damage arising under this Policy, no claims will be admitted unless a survey has been held with the approval of this Company's Office or Agents specified in this Policy.

In case of loss or damage, please follow the "IMPORTANT" clause printed on the back hereof.

The descriptions to be inserted in the following clauses are shown as above.

as well in his or their own Name, as for and in the Name and Names of all and every other Person or Persons to whom the same doth, may, or shall appertain, in part or in all, doth make Assurance, and cause himself or themselves and them and every of them, to be Assured, lost or not lost, at and from   upon any kind of Goods and Merchandises, in the good Ship or Vessel called the   whereof is Master, for this present Voyage,   or whosoever else shall go for Master in the said Ship, or by whatsoever other Name or Names the said Ship, or the Master thereof, is or shall be named or called, beginning the Adventure upon the said Goods and Merchandises from the loading thereof aboard the said Ship as above, and shall so continue and endure during her abode there, upon the said Ship, &c.; and further, until the said Ship, with all her Goods and Merchandises whatsoever, shall be arrived at   and upon the Goods and Merchandises until the same be there discharged and safely landed; and it shall be lawful for the said Ship, &c., in this Voyage to proceed and said to and touch and stay at any Ports or Places whatsoever without Prejudice to this Assurance. The said Goods and Merchandises, &s., for so much as concerns the Assured by Agreement between the Assured and Assurers in this Policy are and shall be valued at

TOUCHING the Adventures and Perils which the said Company are contented to bear and do take upon themselves in this Voyage, they are, of the Seas Men-of-War, Fire, Enemies, Pirates, Rovers, Thieves, Jettisons, Letters of Mart and Countermart, Surprisals, Takings at Sea, Arrests, Restraints and Detainments of all Kings, Princes and People, of what Nation, Condition, or Quality soever, Barratry of the Master and Mariners, and of all other Perils, Losses and Misfortunes that have or shall come to the Hurt, Detriment or Damage of the said Goods and Merchandises, or any Part thereof; and in case of any Loss or Misfortune, it shall be lawful to the Assured, his or their Factors, Servants and Assigns, to sue, labour and travel for, in and about the Defence, Safeguard and Recovery of the said Goods and Merchandises, or any part thereof, without Prejudice to this Assurance; to the Charges whereof the said Company will contribute. And it is especially declared and agreed that no acts of the Assurer or Assured in recovering, saving, or preserving the property assured, shall be considered as a waiver or acceptance of abandonment. And it is agreed that this writing or Policy of Assurance shall be of as much Force and Effect as the surest Writing or Policy of Assurance made in London. And so the said Company are contented, and do hereby promise and bind themselves to the Assured, his or their Executors, Administrator, or Assigns, for the true Performance of the Premises; confessing themselves paid the Consideration due unto them for this Assurance, at and after the rate of   as arranged   Per cent.

N.B. -Corn, Fish, Salt, Fruit, Flour and Seed are warranted free from Average, unless general, or the Ship be stranded; Sugar, Tobacco, Hemp, Flax, Hides and Skins are warranted free from Average, under Five Pounds per cent.; and all other Goods, also the Ship and Freight, are warranted free from Average, under Three Pounds per cent., unless general, or the Ship be stranded, sunk or burnt.

All questions of liability arising under this policy are to be governed by the laws and customs of England.

IN WITNESS whereof, I the Undersigned of ANKUK FIRE & MARINE INSURANCE CO., LTD. on behalf of the said Company have subscribed my name in   to   Policies of the same tenor and date, one of Which being accomplished, the others to be void, as of the date specified as above

For ANKUK FIRE & MARINE INSURANCE CO., LTD.

0037

-7-0   0X

강화등의 효과를 기대.

- 아   레 -

ㅇ 92년도 지출예정액 (사고이월요청)

적 요	결제일자	$ 지출예정액	₩ 지출예정액	예상환율
방글라데시 태풍 피해지원 (예)	91.12.12	999,326	809,454,060	810
이집트 물자지원	91.10. 5	4,999,944. 66	4,049,955,175	810
이집트 물자지원	91.10. 5	2,999,999. 98	2,429,999,984	810
세네갈 물자지원 (예)	91.12.20	200,000	162,000,000	810
예멘 물자지원 (예)	91.12.20	300,000	243,000,000	810
요르단 물자지원	91. 5.20	699,500	566,595,000	810
요르단 물자지원	91.12.21	212,167	171,855,270	810
수단 물자지원 (예)	91.12.23	150,000	121,500,000	810
이집트 물자지원	91.10.14	296,988. 60	240,560,766	810
요르단 물자지원	91.12.28	464,000	375,840,000	810
요르단 물자지원 (예)	91.12.30	200,000	162,000,000	810
앙골라 물자지원 (예)	91.12.30	350,000	283,500,000	810
행정비 지원 (행)		33,453 11	27,097,020	810
합 계		11,905,379. 35	9,643,357,275	

PY246

외 무 부

110-760 서울 종로구 세종로 77번지 / (02)720-3869 / (02)720-3870

문서번호 중동이 20005- 763

시행일자 1992. 3.28. (   )

취급		장 관
보존		나다
국 장	전 결	
심의관		
과 장	Ve	
담당	김 정 수	협조

수신   주 요르단 대사

참조

제목   선적서류 송부

─────────────────────────────────

연 : WJO - 0003

대 요르단 추가지원품 픽업 15개 및 동부품 선적에 따른 선적 서류를 별첨
송부하오니 주재국 기획성에 적의 전달 수령에 착오 없으시기 바랍니다.

첨   부 : 동 선적서류 2부.

0039

관리
번호 PY10

외 무 부

종 별 :

번 호 : JOW-0263

일 시 : 92 0402 1730

수 신 : 장관(중동이)

발 신 : 주 요르단대사

제 목 : 무상원조

대:WJO-0112

연:JOW-0236

1. 당관은 JPMC 의 AL QAISI 구매부장대리와 BAG 당 0.495 미불에 잠정 합의함.

2.JPMC 측은 최종 입장 결정후 당관 또는 고려무역(백산)측에 직접 통보 하겠다함.

끝.

(대사 이한춘-국장)

예고:92.12.31. 까지

중아국

PAGE 1

92.04.03   03:05

외신 2과 통제관 FK

0040

외   무   부

110-760 서울 종로구 세종로 77번지   / (02)720-3869   / (02)720-3870

문서번호 중동이 20005-*P4*

시행일자 1992. 4.20. (   )

취급		장 관	
보존		*μ*	
국 장			
심의관			
과 장	전 결		
담 당	변 상 웅		협조

수신   총무과장

참조   외환계장

제목   걸프사태 주변국 지원 경비지불 의뢰

        걸프사태 관련 대 요르단 지원물자인 물탱크 로리, 트럭 및 동부품 선적에 따른
경비를 아래와 같이 지불하여 주시기 바랍니다.

                    - 아   래 -

    1. 지불액 : $212,167

    2. 지불처 : (주) 고려무역

        ○   지불은행 : 제주은행 서울지점

        ○   구좌번호 : 963-THR-109-01-0

    3. 산출근거 : 대 요르단 지원물자 선적에 따른 경비지불

    4. 예산항목 : 정무활동, 해외경상이전(걸프사태 주변국 지원, 예비비)

첨   부 : 1. 재가공문 사본 1부.

        2. 계약서 사본 1부.

        3. (주) 고려무역 청구서 1부.   끝.

            중   동   2   과   장

                                        0041

株式會社 高麗貿易

電 話 : (02)737·0860
F A X : (02)739·7011
TELEX : KOTII K34311

서울特別市 江南區 三成洞 159番地
貿易會館 빌딩 11層
TRADE CENTER P.O. BOX 23, 24

수 신 : 외무부 중동 2과장

제 목 : 걸프만 사태 관련 지원 물대 송금신청

　　　폐사는 귀부와의 계약에 의거하여 아래와 같이 걸프만 관련 지원물품을 기선적 하였아오니 송금 조치 하여 주시기 바랍니다.

아　　래

1. 선적물품 내역

품　목	수량	금　액	선적일	도 착 예정일	선　명	선적항	도착항
12000L WATER TANK LORRY	2UNITS	U$148,246.	4/01 '92	4/30 '92	KATORI V.02W	INCHON	AQABA
S/PARTS	2SETS	U$14,824.-	"	"	"	"	"
K2400 D/C TRUCK	2UNITS	U$17,771.20	"	"	"	"	"
S/PARTS	5SETS	U$4,669.	"	"	"	"	"
K2400 D/C TRUCK	3UNITS	U$26,656.80	4/06 '92	5/20 '92	SUIJIN V.37	INCHON	AQABA
TOTAL		U$212,167.-					

2. 비　고

　　걸프만 사태 관련 JORDAN 지원 계약분 ('91. 12. 6.) 선적분임.

　　동 선적으로 본건 계약분은 선적 완료 되었음.

3. 송 금 처 : 제주은행 서울지점

　　구좌번호 : 963·THR 109-01-0

　　예금주 : (주)고려무역. 끝.

　　　　　　　　　　　　　1992. 4. 17.

　　　　　鍾路貿易本部 海外事業팀長

0042

株 式 會 社　高 麗 貿 易

電　話　: (02)737·0860
F A X　: (02)739·7011
TELEX　: KOTII K34311

서울特別市 江南區 三成洞 159番地
貿易會館 빌딩 11層
TRADE CENTER P.O. BOX 23, 24

수　신　: 외무부 중동 2과장

제　목　: 걸프만 사태 관련 지원 물대 송금신청

　　　　폐사는 귀부와의 계약에 의거하여 아래와 같이 걸프만 관련 지원물품을 기
선적 하였아오니 송금 조치 하여 주시기 바랍니다.

아　　　　　　래

1. 선적물품 내역

품　　　목	수　량	금　　　액	선적일	도착 예정일	선　　명	선적항	도착항
K2400 D/C TRUCK	3UNITS	U$26,656.80	4/06 '92	5/20 '92	SUIJIN V.37	INCHON	AQABA

2. 비　　고

　　걸프만 사태 관련 JORDAN 지원 계약분 ('91. 12. 6.)중 잔량 선적분임.

　　동 선적으로 본건 계약분은 선적 완료 되었음.

3. 송 급 처　:　제주은행 서울지점

　　구좌번호　:　963·THR 109-01-0

　　예 급 주　:　(주)고 려 무 역.　끝.

　　　　　　　　　　1992.　　4.　17.

　　　　　鍾 路 貿 易 本 部　海 外 事 業 팀 長

0043

株式會社　高麗貿易

電話　：　(02)737-0860
FAX　：　(02)739-7011
TELEX　：　KOTII K34311

서울特別市 江南區 三成洞 159番地
貿易會館 빌딩 11層
TRADE CENTER P.O. BOX 23, 24

수　신 ： 외무부 중동 2과장

제　목 ： 걸프만 사태 관련 지원 물대 송금신청

　　　　폐사는 귀부와의 계약에 의거하여 아래와 같이 걸프만 관련 지원물품을 기선적 하였아오니 송금 조치 하여 주시기 바랍니다.

- 아　　래 -

1. 선적물품 내역

품 목	수 량	금 액	선적일	도착 예정일	선 명	선적항	도착항
12000L WATER TANK LORRY	2UNITS	U$148,246	4/01 '92	4/30 '92	KATORI V.02W	INCHON	AQABA
- S/PARTS	2 SETS	U$14,824	〃	〃	〃	〃	〃
K2400 D/C TRUCK	2UNITS	U$17,771.20	〃	〃	〃	〃	〃
- S/PARTS	5 SETS	U$4,669	〃	〃	〃	〃	〃
T O T A L		U$185,510.20					

2. 비　고

　　　걸프만 사태 관련 JORDAN 지원 계약분 ('91. 12. 6.)중 일부 선적건임.

3. 송 금 처 ： 제주은행 서울지점

　　구좌번호 ： 963-THR 109-01-0

　　예 금 주 ： (주)고려무역.　끝.

1992.　4.　1.

鍾路貿易本部　海外事業팀長

0044

외   무   부

110-760 서울 종로구 세종로 77번지   / (02)720-3869   / (02)720-3870

문서번호   중동이 20005-984
시행일자   1992. 4.20. (   )

취급		장 관	
보존			
국 장	전 결		
심의관			
과 장			
담당	변 상 응		협조

수신   주 요르단 대사

참조

제목   선적서류 송부

귀주재국 지원용 물탱크로리, 트럭 및 동부품 선적에 따른 선적서류를 별첩

송부하오니 주재국 기획성에 적의 전달, 수령에 착오 없으시기 바랍니다.

첩   부 : 동 선적서류 2부.

0045

KOREA TRADING INTERNATIONAL INC.

PHONE: (02) 551-3114
FAX : (02) 551-3100
TELEX: KOTII K27434
CABLE: KOTII SEOUL

11TH FLOOR, TRADE TOWER,
159, SAMSUNG-DONG, KANGNAM-KU,
SEOUL, KOREA
C. P. O. BOX 3667, 4020

DATE: APR. 17, 1992
YOUR REF:
OUR REF: D2-91-20017/A

Messrs.   KOREAN EMBASSY IN JORDAN   중동2과 보관용

Gentlemen,

Shipping Notice of K2400 D/C TRUCK

we are pleased to inform you that the captioned goods have been shipped
per SUIJIN V.37

on APR. 6, 1992   (E.T.A. : MAY 20, 1992)

and we have negotiated our draft(s) amounting U$26,656.80

of the Invoice value through

in accordance with the Letter of Credit No.   KOOBS-20024

For your information, we are enclosing the copies of shipping documents
as follows.

(X) Bill of Lading   : 1 ORIGINAL & 1 COPY
(X) Invoice   : 1 ORIGINAL & 1 COPY
(X) Packing List   : 1 ORIGINAL & 1 COPY
(   ) Certificate of Origin   :
(X) Marine Insurance policy : 1 ORIGINAL & 1 COPY
(   )   :
(   )   :

We trust that the goods will arrive at destination in good and sound
condition.

Very truly yours,

KOREA TRADING INTERNATIONAL INC.

J. Y. CHANG/MANAGER

0046

COMMERCIAL INVOICE

① Shipper/Exporter	⑧ No. & date of invoice
KOREA TRADING INTERNATIONAL INC. 11TH FLOOR, TRADE TOWER, 159, SAMSUNG-DONG, KANGNAM-KU, SEOUL, KOREA TRADE CENTER P.O. BOX 23, 24	D2-91-20017/A APR. 4, 1992
	⑨ No. & date of L/C
	K00BS-20024 NOV. 23, 1991
	⑩ L/C issuing bank

② For account & risk of Messrs.	⑪ Remarks:
THE MINISTRY OF PLANNING THE HASHEMITE KINGDOM OF JORDAN	

③ Notify party
1. SAME AS ABOVE 2. EMBASSY OF THE REPUBLIC OF KOREA P.O. BOX 3060 AMMAN JORDAN TEL. 660745, 660746

④ Port of loading	⑤ Final destination
INCHON KOREA	AQABA JORDAN

⑥ Carrier	⑦ Sailing on or about
SUIJIN V.37	APR. 6, 1992

⑫ Marks and numbers of Package	⑬ Description of goods	⑭ Quantity/unit	⑮ Unit-Price	⑯ Amount
KOTI AQABA UNIT NO. MADE IN KOREA	K2400 D/C TRUCK	3 UNITS	C.I.F. AQABA @$8,885.60	U$26,656.60
///	///			///

⑱ Signed by

⑰ Phone : 551-3114
Fax : 551-3100
Telex : KOTII K27434
Cable : KOTII SEOUL

0047

(210 × 297 mm)

PACKING LIST

① Shipper/Exporter		⑧ No. & date of invoice
KOREA TRADING INTERNATIONAL INC. 11TH FLOOR, TRADE TOWER. 159, SAMSUNG-DONG, KANGNAM-KU, SEOUL, KOREA TRADE CENTER P. O. BOX 23, 24		D2-91-20017/A APR. 4, 1992 ⑨ Remarks:

② For account & risk of Messrs.

THE MINISTRY OF PLANNING

THE HASHEMITE KINGDOM OF JORDAN

③ Notify party

1. SAME AS ABOVE
2. EMBASSY OF THE REPUBLIC OF KOREA
   P.O. BOX 3060 AMMAN JORDAN

④ Port of loading	⑤ Final destination
INCHON KOREA	AQABA JORDAN
⑥ Carrier	⑦ Sailing on or about
SUIJIN V.37	APR. 6, 1992

⑩ Marks and numbers of Package	⑪ Description of goods	⑫ Quantity	⑬ Net-weight	⑭ Gross-weight	⑮ Measurement
◇ KOTI AQABA UNIT NO. MADE IN KOREA	UNIT NO. 1-3. K2400 D/C TRUCK	3UNITS			
	////	///		///	

KOREA TRADING INTERNATIONAL INC.

IL-NAM KOH
VICE PRESIDENT

⑰ Signed by _____

⑯ Phone : 551-3114
   Fax   : 551-3100
   Telex : KOTII K27434
   Cable : KOTII SEOUL

0048

(210×297mm)

Shipper :
KOREA TRADING INTERNATIONAL INC. SEOUL, KOREA

B/L No. UFL/AQB-A019

⊔⊔ UNIVERSE FREIGHT LINE

Consignee :
THE MINISTRY OF PLANNING THE HASHEMITE KINGDOM OF JORDAN

3RD FLOOR, MIDOPA BLDG
145, DANG JU-DONG, CHONG RO KU,
SEOUL, KOREA
TELEX: K27827 UNILINE
TEL 02 738 8375 REF

COMBINED THROUGH

BILL OF LADING

Notify Party :
1. SAME AS ABOVE 2. EMBASSY OF THE REPUBLIC OF KOREA P.O.BOX   3060 AMMAN JORDAN

RECEIVED by the Carrier from the Shipper in apparent good order and condition unless otherwise indicated herein, the Goods, or the container(s) or package(s) said to contain the cargo herein mentioned to be carried subject to all the terms and conditions provided for on the face and back of this Bill of Lading by the vessel named herein or any substitute at the Carrier's option and/or other means of transport, from the place of receipt or the port of loading to the port of discharge or the place of delivery shown herein and there to be delivered unto order or assigns.

If required by the Carrier, this Bill of Lading duly endorsed must be surrendered in exchange for the Goods or delivery order.

In accepting this Bill of Lading, the Merchant agrees to be bound by all the stipulations, exceptions, terms and conditions on the face and back hereof, whether written, typed, stamped or printed, as fully as if signed by the Merchant, and local custom or privilege to the contrary notwithstanding, and agrees that all agreements or freight engagements for and in connection with the carriage of the Goods are superseded by this Bill of Lading.

In witness whereof, the number of original bills of lading stated herein, all of this tenor and date, has been signed, one of which being accomplished, the others to stand void.

Pre-carriage by	Place of Receipt INCHON, KOREA
Ocean Vessel SUIJIN V.37	Port of Loading INCHON, KOREA
Port of Discharge AQABA, JORDAN	Place of Delivery

Final destination (For the Merchant's Reference)

PARTICULARS FURNISHED BY SHIPPER

MARKS AND NUMBERS/ CONTAINER NUMBERS	NO. OF PKGS	DESCRIPTION OF PACKAGES AND GOODS	GROSS WEIGHT	MEASUREMENT
◇ KOTI ◇ AQABA UNIT NO.: MADE IN KOREA	3UNITS	SAID TO CONTAIN : 3UNITS OF K2400 D/C TRUCK 3UNITS L/C NO : KOOBS-20024 " FREIGHT PREPAID " SAY : THREE (3) UNITS ONLY.-	4,500KGS	43.917CBM ON BOARD DATE 1992. 4. 06 ------------

FREIGHT RATES CHARGES, WEIGHT AND/OR MEASUREMENTS (SUBJECT TO CORRECTION)	PREPAID	COLLECT	Freight payable at SEOUL, KOREA	Number of Original B(s)/L THREE/3
" O/FREIGHT PREPAID AS ARRANGED "			Place and Date of Issue SEOUL, KOREA 1992. 4. 06	

FOR DELIVERY OF GOODS PLEASE APPLY TO:
NATIONAL SHIPPING SERVICES CO., LTD.
AQABA, JORDAN
TEL : 312-997
FAX : 313-331

UNIVERSE FREIGHT CO., LTD.

TOTAL PREPAID
TOTAL COLLECT

AS AGENT OF NATIONAL SHIPPING SERVICES
CO., LTD.

(TERMS CONTINUED ON BACK HEREOF)   0049

ANKUK FIRE & MARINE INSURANCE CO., LTD.

ANKUK INSURANCE BUILDING,
87, 1-KIL LESHI-RO, CHUNG-KU,
SEOUL, KOREA

C.P.O. ●●●89
Cable Address: ANKUK
TELEX : AFMICO K23160

Policy No.

MARINE CARGO INSURANCE POLICY

Assured(s), etc.

KOREA TRADING INTERNATIONAL INC.

Claim, if any, payable at : SPINNEYS (1948) LTD, BISHARAT BUILDING, KING HUSSEIN STREET, AMMAN, JORDAN.	Ref. No. INV NO: 92-01-30017 A CONT NO: KOOPS-2002
Claims are payable in the U.S.DOLLARS.	Amount insured
Survey should be approved by : SPINNEYS (1948) LTD, BISHARAT BUILDING, KING HUSSEIN STREET, AMMAN, JORDAN.	U.S.DOLLARS. CMND: US$ ●●●●●●●●●●●●● ●●●: US$ ●●●●●●●
Local Vessel or Conveyance	Conditions ALL RISKS TRANSHIPMENT INLAND TRANSIT EXTENSION WAR & STRIKES,RIOTS AND CIVIL COMMOTIONS.
Ship or Vessel called the SEIJIN V.57	
Sailing or on about 1992.04.06	
at and from INCHON PORT	
transhipped at	
arrived at AQABA	
thence to	
Goods and Merchandises 5 UNITS OF K2400 ON DECK	

COPY

Institute Radioactive Contamination Exclusion Clause
Subject to the following Clauses as per back hereof.
Institute Cargo Clauses
Institute War Clauses
Institute Strikes Riots & Civil Commotions Clauses
Special Replacement Clause
On-Deck Clause

Marks and Numbers as per Invoice No. specified above.

Place and Date Signed in. SEOUL, KOREA ON 16TH APR 1992	No. of Policies issued. 150

Be it known that

0050

KOREA TRADING INTERNATIONAL INC.

PHONE:(02) 551-3114	11TH FLOOR, TRADE TOWER,	DATE: APR. 1, 1992
FAX :(02) 551-3100	159, SAMSUNG-DONG, KANGNAM-KU,	YOUR REF:
TELEX:KOTII K27434	SEOUL, KOREA	
CABLE:KOTII SEOUL	C. P. O. BOX 3667, 4020	OUR REF: D2-91-20017

Messrs. KOREAN EMBASSY IN JORDAN   중동그라~ 보관름

Gentlemen,

<u>Shipping Notice of WATER TANK LORRY, ETC</u>

      we are pleased to inform you that the captioned goods have been shipped
per <u>KATORI V.02W (E.T.A. APR. 30, 1992)</u>

on <u>APR. 1, 1992</u>

and we have negotiated our draft(s) amounting <u>U$185,510.20</u>

of the Invoice value through _____._____

in accordance with the Letter of Credit No. <u>KOOBS-20024</u>

      For your information, we are enclosing the copies of shipping documents
as follows.

(x) Bill of Lading   :   1 ORIGINAL & 1 COPY

(x) Invoice   :   1 ORIGINAL & 1 COPY

(x) Packing List   :   1 ORIGINAL & 1 COPY

(   ) Certificate of Origin   :

(x) Marine Insurance policy :   1 ORIGINAL & 1 COPY

(   )   :

(   )   :

      We trust that the goods will arrive at destination in good and sound
condition.

Very truly yours,

KOREA TRADING INTERNATIONAL INC.

J. Y. CHANG/MANAGER

0051

COMMERCIAL INVOICE

① Shipper/Exporter	⑧ No. & date of invoice	
KOREA TRADING INTERNATIONAL INC. 11TH FLOOR, TRADE TOWER. 159, SAMSUNG-DONG, KANGNAM-KU. SEOUL, KOREA TRADE CENTER P. O. BOX 23, 24 KOTI	D2-91-20017　MAR.30, 1992	
	⑨ No. & date of L/C	
	K00BS-20024　NOV. 23, 1991	
	⑩ L/C issuing bank	

② For account & risk of Messrs.

THE MINISTRY OF PLANNING

THE HASHEMITE KINGDOM OF JORDAN

⑪ Remarks:

③ Notify party
1. SAME AS ABOVE
2. EMBASSY OF THE REPUBLIC OF KOREA
   P.O. BOX 3060 AMMAN JORDAN
   TEL. 660745, 660746

④ Port of loading	⑤ Final destination
INCHON, KOREA	AQABA, JORDAN
⑥ Carrier	⑦ Sailing on or about
KATORI V.02W	APR. 1, 1992

⑫ Marks and numbers of Package	⑬ Description of goods	⑭ Quantity/unit	⑮ Unit-Price	⑯ Amount
⟨KOTI⟩ AQABA UNIT NO. MADE IN KOREA			C.I.F. AQABA JORDAN	
	- 12,000L WATER TANK LORRY (MODEL : WLW720LG)	2UNITS	@$74,123.-	U$148,246.-
	RECOMMENDED SPARE PARTS (10%)	2SETS	@$7,412.-	U$14,824.-
	- K2400 D/C TRUCK	2UNITS	@$8,885.60	U$17,771.20
	RECOMMENDED SPARE PARTS (10%)	5SETS	@$933.80	U$4,669.-
	--			
	TOTAL :	4UNITS & 7SETS		U$185,510.20

///   ///   ///

KOREA TRADING INTERNATIONAL INC.

IL-NAM KOH
VICE PRESIDENT

⑱ Signed by _____

⑰ Phone : 551-3114
　Fax　: 551-3100
　Telex : KOTII K27434
　Cable : KOTII SEOUL

0052

(210×297mm)

PACKING LIST

① Shipper/Exporter	⑧ No. & date of invoice
KOREA TRADING INTERNATIONAL INC. 11TH FLOOR, TRADE TOWER, 159, SAMSUNG-DONG, KANGNAM-KU, SEOUL, KOREA TRADE CENTER P. O. BOX 23, 24	D2-91-20017 MAR. 30, 1992

⑨ Remarks:

② For account & risk of Messrs.

THE MINISTRY OF PLANNING

THE HASHEMITE KINGDOM OF JORDAN

③ Notify party
1. SAME AS ABOVE
2. EMBASSY OF THE REPUBLIC OF KOREA
   P.O. BOX 3060 AMMAN JORDAN
   TEL. 660745, 660746

④ Port of loading	⑤ Final destination
INCHON, KOREA	AQABA, JORDAN

⑥ Carrier	⑦ Sailing on or about
KATORI V.02W	APR. 1, 1992

⑩ Marks and numbers of Package	⑪ Description of goods	⑫ Quantity	⑬ Net-weight	⑭ Gross-weight	⑮ Measurement

◇ KOTI ◇
AQABA
UNIT NO.
MADE IN KOREA
	- 12,000L WATER TANK LORRY
	  (MODEL : WLW120LO)
	  RECOMMENDED SPARE PARTS (10%)
	- K2400 D/C TRUCK
	  RECOMMENDED SPARE PARTS (10%)
	
	  TOTAL :
		2UNITS
		
		2 SETS
		2UNITS
		5 SETS
		
		4UNITS & 7SETS			

/// //// ///

KOREA TRADING INTERNATIONAL INC.

IL-KAM KOH
VICE PRESIDENT

⑰ Signed by _____

⑯ Phone : 551-3114
   Fax   : 551-3100
   Telex : KOTII K27434
   Cable : KOTII SEOUL

0053

(210×297mm)

Shipper : KOREA TRADING INTERNATIONAL INC. SEOUL, KOREA	B/L No. UFL/AQB-A015

UNIVERSE FREIGHT LINE

Consignee : THE MINISTRY OF PLANNING THE HASHEMITE KINGDOM OF JORDAN	3RD FLOOR, MIDOPA BLDG 145, DANG JU-DONG, CHONG RO KU, SEOUL, KOREA TELEX. K27827 UNILINE TEL 02-738-8375 REP	COMBINED THROUGH **BILL OF LADING**

RECEIVED by the Carrier from the Shipper in apparent good order and condition unless otherwise indicated herein, the Goods, or the container(s) or package(s) said to contain the cargo herein mentioned to be carried subject to all the terms and conditions provided for on the face and back of this Bill of Lading by the vessel named herein or any substitute at the Carrier's option and/or other means of transport, from the place of receipt or the port of loading to the port of discharge or the place of delivery shown herein and there to be delivered unto order or assigns.

If required by the Carrier, this Bill of Lading duly endorsed must be surrendered in exchange for the Goods or delivery order.

In accepting this Bill of Lading, the Merchant agrees to be bound by all the stipulations, exceptions, terms and conditions on the face and back hereof, whether written, typed, stamped or printed, as fully as if signed by the Merchant, and local custom or privilege to the contrary notwithstanding, and agrees that all agreements or freight engagements for and in connection with the carriage of the Goods are superseded by this Bill of Lading.

In witness whereof, the number of original bills of lading stated herein, all of this tenor and date, has been signed, one of which being accomplished, the others to stand void.

Notify Party : 1.SAME AS ABOVE 2.EMBASSY OF THE REPUBLIC OF KOREA P.O.BOX 3060 AMMAN JORDAN	

Pre-carriage by	Place of Receipt INCHON, KOREA	
Ocean Vessel KATORI V.02W	Port of Loading INCHON, KOREA	
Port of Discharge AQABA, JORDAN	Place of Delivery	Final destination (For the Merchant's Reference)

PARTICULARS FURNISHED BY SHIPPER

MARKS AND NUMBERS/ CONTAINER NUMBERS	NO. OF PKGS	DESCRIPTION OF PACKAGES AND GOODS	GROSS WEIGHT	MEASUREMENT

◇KOTI◇
 	
AQABA
UNIT NO.:
MADE IN KOREA
	4UNITS &
	2W/BOXES
		SAID TO CONTAIN :
		4UNITS & 2W/BOXES OF
		
		-12,000L WATER TANK LORRY 2UNITS
		  (MODEL : WLW120LO)
		
		  RECOMMENDED SPARE PARTS(10%) 2SETS
		
		-K2400 D/C TRUCK 2UNITS
		  RECOMMENDED SPARE PARTS(10%) 5SETS
		
		L/C NO : KOOBS-20024
		
		" FREIGHT PREPAID "
		
		SAY : FOUR(4) UNITS AND TWO(2) WOODEN BOXES ONLY.-
			23,930KGS	187,778CBM
				
				ON BOARD DATE
				1992. 4. 0 1

FREIGHT RATES CHARGES, WEIGHT AND/OR MEASUREMENTS (SUBJECT TO CORRECTION)	PREPAID	COLLECT	Freight payable at SEOUL, KOREA	Number of Original B(s)/L THREE/3
			Place and Date of Issue SEOUL, KOREA 1992. 4. 0 1	
" O/FREIGHT PREPAID AS ARRANGED "			FOR DELIVERY OF GOODS PLEASE APPLY TO : NATIONAL SHIPPING SERVICES CO., LTD. AQABA, JORDAN TEL : 312-997 FAX : 313-331 UNIVERSE FREIGHT CO.,LTD.	
TOTAL PREPAID				
TOTAL COLLECT			AS AGENT OF NATIONAL SHIPPING SERVICES CO., LTD.	

(TERMS CONTINUED ON BACK HEREOF)

0054

ANKUK FIRE & MARINE INSURANCE CO., LTD.

ANKUK ████████ANCE BUILDING,
87,1-KA, EULCHI-RO, CHUNG-KU,
SEOUL, KOREA

C.P.O. ████████9
Cable Address: ANKUK
TELEX : AFMICO K23160

Policy No.

MARINE CARGO INSURANCE POLICY

Assured(s), etc.

KOREA TRADING INTERNATIONAL INC.

Claim, if any, payable at :

SPINNEY'S (1948) LTD., HISBEBAT
BUILDING, KING HUSSEIN STREET,
AMMAN, JORDAN.

Ref. No. INV NO: 02-91-20017
L/C NO: A0009-20021

Claims are payable in the U.S. DOLLARS.

Amount insured
U.S. DOLLARS.
CARGO: US$ ████████
████████ US$10,240 X ████████

Survey should be approved by :

SPINNEY'S (1948) LTD., HISBEBAT
BUILDING, KING HUSSEIN STREET,
AMMAN, JORDAN.

Conditions
ALL RISKS
TRANSHIPMENT
INLAND TRANSIT EXTENSION
WAR, STRIKES, RIOTS AND COMMO-
TIONS.

Local Vessel or Conveyance

Ship or Vessel called the KATORI V.02N

Sailing or on about 1992.04.01

at and from INCHON PORT

transhipped at

arrived at AQABA

thence to

Goods and Merchandises
12,000L WATER TANK LORRY
(MODEL : GLW120LD) : 2 UNITS
RECOMMENDED SPARE PART 10% : 2 SETS
K7000 C TRUCK : 2 UNITS
RECOMMENDED SPARE PART 10% : 5 SETS

Institute Radioactive Contamination Exclusion Clause
Subject to the following Clauses as per back hereof.
Institute Cargo Clauses
Institute War Clauses
Institute Strikes Riots & Civil Commotions Clauses
Special Replacement Clause
On-Deck Clause

Marks and Numbers as per Invoice No. specified above.

Place and Date Signed in. SEOUL, KOREA ON 31ST MAR 1992

No. of Policies issued. TWO

Be it known that

0055

AUTHORIZED SIGNATORY 혜―가―01, 380×305

ASL ASSOCIATED SURVEYORS CORPORATION
聯 合 檢 定 株 式 會 社
LICENSED BY KOREAN GOVERNMENT

HEAD OFFICE
C.P.O.BOX 263 SEOUL
CABLE:"SURVEYORS"
TEL. 754 – 7021 (REP.)
TELEX:ASCAAC K22675
FAX.: 754 – 4525
BRANCHES IN
ALL PRINCIPAL KOREAN PORTS

Marine Survey and Cargo Inspection
Petro-Chemical and LPG Inspection
Tank Calibration
Sampling and Testing
Freight Container Inspection
Cargo Weighing and Measuring
Insurance Claim Adjuster

ORIGINAL

CERTIFICATE OF INSPECTION

Certificate No.   : ASC-S-C-91129   Date : September 11, 1991

MESSRS. KOREA TRADING INTERNATIONAL INC., SEOUL, KOREA

SELLER/SHIPPER   : KOREA TRADING INTERNATIONAL INC., SEOUL, KOREA

NOTIFY PARTY   : 1. MINISTRY OF PLANNING
                           THE HASHEMITE KINGDOM OF JORDAN

                      2. EMBASSY OF THE REPUBLIC OF KOREA P.O. BOX 3060
                          AMMAN, JORDAN

MANUFACTURER   : BAIKSAN PLASTICS CO.

CONTRACT NO.   : KOOBS-20013

PORT OF LOADING   : BUSAN, KOREA

FINAL DESTINATION   : AQABA

CARRIER   : SUNNY OCEAN

THIS IS TO CERTIFY THAT we, the undersigned as authorized inspector, did
perform preshipment inspection on the Quality, Quantity, packing and
Marking of the commodity undermentioned with the following results:-

QUANTITY :

360,000 BAGS OF WOVEN OUTER BAG WITH INNER LINER.

– Cont'd –

0056

ASC–S–005

INSPECTION :

Date of Inspection : From time to time in the period between 4th & 6th September, 1991, prior to shipment.

Place of Inspection : At the manufacturer's premises, Korea.

Sampling, sample preparation and inspection were carried out in accordance with the relevant specification of MIL-STD-105D, and according to the specification of the manufacturer's standard.

BAGS SPECIFICATION :

OUTER BAG

WOVEN POLYPROPOLENE, OPEN MOUTH, WHITE NATURAL COLOR, TUBULAR, 55 x 97CM, MIN., 1,000 D, DIN 12 x 12/SQ. INCH MIN., TOP HEAT CUT DOUBLE FOLDED AT BOTTOM SEWN.

INNER LINER BAG

0.1 MM THICKNESS MIN., SIZE 57 x 105CM MIN. BOTH WPP AND PE BAGS ARE SEWN TOGETHER AT MOUTH.

TESTING :

The representative sample specimens were properly taken and tested, and the results were found to be in conformity with the specified requirements/standards and within the premissible variations.

TYPE/COLOR   : TUBULAR/SEAMLESS AND NATURAL WHITE

WEAVE   : TIGHTLY WOVEN BY 12 x 12 THREADS PER INCH SQUARE

TOP   : HEAT CUT AND HEMMED AND SEWN TOGETHER WITH LINER

BOTTOM   : DOUBLE FOLDED AND MACHINE STITCHED AND SEWN

DENIER   : 1,000 D - 1,030 D

SIZE   : OUTER : MIN. 55 x 97CM
                  LINER : MIN. 57 x 105CM

THICKNESS   : 0.1MM, Min.

0057

ASC-S-004

MARKING :

All bags will be durably and legibly marked on both sides in suitable size bold letters as under:-

JORDAN PHOSPHATE MINES CO., LTD.

    P.O. BOX - 30
    AMMAN - JORDAN
    DAP-18-46-0
    PRODUCT OF JORDAN
    50 Kgs NET
    USE NO HOOKS.

PACKING :

The bales, each packing with 500 outer bags with P.E. inner liners in each of the outer bags, were pressure-packed under high compression upon wrapping up completely with used p.p woven fabric and P.E. film and strapped with 16 mm wide flat steel bands 3 to 4 times across the bales, and on one surface of each bale was stenciled in black with the following shipping marks:-

CD91 - 527F
FERTILIZER - UNIT

△ JPMC

AQABA - JORDAN
BALE NO. 1471-2190

- Ends -

J. W. Lee
Inspector
Associated Surveyors Corporation
Seoul, Korea

ASC-S-004

0058

외 무 부

관리 번호	12/332

종 별 :

번 호 : JOW-0316

일 시 : 92 0423 1515

수 신 : 장 관(중동이)

발 신 : 주 요르단대사

제 목 : 무상원조

연:JOW-0263

1.4.23.JPMC 의 AL QAISI 구매부장대리는 고려무역(백산 플라스틱)과 빽당0.490
미불에, 빽의 1면에만 프린트 하기로 합의 하였음을 당관에 통보하면서조기 선적을
요구하여 왔음.

2. 상세 스펙을 백산측에 직접 송부 하였다는바, 참고 바람. 끝.

(대사 이한춘-국장)

예고:92.12.31.까지

중아국

	분류번호	보존기간

발 신 전 보

번   호 : WJO-0154   920424 1615 WH   종별 : _____

수   신 : 주요르단   대사//총영사

발   신 : 장   관   (중동이)

제   목 : 무상원조

연 : WJO - 0004 (92.1.6)

연호 관련 (주) 대우 BS 105 모델 버스 9대와 동 차량부품 ($27,810 상당)
을 3월중 선적할 예정이었으나, (주)대우측이 ~~선부 수배 불가로~~ 4월말 선적 예정임을 알려왔는바
양지~~하~~ 바람. 끝.

은 동 버스운송 선박 수배관계로

(중동아국장 최 상 덕)

보 안 통 제											보안통제	ㅣ

양고재	92년4월24일	중동2과	기안자성명 변상웅		과 장	심의관	국 장 전결		차 관	장 관	외신과통제

0060

대우자 (수출) 제914 - 665 호   1992. 5. 1.

수 신 : (주) 대우 자동차1 부장

제 목 : JORDAN향 BS105 BUS 1대 미선적 통보

1.   평소 귀부의 업무협조에 감사드립니다.

2.   JORDAN국 수출용 BS105 BUS 9대 중 1대   (ENG. NO. : 200051
CHASSIS NO. : KLBUR52PENP008801)가 STARTER MOTOR 고장에 의한 시동불능으로
인해 선적되지못하였음을 통보하오니 업무에 참고하시기 바랍니다.

3.   동 차량 1대는 차기선적 이전까지 정비완료조치 예정이오니 차기선적
일정을 당부로 조속 통보바랍니다. - 끝 -

대 우 자 동 차 주 식 회 사

     수   출   부   장   이   종   문

사본배부처 : 버스조립부장   버스구매부장   외자구매부장   출고사무소장

0061

분류번호	보존기간

발 신 전 보

WJO-0158   920504 1617 DS

번   호 : _____ -   종별 : _____

수   신 : 주요르단   대사.//총영사

발   신 : 장   관   (중동이)

제   목 : 무상원조

대 : JOW - 0316

　　대호 관련 비료백은 고려무역과 백당 0.49미불로 888,775개를 92.6.10
까지 인도키로 계약을 확정함.　　끝.

(중동아국장 최 상 덕)

보 안 통 제	ん

앙 고 재	92 년 5 월 4 일	중 동 2 과	기안자 성명 변 상 응		과 장 ん	심의관 ᅄ	국 장 전 결		차 관	장 관 곈

외신과통제

0062

줖싞 회샤 대우

서울·중구 남대문로5가 541(대우센터) 우편번호 100-714
• 중앙사서함 : 2810, 8269 • 텔렉스 : DAEWOO K23341, K24444, K24295 • 전화 : 759-2114 • FAX : 753-9489

자동차 1 - 20510.02

수 신 : 외무부 중동2과장   1992. 5. 10.

참 조 : 변상웅 사무관

제 목 : 한.요르단 經協 BUS 공급건

　　1. 귀 외무부의 발전과 귀하의 건승하심을 축원합니다.

　　2. 폐사는 귀 외무부와 1991년 12월 31일 체결한 요르단향 대우버스 9대 및 관련부품
공급계약과 관련하여 다음과 같이 계약물품 선적내용을 보고하오며 잔량 선적분에 대한 폐사
의 선적계획과 함께 선적지연에 대한 사유를 유첨하오니 혜량하여 주시기 바랍니다

- 아　　래 -

　　1. 1차 선적 내역 :

　　　　가. 완성차 (버스) :　1) 선 적 물 량 : DAEWOO BUS (BS105) 8대 / 금액 U$370,800.00
　　　　　　　　　　　　　　2) 선 적 일 : 1992년 4월 27일
　　　　　　　　　　　　　　3) 선 적 항 : 인천
　　　　　　　　　　　　　　4) 선　　　명 : ASTRO VENUS (LOCAL VSL)/EIJIN (OCEAN VSL)
　　　　　　　　　　　　　　5) 목 적 항 : AQABA, JORDAN

　　　　나. 부품 (PARTS) :　1) 선 적 물 량 : 178 ITEMS / 금액 U$18,520.16
　　　　　　　　　　　　　　2) 선 적 일 : 1992년 4월 28일
　　　　　　　　　　　　　　3) 선 적 항 : 부산
　　　　　　　　　　　　　　4) 선　　　명 : GOWA
　　　　　　　　　　　　　　5) 목 적 항 : AQABA, JORDAN

　　2. 잔량 선적 계획 :

　　　　가. 완성차 (버스) :　1) 선 적 물 량 : DAEWOO BUS (BS105) 1대 / 금액 U$46,350.00
　　　　　　　　　　　　　　2) 선적예정일 : 1992년 5월 20일경

　　　　나. 부품 (PARTS) :　1) 선 적 물 량 : 금액 U$9,289.84
　　　　　　　　　　　　　　2) 선적예정일 : 1992년 5월 20일전후

　　3. (주)대우 입금구좌 : 상업은행 역전지점 원화구좌 NO. 121-01-108678
　　　　　　　　　　　　　　　　　　　　　　　　　　외화구좌 NO. RA003

* 유 첨 : . 선적지연사유
　　　　　. 선적서류일체　　　　　　　　　　　　　　　　　　　　끝.

(주) 대 우 자 동 차 1 부

0063

㈜주식 대우

서울·중구 남대문로5가 541(대우센터) 우편번호 100-714
·중앙사서함 : 2810, 8269·텔렉스 : DAEWOO K23341, K24444, K24295·전화 : 759-2114·FAX : 753-9489

자동차 1 - 20510.01

수 신 : 외무부 중동2과장   1992. 5. 10.

참 조 : 변상웅 사무관

제 목 : 한.요르단 經協 BUS 및 부품 선적지연 사유

　　다음과 같이 대우자동차(주)산 BUS 및 관련부품의 선적지연 사유를 밝히오니 혜량하여
주시기 바랍니다.

- 아 래 -

1. 완성차 : DAEWOO BUS (BS105)
　가. 1차 선적내역
　　· 공급품목　　: 대우자동차(주)산 BS105 MODEL BUS 8대
　　· 선 적 일　　: 1992년 4월 27일 / 인천항
　　· 선　　명　　: ASTRO VENUS (LOCAL VSL) / EIJIN (OCEAN VSL) ... NYK (소양해운)
　나. 선적지연사유
　　· 당초 외무부 중동2과장 / (주)대우간 계약상의 선적기일은 3월 24일까지로 되어
　　　있음.
　　· 본차량 생산완료 시기 : 1992년 3월 중순경
　　· 선적추진 내역　　　　: - 1992년 3월 24일 NYK 소속 VESSEL 에 당초 선적예정
　　　　　　　　　　　　　　　이었으나 동VESSEL 의 인천입항이 지연되어 4월10일경
　　　　　　　　　　　　　　　선적을 추진할 예정이었음.
　　　　　　　　　　　　　　- 한편, VESSEL 투입구의 HEIGHT 문제로 높이 3.2M 의
　　　　　　　　　　　　　　　BUS 투입이 사실상 불가능한 것으로 판명되어 선적을
　　　　　　　　　　　　　　　보류시켰음.
　　　　　　　　　　　　　　- 선적 추진 선명 : SUJIN V.37
　　· 1차 선적내역　　　　　: - 관련선사인 NYK 의 협조로 BUS 높이에 맞는 VESSEL
　　　　　　　　　　　　　　　수배를 계속하여 1992년 4월 27일 인천입항 예정인
　　　　　　　　　　　　　　　동선사 소속 ASTRO VENUS 에 선적시키기로 최종 확정
　　　　　　　　　　　　　　　되었음.
　　　　　　　　　　　　　　- 동 VESSEL ASTRO VENUS 는 일본에서 AQABA향 모선
　　　　　　　　　　　　　　　(EIJIN)에 환적을 위해 한국 인천에 입항한 VESSEL 임.
　　　　　　　　　　　　　　- 한편, 동 VESSEL 에 선적하던중 BUS 1대의 START MOTOR
　　　　　　　　　　　　　　　고장에 의해 선적되지 못하였음. 동 잔량1대는 5월20일
　　　　　　　　　　　　　　　경 NYK 소속 PROSPERO (LOCAL VSL)에 선적시킬 계획임.

2. 부품 : SPARE PARTS
　가. 1차 선적내역 :
　　· 공급품목　　: 178 ITEMS / 금액 U$18,520.16
　　· 선 적 일　　: 1992년 4월 28일
　　· 선　　명　　: GOWA
　나. 선적지연사유
　　· 자동차부품 수배 특성상 LOCAL VENDOR 들의 공급지연과 관련부품을 수배하는데
　　　어려움이 있는 관계로 ONE LOT BASE 의 수배선적은 사실상 불가능한 것이 현실임.
　　· 상기 1차 선적물량외에 잔량 부품은 대우자동차(주)에서 계속 수배 확보중에
　　　있으며 5월20일 전후로 선적완료 시킬 계획임.

3. 동 ORDER 의 선적지연으로 말미암아 귀기관 및 귀하에 심려를 끼쳐 드려 죄송하오며
　상기 확정 산적일정에 따라 동 잔량 ORDER 의 선적을 추진하고 사후결과를
　보고드리겠아오니 양지하여 주시기 바랍니다.　　　　　　　　　　끝.

　　　(주) 대 우 　자 동 차 1 부 장

0064

주식 회사 대우

서울·중구 남대문로 5가 541(대우센터) 우편번호 100-714
·중앙사서함 : 2810, 8269 ·텔렉스 : DAEWOO K23341, K24444, K24295 ·전화 : 759-2114 ·FAX : 753-9489

자동차 1 - 20610.01

수　신 : 외무부 중동2과장　　　　　　　　　　　　　　1992. 6. 10.

참　조 : 변상웅 사무관

제　목 : 한.요르단 經協 BUS 공급건

　　1. 귀 외무부의 발전과 귀하의 건승하심을 축원합니다.

　　2. 폐사는 귀 외무부와 1991년 12월 31일 체결한 요르단향 대우버스 9대 및 관련부품 공급계약과 관련하여 다음과 같이 계약물품 선적내용을 보고하오며 부품잔량 선적분에 대한 선적계획을 함께 통보하오니 혜량하여 주시기 바랍니다

- 아　　래 -

　　1. 완성차 2차 선적 내역 : 완성차 공급 완료

　　　o 완성차 (버스) : 1) 선적물량 : DAEWOO BUS (BS105) 1대 / 금액 U$46,350.00

　　　　　　　　　　　2) 선 적 일 : 1992년 5월 23일

　　　　　　　　　　　3) 선 적 항 : 인천

　　　　　　　　　　　4) 선　　명 : FESTA (LOCAL VSL)/SUJIN (OCEAN VSL)

　　　　　　　　　　　5) 목 적 항 : AQABA, JORDAN

　　2. 부품 2차 선적 계획 :

　　　o 부 품　　　: 1) 선적물량 : BUS SPARE PARTS 36 ITEMS (203 PCS)
　　　　　　　　　　　　　　　　　U$3,069.26 / CIF VALUE

　　　　　　　　　　　2) 선적예정일 : 1992년 6월 20일 전후

　　　　　　　　　　　3) 선 적 항 : 부산

　　　　　　　　　　　4) 선　　명 : 확정후 통보 예정

　　　3 (주)대우 입금구좌 : 상업은행 역전지점 원화구좌 NO. 121-01-108678
　　　　　　　　　　　　　　　　　　　　　　　　외화구좌 NO. RA003

＊ 유 첨 : 선적서류일체　　　　　　　　　　　　　　　　　끝.

(주) 대 우 자 동 차 1 부 장

0065

외 무 부

110-760 서울 종로구 세종로 77번지   / (02)720-3869   / (02)720-3870

문서번호 중동이 20005-12)
시행일자 1992. 6.10. (   )

취급		장 관	
보존		代 203	
국 장	전 결		
심의관			
과 장	代 ✓		
담 당	변 상 응		협조

수신 총무과장
참조 외환계장

제목 걸프사태 주변국 지원 관련 경비지불 의뢰

        걸프사태 관련 대요르단 지원물자인 비료백 선적에 따른 경비를 아래와 같이
지불하여 주시기 바랍니다.

                    - 아   래 -

1. 지불액 : $435,500
2. 지불처 : (주)고려무역
   ○ 지불은행 : 제주은행 서울지점
   ○ 구좌번호 : 963-THR-109-01-0
3. 산출근거 : 대요르단 지원물자 선적에 따른 경비지불
4. 예산항목 : 정무활동, 해외경상이전 (걸프사태 주변국 지원, 에비비)

첨 부 : 1. 재가공문 사본 1부.
        2. 계약서 사본 1부.
        3. (주)고려무역 청구서 사본 1부.   끝.

            중 동 아 프 리 카 국

                                            0066

株 式 會 社 高 麗 貿 易

電　話 ： (02)737-0860
F A X ： (02)739-7011
TELEX ： KOTII K34311

서울特別市 江南區 三成洞 159番地
貿易會館 빌딩 11層
TRADE CENTER P.O. BOX 23, 24

수　신 ： 외무부 중동 2과장

제　목 ： 걸프만 사태 관련 지원 물대 송금신청

　　　　폐사는 귀부와의 계약에 의거하여 아래와 같이 걸프만 관련 지원물품을 기선적 하였아오니 송금 조치 하여 주시기 바랍니다.

- 아　　　래 -

1. 선적물품 내역

품　　목	수　량	금　액	선적일	도착예정일	선　명	선적항	도착항
NEW POLYPROPYLENE WOVEN BAG	888,775 PCS	U$435,500.-	5/30 '92	7/15 '92	CONTSHIP LASPEZIA	BUSAN	AQABA
TOTAL		U$435,500.-					

2. 비　고

　　걸프만 사태 관련 JORDAN 지원 계약 ('92. 4. 25 수정 계약) 선적분임.

　　동 선적으로 본건 계약분은 선적 완료 되었음.

3. 송 금 처 ： 제주은행 서울지점

　　구좌번호 ： 963 THR 109-01-0

　　예 금 주 ： (주)고려무역. 끝.

　　　　　　　　　1 9 9 2 . 6 . 9 .

　　　　　鍾 路 貿 易 本 部 海 外 事 業 팀 長 ㊞

0067

KOTI

KOREA TRADING INTERNATIONAL INC.

PHONE:(02)551—3114
F A X :(02)551—3100
TELEX:KOTII K27434
CABLE:KOTII SEOUL

11TH FLOOR, TRADE TOWER,
159, SAMSUNG-DONG, KANGNAM-KU,
SEOUL, KOREA
TRADE CENTER P.O.BOX23, 24

DATE: APR. 25, 1992
YOUR REF:
OUR REF: K00BS-20030

OFFER SHEET

To: THE MINISTRY OF FOREIGN AFFAIRS IN R.O.K.

Dear Sirs,

We have the pleasure in offering you as follows:

Delivery	: JUNE 10, 1992	Packing	: EXPORT STANDARD PACKING
Origin	: R. O. K.	Inspection	: AS DESCRIBED BELOW
Port of Shipment	: KOREAN PORT	Validity	: APRIL 30, 1992
Destination	: AQABA JORDAN	Remarks	:
Payment	: C. A. D.		

Description	Quantity	Unit Price	Amount	Remarks
P.P. BAG WITH INNER P.E. LINER			CNF AQABA	
AS PER ATTACHED BUYER'S SPECIFICATION	888,775PCS	@$0.49	U$435,500.-	
////		///		///

Very truly yours,

Accepted by

0068

Korea Trading International Inc.

Jong Soo Kim

J. S. KIM/DIRECTOR

BAGS OF 50 NET .   WOVEN POLYPROPYLENE WIT HPOLYETHYLENE INNER
LINER WITH THE FWG SPECS.

1- NEW POLYPROPYLENE WOVEN BAG:

DENIER = 1200
MESH = 12x12 SQUARE INCH

UV - STABILITY TEST

MATERIAL MUST HAVE NOT LESS THAN 70% STRENGTH RENTENTION AFTER 200
HOURS IN THE WEATHEROMETER (TEST 5304 U.S FEDERAL STANDARD 191) .
METHOD

STRENGTH : SUITABLE FOR EXPORT

SIZE : 55x95 CM
COLOR = NATURAL WHITE
WEIGHT : TO BE STATED .

2- NEW POLYETHYLENE INNER BAG:

THICKNESS = 120 MM MIN.

SIZE : 57x102 CM
WEIGHT : TO BE STATED

3- SEWIN METHOD :

TOP : PP BAG HEAT CUT MOUTH AND OVERLOCKED WITH LINER BAG (SEWN)

BOTTOM: OUTER BAG DOUBLE FOLDED WITH LINER AND SEWN .

4- BAG MARKING :

ONE SIDE SELLER'S MARKING :
COLOR IS BLACK

HM/AH

0069

원 가 계 산 (P. P. BAG)

o 업 체 명 :   (단위 : U$)

o 비 고 : 계산불가스템

비 고	F.O.B.	FREIGHT			MARGIN	합 계
		C B M	단 가	송 료	(FOB x 1.5%)	
사 전 원 가	0.445 x 888,775PCS = 395,505	20' x 17.03 CONT'S	2000/20'	34,060	5,935	435,500

BAIK SAN PLASTICS CO.

44-13, YOIDO-DONG
YEUNG DEUNG PO-GU,
SEOUL KOREA

O F F E R

TELEX: K22365
PHONE : (02) 780-4271/2
TELEFAX: (02) 785-3770

BAIK SAN PLASTIC CO., LTD, as Seller, hereby confirms having sold you (your company), following goods on the date and on the terms and conditions hereinafter set forth;

MESSRS:		DATE: APR. 24, 1992	NO: AP/J/24
COMMODITY DESCRIPTION		BUYER'S REFERENCE NO:	

COMMODITY DESCRIPTION	QUANTITY	UNIT PRICE	AMOUNT
P.P. BAG WITH INNER P.E. LINER AS PER ATTACHED BUYER'S SPECIFICATION	888775PCS		
		CNF AQABA : @USD0.4833 FOB BUSAN : @USD0.445	
TOTAL			

SHIPMENT Time of Shipment: NOT LATER THAN JUN. 10, 1992	Port of Discharging: AQABA, JORDAN Transhipment: permitted/not permitted Partial shipment: permitted/not permitted
	PAYMENT: BY IRR. L/C AT SIGHT
PORT OF LOADING BUSAN, KOREA	INSPECTION: BY INTECO (THE AGENT OF SOCOTEC)
PACKING: 500PCS IN ONE BALE	INSURANCE:
OTHER TERMS AND CONDITIONS:	

Refer to General Terms and Conditions on the reverse side hereof which are incorporated herein and make a part of this

BAIK SAN PLASTICS CO.

Accept by
(Buyer)

(Signature)

(Name & Title)

Date   , 19

서울特別市永登浦區汝矣島洞44-13
(Seller)
白山프라스틱
(Signature)
(Name & Title) 吳 庸

Date   , 19

0071

BAGS OF 50 NET .   WOVEN POLYPROPYLENE WIT HPOLYETHYLENE INNER
LINER WITH THE FWG SPECS.

1- NEW POLYPROPYLENE WOVEN BAG:

DENIER = 1200
MESH = 12x12 SQUARE INCH

UV - STABILITY TEST

MATERIAL MUST HAVE NOT LESS THAN 70% STRENGTH RENTENTION AFTER 200
HOURS IN THE WEATHEROMETER (TEST 5304 U.S FEDERAL STANDARD 191)
                              METHOD

STRENGTH : SUITABLE FOR EXPORT

SIZE : 55x95 CM
COLOR = NATURAL WHITE
WEIGHT : TO BE STATED .

2- NEW POLYETHYLENE INNER BAG:

THICKNESS = 120 MM MIN.

SIZE : 57x102 CM
WEIGHT : TO BE STATED

3- SEWIN METHOD :

TOP : PP BAG HEAT CUT MOUTH AND OVERLOCKED WITH LINER BAG (SEWN)

BOTTOM: OUTER BAG DOUBLE FOLDED WITH LINER AND SEWN .

4- BAG MARKING :

ONE SIDE SELLER'S MARKING :
COLOR IS BLACK

HM/AH

0072

(別 添 · 2)

1991년 8월 2일자 기 계약된 내용을 아래와 같이 변경함.

DESCRIPTION	Q'TY	U/PRICE	AMOUNT
1) OUTER BAG WOVEN POLYPROPYLENE, OPEN MOUTH, WHITE NATURAL COLOR, TUBULAR, 55X97CM MIN., 1000D, DIN 12X12/SQ INCH MIN, TOP HEAT CUT DOUBEL FOLDED AT BOTTOM SEWN. WEIGHT 116 GRMS MIN. INNER LINER BAG 0.1MM THICKNESS MIN, SIZE : 57X105CM MIN 98GRMS MIN. BOTH WPP AND PE BAGS ARE SEWN TOGETHER AT MOUTH	1,755,000PCS	@$0.40 (DELIVERY : DEC. 31, 1991)	U$702,000.
2) OUTER BAG WOVEN POLYPROPYLENE, OPEN MOUTH, WHITE NATURAL COLOR, TUBULAR, 55X95CM, 1200 DENIER, 12X12/SQ INCH, TOP HEAT CUT DOUBLE FOLDED AT BUTTOM SEWN. U.V. STABILIZED INNER LINER BAG 0.12MM THICKNESS SIZE : 57X102CM BOTH WPP AND PE BAGS ARE SEWN TOGETHER AT MOUTH.	500,000PCS	@$0.445 (DELIVERY : NOV. 30, 1991)	U$222,500.

0073

DESCRIPTION	Q'TY	U/PRICE	AMOUNT

3) NEW POLYPROPYLENE WOVEN BAG
   DENIER = 1200   888,775PCS   @$0.49   U$435,500.·
   MESH = 12 X 12 SQUARE INCH   (DELIVERY : JUNE 10, 1992)
   UV-STABILITY TEST
   MATERIAL MUST HAVE NOT LESS THAN 70% STRENGTH RENTENTION AFTER 200
   HOURS IN THE WEATHEROMETER (TEST METHOD 5304 U.S. FEDERAL STANDARD 191)

   STRENGTH : SUITABLE FOR EXPORT

   SIZE : 55 x 95 CM
   COLOR = NATURAL WHITE
   WEIGHT : TO BE STATED

   NEW POLYETHYLENE INNER BAG:
   THICKNESS = 120 MM MIN.
   SIZE : 57 x 102CM
   WEIGHT : TO BE STATED

   SEWIN METHOD :
   TOP : PP BAG HEAT CUT MOUTH AND OVERLOCKED WITH LINER BAG (SEWN)

   BOTTOM : OUTER BAG DOUBLE FOLDED WITH LINER AND SEWN.

   BAG MARKING :
   ONE SIDE SELLER'S MARKING
   COLOR IS BLACK

| TOTAL : | 3,143,775PCS | | U$1,360,000.· |

1992. 4. 25.

"甲" 外 務 部   "乙" 株 式 會 社 高 麗 貿 易

                                          서울특별시 강남구 삼성동 159

중동 2 과장 오 기   대 표 이 사   고 일 남

0074

KOREA TRADING INTERNATIONAL INC.

PHONE:(02) 551-3114
FAX :(02) 551-3100
TELEX:KOTII K27434
CABLE:KOTII SEOUL

11TH FLOOR, TRADE TOWER,
159, SAMSUNG-DONG, KANGNAM-KU,
SEOUL, KOREA
C. P. O. BOX 3667, 4020

DATE: JUNE 9, 1992
YOUR REF:
OUR REF: D2-91-20012-6

Messrs. KOREAN EMBASSY IN JORDAN

Gentlemen,

Shipping Notice of NEW POLYPROPYLENE

WOVEN BAG, ETC

we are pleased to inform you that the captioned goods have been shipped
per CONTSHIP LASPEZIA

on MAY 30, 1992 (E.T.A. : JULY 15, 1992)
and we have negotiated our draft(s) amounting U$435,500.-
of the Invoice value through
in accordance with the Letter of Credit No. KOOBS-20030

For your information, we are enclosing the copies of shipping documents
as follows.

(x) Bill of Lading   :   1 ORIGINAL & 1 COPY
(x) Invoice   :   1 ORIGINAL & 1 COPY
(x) Packing List   :   1 ORIGINAL & 1 COPY
(   ) Certificate of Origin   :
(   ) Marine Insurance policy   :
(x) Inspection Certificate   :   1 COPY
(   )   :

We trust that the goods will arrive at destination in good and sound
condition.

Very truly yours,

KOREA TRADING INTERNATIONAL INC.

0075

COMMERCIAL INVOICE

① Shipper/Exporter		⑧ No. & date of invoice	
KOREA TRADING INTERNATIONAL INC. 11TH FLOOR, TRADE TOWER, 159, SAMSUNG-DONG, KANGNAM-KU, SEOUL, KOREA TRADE CENTER P.O. BOX 23, 24		D2-91-20012-6 dated JUN. 05, 1992	
		⑨ No. & date of L/C	
		KOOBS-20030 dated AUG. 02, 1991	
		⑩ L/C issung bank	

② For account & risk of Messrs.

MINISTRY OF PLANNING
THE HASHEMITE KINGDOM OF JORDAN

X X X X X X X

⑪ Remarks:

③ Notify party
1. SAME AS ABOVE
2. EMBASSY OF THE REPUBLIC OF KOREA
   P.O. BOX 3060 AMMAN, JORDAN
   (TEL: 660745, 660746)

④ Port of loading	⑤ Final destination
BUSAN, KOREA	AQABA, JORDAN
⑥ Carrier	⑦ Sailing on or about
CONTSHIP LASPEZIA	MAY. 30, 1992

⑫ Marks and numbers of Package	⑬ Description of goods	⑭ Quantity/unit	⑮ Unit-Price	⑯ Amount
			C AND F AQABA	

CD92-528F
FERTILIZER-UNIT

△ JPMC

AQABA-JORDAN
BALE NO. 1-1778

NEW POLYPROPYLENE WOVEN BAG

DENIER = 1200, MESH = 12 X 12 SQUARE INCH

UV STABILITY TEST
MATERIAL MUST HAVE NOT LESS THAN 70% STRENGTH
RENTENTION AFTER 200 HOURS IN THE WEATHEROMETER
(TEST METHOD 5304 U.S. FEDERAL STANDARD 191)

STRENGTH : SUITABLE FOR EXPORT

SIZE : 55 X 95CM, COLOR = NATURAL WHITE
WEIGHT: 140 GRS

NEW POLYETHYLENE INNER BAG
THICKNESS = 120 MM MIN., SIZE 57 X 102CM
WEIGHT : 125 GRS

SEWN METHOD

TOP : PP BAG HEAT CUT MOUTH AND OVERLOCKED WITH
      LINER BAG (SEWN)
BOTTOM : OUTER BAG DOUBLE FOLDED WITH LINER AND SEWN.

BAG MARKING:
ONE SIDE SELLER'S MARKING
COLOR IS BLACK

888,775 BAGS   USD0.49/BAG   U$435,500.-

⑰ Phone : 551-3114
   Fax   : 551-3100
   Telex : KOTII K27434
   Cable : KOTII SEOUL

⑱ Signed KOREA TRADING INTERNATIONAL INC.

I .. I KOH
.. .DENT

0076

(210×297mm)

COMBINED TRANSPORT/PORT TO PORT SHIPMENT
(Delete as applicable)

★Applicable only when documents used as a Combined Bill of Lading

Shipper:
KOREA TRADING INTERNATIONAL INC.
SEOUL. KOREA

Consignee:
TO THE ORDER
MINISTRY OF PLANNING
THE HASHEMITE KINGDOM OF JORDAN

Notify Party:
1. MINISTRY OF PLANNING THE
   HASHEMITE KINGDOM OF JORDAN
2. EMBASSY OF THE REPUBLIC OF
   KOREA P.O. BOX 3060
   AMMAN. JORDAN ; TEL: 660745.
   660746 ;

AQABA AGENTS:
NATIONAL SHIPPING SERVICES
CO., LTD. OMAR IBN KHATAB BLDG
3RD FLOOR. SHMEISANI
P.O.BOX 927304
AMMAN. JORDAN

TEL:(6)606901

DEMURRAGE TERMS
========================
20 CLEAR DAYS FREE TIME
DAYS 21-30 $5*TEU*DAY
31-ON $10*TEU*DAY

BILL OF LADING

B/L No.
EAGLDONSELF06164

Shipper's Ref.

F/Agent's Ref.

eagle container line

CONTSHIP UK AS ADMINISTRATORS.

A DIVISION OF CONTSHIP CONTAINERLINES LTD.

★Pre-Carriage		★Place of Receipt			
Ocean Vessel	CONTSHIP LASPEZIA 07WB	Port of Loading	BUSAN. KOREA	Freight payable by/at	SEOUL. KOREA
Port of Discharge	AQABA. JORDAN	★Final destination (if on-carriage)		Number of original Bs/L	THREE(3)

Carrier's Receipt		Particulars declared by the shipper, not checked by the carrier		
Container No./Seal No.		Number and kind of packages; Description of goods; Marks and Numbers	Weight Kilos	Measurement C.M.

GSTU3375691	0276990	'SHIPPER'S LOAD, STOW AND COUNT'	236.414.000KGS	340.000CBM
TEXU3359267	744900	SAID TO CONTAIN:888.775BAGS OF	CD92-528F	
TEXU3359272	744899	AS CONFIRMATION OF ORDER	FERTILIZER-UNIT	
TEXU3360231	744869	CD92-528F		
TEXU3360720	744870	NEW POLYPROPYLENE WOVEN BAG	JPMC	
TRLU2077077	0276954			
TRLU2077518	744866	DENIER=1200, MESH=12X12 SQUARE		
TRLU2077539	744815	INCH	AQABA-JORDAN	
TRLU2078290	0276793	UV STABILITY TEST	BALE NO. 1-1778	
TRLU2078366	0276792			
TRLU2078406	744863	MATERIAL MUST HAVE NOT LESS		
TRLU2078411	744862	THAN 70% STRENGTH RENTENTION		
TRLU2078427	744814	AFTER 200 HOURS IN THE		
TEXU3359293	744876	WEATHEROMETER(TEST METHOD		
TEXU3359307	744877	5304 U.S. FEDERAL STANDARD		
TEXU3360247	744846	191)		
TRLU2078664	744865	STRENGTH: SUITABLE FOR EXPORT		
17 X 20' CNTRS		SIZE : 55 X 95CM.		
		COLOR : NATURAL WHITE		
		NEW POLYETHYLENE INNER BAG		

THICKNESS =120MM MIN.
SIZE 57 X 102CM
SEWIN METHOD

TOP: PP BAG HEAT CUT MOUTH AND
OVERLOCKED WITH LINER
BAG(SEWN)
BOTTOM: OUTER BAG DOUBLE
FOLDED WITH LINER AND SEWN
BAG MARKING: ONE SIDE SELLER'S

Total Number of Containers

SEVENTEEN(17) CONTAINERS
ONLY.

SHIPPED ON BOARD FOR
CONTSHIP LASPEZIA
JUN.08.1992

Intended Place of Delivery by On-Carrier	AQABA, JORDAN (FAS)
Movement	FCL/FCL 'FREIGHT PREPAID'

Freight/Charges	Prepaid	Collect
Origin land haulage	NA	
Origin port service	PAID	
Ocean freight	PAID	
Ad Valorem charges	NA	
Destination port service	NA	
Destination land haulage	NA	

THE CARRIER HAS THE LIBERTY TO
EMPTY THE CONTAINERS AFTER TWO
MONTHS FROM DATE OF DISCHARGE AT
RECEIVERS RISK AND EXPENSE.
DEMURRAGE CONDITIONS:
DAYS 1-7 FREE
DAYS 8-12 USD   5.00 PER TEU/DAY
THEREAFTER USD 10.00 PER TEU/DAY

RECEIVED in external apparent good order and condition, (unless otherwise stated herein) as far as ascertained by reasonable means of checking. the containers or other packages listed in the Carrier's Receipt above, said by the Shipper to contain the goods described in the Shipper's Particulars above, for transportation as set out herein. The weight, measures, marks, numbers, quantity, condition, contents, and value of the goods are unknown to the Carrier.
In accepting this Bill of Lading the Merchant (as defined on the reverse side hereof) accepts and agrees to all its terms on both sides whether written, printed, stamped or otherwise incorporated as fully as if they were all signed by the Merchant.
CONTAINER AND VEHICLE DEMURRAGE Attention is drawn to the Terms and Conditions for the Container and Vehicle Demurrage which apply to this contract and which may be obtained from the Carrier or Line or their Agents. The Carrier has the right to carry containers on deck as per clause 5.
One of the Bills of Lading must be surrendered in exchange for the goods or delivery order.
In witness whereof the original Bills of Lading all of this tenor and date have been signed in the number stated above, one of which being accomplished, the other(s) to be void

Place and Date of Issue	SEOUL.KOREA JUN.08.1992

As Agents for the Carrier:
DONGBO SHIPPING CO., LTD.

COPY NOT NEGOTIABLE   0077

Contship UK Limited, Contship House, Neptune Quay, Ipswich IP4 1AX, Suffolk, UK   Tel: (473) 232000   Telex: 987151 CONTCH G   Fax: (473) 230006/7
Januar 1989

PACKING LIST

① Shipper/Exporter	⑧ No. & date of invoice
KOREA TRADING INTERNATIONAL INC. 11TH FLOOR, TRADE TOWER, 159, SAMSUNG-DONG, KANGNAM-KU, SEOUL, KOREA TRADE CENTER P. O. BOX 23, 24	D2-91-20012-6 dated JUN. 05, 1992

② For account & risk of Messrs.	⑨ Remarks:
MINISTRY OF PLANNING THE HASHEMITE KINGDOM OF JORDAN	

③ Notify party
1. SAME AS ABOVE
2. EMBASSY OF THE REPUBLIC OF KOREA
   P.O. BOX 3060 AMMAN, JORDAN
   (TEL: 660745, 660746)

④ Port of loading	⑤ Final destination
BUSAN, KOREA	AQABA, JORDAN
⑥ Carrier	⑦ Sailing on or about
CONTSHIP LASPEZIA	MAY. 30, 1992

⑩ Marks and numbers of Package	⑪ Description of goods	⑫ Quantity	⑬ Net-weight	⑭ Gross-weight	⑮ Measurement
CD92-528F FERTILIZER-UNIT △ JPMC AQABA-JORDAN BALE NO. 1-1778	NEW POLYPROPYLENE WOVEN BAG DENIER = 1200, MESH = 12 X 12 SQUARE INCH				

NEW POLYPROPYLENE WOVEN BAG
DENIER = 1200, MESH = 12 X 12 SQUARE INCH

UV STABILITY TEST
MATERIAL MUST HAVE NOT LESS THAN 70% STRENGTH
RENTENTION AFTER 200 HOURS IN THE WEATHEROMETER
(TEST METHOD 5304 U.S. FEDERAL STANDARD191)

STRENGTH : SUITABLE FOR EXPORT

SIZE : 55 X 95CM, COLOR = NATURAL WHITE
WEIGHT: 140 GRS

NEW POLYETHYLENE INNER BAG
THICKNESS = 120 MM MIN., SIZE 57 X 102CM
WEIGHT : 125 GRS

SEWIN METHOD
TOP : PP BAG HEAT CUT MOUTH AND OVERLOCKED WITH
       LINER BAG (SEWN)
BOTTOM : OUTER BAG DOUBLE FOLDED WITH LINER AND SEWN

BAG MARKING :
ONE SIDE SELLER'S MARKING
COLOR IS BLACK

888,775 BAGS   236,414 KGS   340 CBM

KOREA TRADING INTERNATIONAL INC.

IL-HAK KOH
⑰ Signed by VICE PRESIDENT

⑯ Phone : 551-3114
   Fax   : 551-3100
   Telex : KOTII K27434
   Cable : KOTII SEOUL

0078

INTERNATIONAL INSPECTION AND TESTING CORPORATION

Seoul, Korea

Fax No. (2) 757-9633

Socotec International Inspection (S.2.I.)

Attn: Mr. J.M. Mallaret

Subj: Inspection of 888,775 P.P. Bags to Jordan
    Buyer: Jordan Phosphate Mines Co., Ltd.
    Seller: Baik San Plastics Company, Seoul
    P.O. No. CD92-528F
    Our File No. 1952

Dear Mr. Mallaret,

Referring to a number of faxes with our last fax #0360 of April 27th on the above
subject matter, we wish to inform you that we have performed the inspection of
the bags per the above subject at the manufacturer's factory in Pyungtaek
on 27 & 28 May 1992 with the result as follows:

Inspection:

Out of total 888,775 pcs. of P.P. Bags per the above subject, representative samples
were drawn and they were inspected with regard to the mesh, denier, size, thickness,
weight, sewing method, workmanship, bag marking, packing and shipping marks with
the result as follows:

a) Mesh & Denier:

		Specification	Result
	Mesh:	12x12 per Sq. Inch	12x12 per Sq. Inch
	Denier:	1200	1210 & 1242

b) Size, Thickness & Weight:

		Specification	Result
P.P. Bag,	Width:	55cm min.	55.5 ~ 56.5cm, Ave. 56.2cm
	Length:	95cm min.	95.0 - 96.0cm, Ave. 95.5cm
	Weight:	140 gram	135 ~ 144gr., Ave. 140.1gr.
P.E. Liner,	Width:	57cm min.	57.3 - 58.2cm, Ave. 57.7cm
	Length:	102cm min.	103.8-104.7cm, Ave. 104.2cm
	Weight:	125 gram	124 ~ 128.5gr., Ave. 126.3gr.
	Thickness:	0.12mm min.	0.12 - 0.122mm

c) Sewing Method & Workmanship:

Top of p.p. bag heat cut mouth and overlocked with liner bag & bottom of outer
bag double folded with liner and sewn, and the general workmanship was
satisfactory with no noticeable defect.

d) Bag Marking:

The seller's marking was correctly printed in black color at one side.

e) Packing:

P.P. bags were bundled, each bundle with 50 pcs. & secured with p.p. string, and
such 10 bundles (500 pcs.) were wrapped with p.p. sheet & secured with steel band
at 4 places.

0079

INTERNATIONAL INSPECTION AND TESTING CORPORATION
Seoul, Korea
Fax No. (2) 757-9633

Date: 1 June 1992
Fax Ref. No.: 0469
No. of Page: 2 of 2

f) Shipping Marks:

The shipping marks printed on each bale were correct as follows:

CD92-528F
FERTILIZER-UNIT

△ JPMC △

AQABA-JORDAN
BALE NO. 1-1778

With best regards,

INTECO-Seoul, S.M. Han

0080

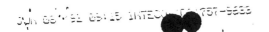

Korea Textile Inspection & Testing Institute

819-5 YOKSAM-IDONG, KANGNAM-GU,
SEOUL, KOREA
135-081

TEL: (02) 567-7591~6
FAX: (02) 557-3739
TELEX: K 25303

TEST REPORT

KOTITI #. : A-5556

June 2, 1992

Applicant : INTERNATIONAL INSPECTION & TESTING CORP.

Sample Description : Five(5) styles of P.P bag, submitted on May 28, 1992***

BUYER : JORDAN

TESTS CONDUCTED	RESULTS					TEST METHODS
	(A)	(B)	(C)	(D)	(E)	
Count of yarn removed from fabric, Denier						ISO 2959
Length	1,216.8	1,231.2	1,219.5	1,283.4	1,243.8	
Width	1,217.9	1,218.6	1,220.4	1,224.0	1,204.2	
*Thickness, mm	0.12	0.12	0.12	0.12	0.12	ISO 1765

*P.E Liner Part.

C N Chang

CHUL SIK CHANG

Director General

0081

(別添 - 2)

1991년 8월 2일자 기 계약된 내용을 아래와 같이 변경함.

	DESCRIPTION	Q'TY	U/PRICE	AMOUNT
A)	OUTER BAG WOVEN POLYPROPYLENE, OPEN MOUTH, WHITE NATURAL COLOR, TUBULAR, 55X97CM MIN., 1000D, DIN 12X12/SQ INCH MIN, TOP HEAT CUT DOUBEL FOLDED AT BOTTOM SEWN. WEIGHT 116 GRMS MIN. INNER LINER BAG 0.1MM THICKNESS MIN, SIZE : 57X105CM MIN 98GRMS MIN. BOTH WPP AND PE BAGS ARE SEWN TOGETHER AT MOUTH	1,755,000PCS	@$0.40 (DELIVERY : DEC. 31, 1991)	U$702,000.-
B)	OUTER BAG WOVEN POLYPROPYLENE, OPEN MOUTH, WHITE NATURAL COLOR, TUBULAR, 55X95CM, 1200 DENIER, 12X12/SQ INCH, TOP HEAT CUT DOUBLE FOLDED AT BUTTOM SEWN. U.V. STABILIZED INNER LINER BAG 0.12MM THICKNESS SIZE : 57X102CM BOTH WPP AND PE BAGS ARE SEWN TOGETHER AT MOUTH.	500,000PCS	@$0.445 (DELIVERY : NOV. 30, 1991)	U$222,500.-
C)	OUTER BAG WOVEN POLYPROPYLENE, OPEN MOUTH, WHITE NATURAL COLOR, TUBULAR, 55X97CM MIN., 1000 D, DIN 12X12/SQ INCH MIN, TOP HEAT CUT DOUBLE FOLDED AT BOTTOM SEWN. WEIGHT 116 GRMS MIN. INNER LINER BAG 0.1MM THICKNWSS MIN, SIZE : 57X105CM MIN, 98 GRMS MIN. BOTH WPP AND PE BAGS ARE SEWN TOGETHER AT MOUTH.	1,088,750PCS	@$0.40 (DELIVERY : APR. 30, 1992) * IF SPECIFICATION BE CHANGED BY JORDAN SIDE, GOODS WITH NEW SPECIFICATION WILL BE DELIVERED WITHIN 1.5 MONTH AFTER RECEIPT OF NEW SPECIFI- CATION, REGARDLESS OF ABOVE MENTIONED DELIVERY TIME.	U$435,500.-
	TOTAL :	3,343,750PCS		U$1,360,000.-

1 9 9 1 . 1 2 . 2 3 .

"甲" 外 務 部   "乙" 株 式 會 社 高 麗 貿 易

                        서울特別市 江南區 三成洞 1

中東 2 課長 鄭 鎭 鎬   代 表 理 事 副 社 長 高 一

0082

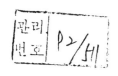

외 무 부

110-760 서울 종로구 세종로 77번지　／ (02)720-3869　／ (02)720-3870

문서번호　중동이 20005-|52|

시행일자　1992. 6.10. (　　　)

취급		장　　관
보존		
국　장	전　결	
심의관		
과　장		
담　당	변상웅	협조

수신　주 요르단 대사

참조

제목　선적서류 송부

　　　연 : WJO - 0158

　　　대 요르단 비료백 선적 (92.5.30)에 따른 선적서류를 별첨 송부하오니, 주재국
관재관에 적의 전달하여 주시기 바랍니다.

첨 부 : 동 선적서류 2부.

외 무 부 장 관

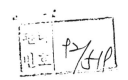

외 무 부

110-760 서울 종로구 세종로 77번지   / (02)720-3869   / (02)720-3870

문서번호 중동이 20005-/594
시행일자 1992. 6.15. (   )

수신 주 요르단 대사
참조

취급		장 관	
보존		R¹	
국 장	전 결		
심의관			
과 장	ル		
담당	변 상 응		협조

제목 선적서류 송부

       대 : JOW - 0947
       연 : WJO - 0154

   대 요르단항 대우버스 9대 및 관련부품 선적에 따른 선적서류를 별첨 송부
하오니, 주재국 기획성에 적의 전달, 수령에 착오없으시기 바라며, 아래를 참고하시기
바랍니다.

- 아   래 -

1. 1차 선적내역
   가. 버스
       1) 선적물량 : 대우버스 (BS 105) 8대 / 금액 $370,800
       2) 선적일 : 92.4.27
   나. 부품
       1) 선적물량 : 178 ITEMS / 금액 $18,520.16
       2) 선적일 : 92.4.28
2. 2차 선적내역
   ○ 버스
       1) 선적물량 : 대우버스 (BS 105) 1대 / 금액 $46,350
       2) 선적일 : 92.5.23   /계속.../

                                                            0084

3. 부품 2차 선적계획

    ㅇ 부품

      1) 선적물량 : 버스부품 36 ITEMS (203 PCS), 금액$3,069.26/

              CIF 가격

      2) 선적예정일 : 92.6.20 전후

첨부 : 동 선적서류 2부.

외 무 부 장 관

0085

외 무 부

110-760 서울 종로구 세종로 77번지 　/ (02)720-3869 　/ (02)720-3870

문서번호　중동이 20005- /40

시행일자　1992. 6.22. (　　)

취급		장　관	
보존			ᅀᅵ
국장	전결		₩
심의관			
과장	₩		
담당	변상웅		협조

수신　총무과장

참조　외환계장

제목　걸프사태 주변국 지원 관련 경비지불 의뢰

　　　　걸프사태 관련 대요르단 지원물자인 대우버스 9대 및 관련부품 선적에 따른
경비를 아래와 같이 지불하여 주시기 바랍니다.

- 아　　　　　　래 -

　　1.　지불액 : $435,670.16

　　2.　지불처 : (주) 대우

　　　　ㅇ　지불은행 : 상업은행 역전지점

　　　　ㅇ　외화구좌 : No. RA 003

　　3.　산출근거 : 대요르단 지원물자 선적에 따른 경비지불

　　4.　예산항목 : 정무활동, 해외경상이전 (걸프사태 주변국 지원)

첨 부 : 1. 재가공문 사본 1부.

　　　　2. 계약서 사본 1부.

　　　　3. (주)대우 청구서 1부.　끝.

중 동 아 프 리 카 국

0086

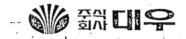

株式 회사 대우

서울·중구·남대문로 5가 541 (대우센터) 우편번호 100-714
• 종합사서함 : 2810, 0269 • 텔렉스 : DALWOO K23341, K24444, K24246 • 전화 : 759-2114 • FAX : 753-9480

자동차 1 - 20619.01

수 신 : 외무부 중동2과장   1992. 6. 19.

참 조 : 변상용 사무관

제 목 : 한.요르단 經協 BUS 공급건

　　1. 귀 외무부의 발전과 귀하의 건승하심을 축원합니다.

　　2. 폐사는 귀 외무부와 1991년 12월 31일 체결한 요르단향 대우버스 9대 및 관련부품
공급계약과 관련하여 다음과 같이 관련대금 입금조치를 요청하오니 확인후 조치바랍니다.

　　　　　　　　　　　　- 아   래 -

　　　가. 관련공문 : 자동차 1-20510.02 ('92.5.10)

　　　　- 선적내역 : . 완성차 / BUS 8대　　.......　　U$370,800.-

　　　　　　　　　　　. 부 품 / 178 ITEMS　　.......　　U$18,520.16

　　　나. 관련공문 : 자동차 1-20610.01 ('92.6.10)

　　　　- 선적내역 : . 완성차 / BUS 1대　　.......　　U$46,350.-

　　　다. 관련대금 총금액 :　　　　　　.......　　U$435,670.16

　　　라. (주)대우 입금구좌 : 상업은행 역전지점 원화구좌 NO. 121-01-108678
　　　　　　　　　　　　　　　　　　　　　외화구좌 NO. RA003

　　　　　　　　　　　　　　　　　　　　　　　　　　　끝.

　　　　　　(주) 대 우 자 동 차 1 부 장

0087

원 본

외 무 부

종 별 :

번 호 : JOW-0472

일 시 : 92 0630 1300

수 신 : 장관(중동일)

발 신 : 주 요르 단대사

제 목 : 무상원조 추가

대:중동이 20005-763

연:JOW-0059

1. 대호 대요르단 추가지원품 픽업 15 대 전달행사가 6.30. 10:30 민방위청본부에서 본직과 주재국 SBOUL 내무장관, GHOUL 민방위청장관에 거행됨.

2. 주재국 국영 J.T.V. 와도 상기관련 인터뷰를 가졌음.

3. 언론보도 내용등 파편 송부 위계임.끝.

(대사 이한춘-국장)

예고:92.12.31. 까지

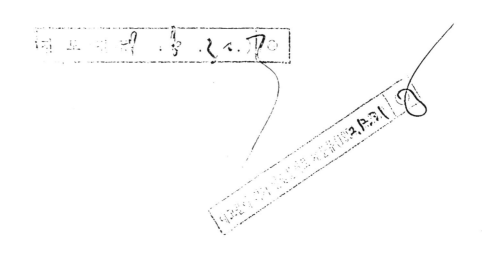

중아국

주 요 르 단 대 사 관

요르단(정) 700-*183*   1992. 7. 6.

수 신 : 장 관

참 조 : 중동아프리카국장

제 목 : 무상원조 추가

　　　　연: JOW-0472

1. 연호 주재국 신문에 보도된 기사 내용을 별첨과같이 송부합니다.

2. 6.30. 주재국 국영 T.V.에서 본직의 인터뷰등 동 행사 내용을 상세히 보도하였음을
   참고 하시기 바랍니다.

첨 부 : 동 기사 4매. 끝.

예 고 : 92.12.31.일반

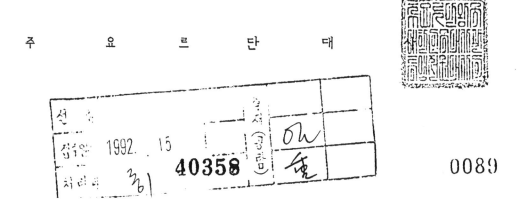

주　　　요　　　르　　　단　　　대

1992. 15

40358

0089

SOURCE: JORDAN TIMES DAILY NEWSPAPER   P: 3
           DUSTOUR DAILY NEWSPAPER   P: 3
           RA'I DAILY NEWSPAPER   P: 3
           SAWT AL-SHAAB DAILY NEWSPAPER   P: 3
JULY 1st, 1992

سيارات وصهاريج منحة للدفاع
المدني من كوريا الجنوبية

واشار اللواء عفيف الغول
مدير الدفاع المدني الى الجهود
التي يبذلها الدفاع المدني من اجل
القيام بالمهام الانسانية والخدمات
التي يقدمها لحماية الارواح
والممتلكات.
واعرب السفير الكوري عن
تقديره لجهاز الدفاع المدني لما
يقدمه من خدمات للمواطنين.

عمان ـ بترا ـ زار السيد
جودت السبول وزير الداخلية
وسفير كوريا الجنوبية في عمان
والقنصل العام في السفارة مديرية
الدفاع المدني العام.
وقدم السيد السفير خلال
الزيارة سيارات الى الدفاع المدني
ضمن المنحة الكورية والمساعدات
الانسانية للاردن.

S. Korea donates 17 vehicles

AMMAN (J.T.) — South Korea on Tuesday presented the Civil Defence Department (CDD) with 17 pick-up cars and a South Korean-made water tanker.

The gift was presented to CDD Director General Afif Al Ghoul by the South Korean Ambassador to Jordan, Han-Choon Lee.

The CDD chief thanked the ambassador for his country's gift which, he said, will be used to further promote the department's endeavours to protect civilians and their property.

The 17 vehicles will be used for CCD operations.

The presentation of the gift ceremony was attended by Minister of Interior Jawdat Al Sboul and other officials.

0090

السبول والسفير الكوري يزوران مديرية الدفاع المدني

تقديم سيارات ضمن المنحة الكورية والمساعدات الانسانية للاردن

عمان ـ بترا ـ زار السيد جودت السبول وزير الداخلية وسفير كوريا الجنوبية في عمان والقنصل العام في السفارة امس مديرية الدفاع المدني العام.

وقدم السيد السفير خلال الزيارة سيارات الى الدفاع المدني ضمن المنحة الكورية والمساعدات الانسانية للاردن.

واشاد اللواء عفيف الغول مدير الدفاع المدني الى الجهود التي يبذلها الدفاع المدني من اجل القيام بالمهام الانسانية والخدمات التي يقدمها لحماية الارواح والممتلكات.

واعرب السفير الكوري عن تقديره لجهاز الدفاع المدني لما يقدمه من خدمات للمواطنين.

بحضور وزير الداخلية

كوريا تقدم سيارات الى الدفاع المدني

واشاد اللواء عفيف الغول مدير الدفاع المدني بالجهود التي يبذلها الدفاع المدني من اجل القيام بالمهام الانسانية والخدمات التي يقدمها لحماية الارواح والممتلكات.

واعرب السفير الكوري عن تقديره لجهاز الدفاع المدني لما يقدمه من خدمات للمواطنين.

عمان ـ بترا ـ زار السيد جودت السبول وزير الداخلية وسفير كوريا الجنوبية في عمان والقنصل العام في السفارة امس مديرية الدفاع المدني العام.

وقدم السيد السفير خلال الزيارة سيارات الى الدفاع المدني ضمن المنحة الكورية والمساعدات الانسانية للاردن.

0091

외 무 부

110-760 서울 종로구 세종로 77번지 / (02)720-3869 /

문서번호 중동이 20005-195
시행일자 1992. 7.28.

29656

수신 주 요르단 대사
참조

취급		장 관
보존		49 _M_
국 장	전결	
심의관		
과 장	_M_	
기안	변상웅	협조

제목 선적서류 송부

대 : JOW - 0947

연 : WJO - 0154

대 요르단향 대우버스 관련 부품 선적에 따른 선적서류를 별첨 송부하오니,
주재국 기획성에 적의 전달, 수령에 착오없으시기 바라며, 아래를 참고하시기
바랍니다.

- 아 래 -

O 3차 선적 내역

- 부품

1) 선적물량 : 버스부품 43 ITEMS (260 PCS)

2) 선 적 일 : 92. 6. 29.

3) 금 액 : $ 4,206.52

첨 부 : 동 선적서류 2부. 끝.

외 무 부 장 관

0092

외 무 부

110-760 서울 종로구 세종로 77번지 / (02)720-3869 /

문서번호 중동이 20005-*114*

시행일자 1992.7.28.

수신 총무과장

참조 외환계장

취급		장 관	
보존		*101* *m*	
국 장	전결		
심의관			
과 장	*m*		
담당	변상응		협조

제목 걸프사태 주변국 지원 관련 경비지불의뢰

　　　　걸프사태 관련 대요르단 지원물자인 대우버스 부품선적에 따른 경비를 아래와
같이 지불하여 주시기 바랍니다.

- 아　　　　래 -

1. 지 불 액 : $4,206.52

2. 지 불 처 : (주) 대우

　　ㅇ 지불은행 : 상업은행 역전지점

　　ㅇ 외화구좌 : No. RA 003

3. 산출근거 : 대요르단 지원물자 선적에 따른 경비지불

4. 예상항목 : 정무활동, 해외경상이전, 걸프사태 주변국 지원 (요르단)

첨부 : 1. 재가공문 사본 1부.

　　　 2. 계약서 사본 1부.

　　　 3. (주) 대우 청구서 1부.　　끝.

중 동 아 프 리 카 국 장

0093

걸프사태 : 주변국 지원, 1990-92. 전12권 (V.8 요르단 III: 1992) 509

DAEWOO CORPORATION

541, 5-GA, NAMDAEMUNNO, CHUNG-GU, SEOUL, KOREA
C.P.O.BOX 2810,8269,SEOUL, KOREA/TELEX: DAEWOO K23341~2, K24444, K24295/CABLE:"DAEWOO"SEOUL/TEL:759-2114/FAX:753-9489

자동차 1 - 20709.01

수 신 : 외무부 중동2과장   1992. 7. 9.

참 조 : 변상용 사무관

제 목 : 한.요르단 經協 BUS 공급건

1. 귀 외무부의 발전과 귀하의 건승하심을 축원합니다.

2. 폐사는 귀 외무부와 1991년 12월 31일 체결한 요르단향 대우버스 9대 및 관련부품 공급계약과 관련하여 부품 잔량의 선적사항을 다음과 같이 통보합니다.

- 아 래 -

1. 부품 3차 선적 사항 :

    o 부품   :   1) 선적물량 : BUS SPARE PARTS 43 ITEMS (260 PCS)
                                       U$4,206.52 / CIF VALUE

                       2) 선 적 일 : 1992년 6월 29일

                       3) 선 적 항 : 부산

                       4) 선 명 : CGM LA PEROUSE

2. (주)대우 입금구좌 : 상업은행 역전지점 원화구좌 NO. 121-01-108678
                                          외화구좌 NO. RA003

* 유 첨 : 선적서류일체   끝.

(주) 대 우 자 동 차 1 부 장

0094

주 요 르 단 대 사 관

P.O.BOX 3060, AMMAN,JORDAN   / (0019626) 660745 - 6

//

문서번호 요르단(정) 700- 244

시행일자 1992.10.3.

수신 장 관

참조 중동아프리카국장

선결			지시		
접수	일자 시간		결재 공람		
	번호	**55712**			
처리과					
담당자					

제목 무상원조

1992. 10.
주요르단
대사관

1. 9.22. 주재국의 FARIZ 기획성장관은 본직을 초치, 지난 8월 아카바항 화재 진압시
   민방위청 진화 기자재 및 부수 장비가 대손실을 입었으나 주재국 정부의 어려운 재정
   사정상 조달이 어려우므로 우방인 한국 정부에서 가능한한 별첨 기자재를 지원해 줄것을
   간곡히 요청한바 있습니다.

2. 걸프 사태를 위요, 극심한 경제 및 재정난을 겪고있는 주재국 사정을 감안 또한 걸프
   사태관련 아국 정부의 대주재국 지원으로 관계가 보다 심화되고 있는 양국관계를 감안,
   가능한 품목내에서 적절한 수량의 기자재를 지원할것을 건의하오니 적극 검토하여
   주시기 바랍니다.

첨부 : 동 LIST 1부. 끝.

주 요 르 단 대

0095

외 무 부

110-760 서울 종로구 세종로 77번지 / ☎ (02)720-2327, 3969 / 구내 2168, 2169

문서번호 중동일 23000-312
시행일자 1992. 10. 7. (   )

취급		장 관	
보존			
국 장	전 결		
심의관			
과 장			
담 당	주 중 철		협조

수신   국제경제국장
참조   경제협력2과장

제목   대요르단 무상원조 협조요청

1. 요르단 Fariz 기획성장관은 92.9.22. 주요르단 대사를 초치, 92.8. 아카바항 화재
   진압시 큰 손실을 입은 민방위청 진화 기자재 및 부수장비를 어려운 재정 사정으로
   조달하지 못하고 있다고 설명하면서 우방국인 한국정부에 가능한한 별첨 기자재를
   지원해줄 것을. 요청해왔습니다.

2. 주요르단 대사는 걸프전이후 심화되고 있는 양국관계를 감안, 가능한 품목내에서
   적절한 수량의 기자재 지원을 건의하여 왔는바, 귀국의 적극적인 검토를 바랍니다.

첨 부 : 기자재 List 1부.   끝.

중 동 아 프 리 카 국 장

0096

ITEMS	DESCRIPTION	QT
1.	Breathing appratus closed circut	100
2.	Duriline fire hose acc Bss (Delivery hoses)	800
3.	Expandol foam, high and medium expansion	5000LT
4.	F B 350 Flour Protein foam	25000LT
5.	Al-Coceal especial type of foam for petro chemicals LPG'S	7500
6.	Turbex MK 11 Water turbine generator 7000 cubine feet/ mint	5
7.	High pressure fog nozzel type akron	25
8.	Asia coaches capacity (16-24)	10
9.	Daewoo Racer salon	10

0097

발 신 전 보

	분류번호	보존기간

번   호 : WJO-0759   911230 1435 WG   종별 : ~~암호타전~~

수   신 : 주 요르단   대사. 총영사//// (김균 참사관)

발   신 : 장   관   (중동2과 정진호

제   목 :   업   연

1. 잔액지원 관련, 버스를 9대로할 경우 부품은 6.5%상당만 공급

가능합니다. 동건이미 8대, 부품 20%상당으로 재가가 끝난 상태이나 기획성측이

위와같이 변경하는데 동의한다면 수용하겠으니 초긴급 건의하여 주시기 바랍니다.
                                                                공건

2. 새해 건승 기원합니다.   끝.

		보 안 통 제	호

안 고 재	91년 12월 30일 중동2과	기안자 성명		과 장		국 장		차 관	장 관
				호					

외신과통제
02

0098

외교문서 비밀해제: 걸프 사태 45

걸프 사태 주변국 지원 3: 요르단

초판인쇄 2024년 03월 15일
초판발행 2024년 03월 15일

지은이 한국학술정보(주)
펴낸이 채종준
펴낸곳 한국학술정보(주)
주 소 경기도 파주시 회동길 230(문발동)
전 화 031-908-3181(대표)
팩 스 031-908-3189
홈페이지 http://ebook.kstudy.com
E-mail 출판사업부 publish@kstudy.com
등 록 제일산-115호(2000. 6. 19)

ISBN 979-11-7217-007-3 94340
       979-11-6983-960-0 94340 (set)